KB213207

밀알의 흔적

밀알의 흔적

박중기

순교자 박병근(朴炳根) 전도사의
사역 기록과 그 가족들의 신앙의 이야기

크리스챤서적

"죽도록 忠識하라"

순 교 비

박병근 전도사

순교자 박병근 전도사는 1892년 6월 7일 전남 광산군 대촌면 구소리에서 출생하시고 1924년 4월 17일 전남노회에서 전도사로 임명받아 복음을 전하시다 일제시대 신사참배 거부로 3년동안의 옥고를 치르면서도 신앙의 지조를 끝까지 지키셨고 순교의 제물이 되지 못했던 것을 아쉬워하던 중 6.25동란 때에 나산교회에 부임하여 시무하시다가 1950년 8월17일(음)에 공산군에 의해 장엄한 순교를 하시어 하나님의 품에 안기셨고 슬하에 자녀로는 유순, 환규(목사), 금규(순교), 남규(목사)를 두셨다 이 역사적인 사실을 기억하고 교인들의 신앙의 귀감을 삼기 위하여 여기에 순교비를 건립하다

2004년5월5일

나산교회 교인일동

| 발간사 |

하나님은 성경을 통해서 알지 못하고 깨닫지 못한 모든 인류에게 하나님의 뜻과 계획을 알려 주고, 깨닫게 하려고 성경을 우리에게 계시해 주셨습니다. 하나님의 뜻과 계시의 뜻을 종합해 보면 예수님이 이 땅에 오시면서 모든 인류의 죄악을 짊어지시고 십자가 위에서 속죄하신 예수님의 중심 내용입니다.

순교자 고 박병근 전도사의 신앙 정신은 예수님을 본받아 복음을 들고 전도하시고, 교회를 개척하여 세우고, 하나님의 잃어버린 어린양을 찾아 구원하여서 하나님의 일꾼들을 세우고, 제자로 삼아서 하나님의 나라를 건설하는 그것이 목적이었습니다. 일제강점기 때는 신사참배를 반대하시다 영암과 광주경찰서 유치장에 구속되어 각종 고문과 조사를 받고 광주지방법원 형사부에서 일본인 검사와 판사들에 의해 재판을 받고 광주교도소에서 형을 살면서도 신앙을 지키셨습니다. 그 목적을 다하기 위하여 목회하시던 중, 1950년 6·25 한국전쟁으로 공산화되었을 때, 오직 믿음의 지조를 지키며 밀알 신앙으로 순교하심으로 "네가 죽도록 충성하라 그리하면 생명의 면류관을 네게 주리라"라는 말씀대로 순교하셨습니다.

예수님이 이 땅에 오셔서 십자가에 속죄하신 어린양 되신 예수그리스도의 정신을 본받아 59세 순교하신 밀알 정신을 계승하신 제자의 숭고한 신앙인 줄 압니다.

이 책을 통해서 간증하고 전해서 하나님께 영광 돌리고, 우리 자손만대에 순교 정신을 계승해 나갈 것을 다짐하면서 발간사를 드립니다.

광주 샘물교회 원로목사 박 남 규

(순교자 박병근 전도사 3남)

| 추천사 |

"믿음의 대를 이어 가는 것은 축복입니다. 순교하신 할아버님과 농촌 목회와 개척교회를 하면서도 한 길을 걸어온 아버님입니다. 아버님이 저희 형제들 앞에 내놓던 총알구멍 난 옷을 떠올립니다. 죽도록 충성하는 목회자의 모습이 교회를 세우는 저의 자존감입니다."

박은기 목사(박환규 목사의 5남)의 아름다운교회 설립예배 인사말이었습니다.

증조할아버지 박문택은 광주의 전설 같은 구소리교회(광산군) 교인이었습니다. 미국 남장로교 유진 벨 선교사에게 복음을 듣고, 오웬 선교사를 도와 매서인으로 전라도 땅에 생명의 말씀을 전파했던 전도인이었습니다.

할아버지 박병근은 창평 등지에서 사역하다 전남노회가 제주 두모리교회에 파송한 전도사였습니다. 제주서 만난 아내 좌추선은 서서평 선교사를 만나 이일성경학교에 다녔고 광주권역의 확장주일학교를 인도했습니다.

일제의 신사참배를 반대했던 박병근은 장흥읍교회와 영암읍교회를 섬기다 나산교회(함평)를 맡았습니다. 6·25 때 교인들이 피난을 권했지만 "내가 짊어져야 할 십자가라면 내가 지겠습니다"라며 교회를 지키다 좌익에게 붙들려 순교의 제물이 되었습니다.

부친 박환규는 18세 청년 때부터 설교를 맡았습니다.

신사참배를 거부한 목회자가 감옥에 갇히면 누군가 강단을 지켜야 했습니다. 설교집을 읽듯 했지만 핍박받는 교회의 부르짖음 응답이었는지 은혜가 되었습니다.

1953년에 총회신학교를 졸업하고 원진교회(해남), 청평(담양), 구례중앙, 대안, 봉황(나주)

에서 사역하다, 교단 분열로 어려울 때 광주에 은석교회를 개척했습니다. 목사님과 가족들 고생이 혹심했습니다. 그러던 어느 날 갑자기 쓰러졌고(1995년), 2급 장애인으로 물러나 은퇴했지만, 하나님의 부름을 받았습니다(2017년).

작은아버지 박남규 목사는 1961년 총신대학을 졸업했습니다.

군종 15기로 임관하여 베트남 십자성부대 군목 생활을 하다, 3공병여단과 31사단 군인교회 군목에 지낸 후 전역하여 광송교회를 개척했고, 28년간 시무 후에 은퇴했습니다. 순교자의 유가족이라는 명예가 있었고, 국가의 부름으로 월남전에 참여해 국가유공자된 것이 자랑스럽고, 광송교회를 개척하여 섬긴 것이 행복이었다며, 앞으로 예수님 닮아 살기로 작정한답니다.

아프리카에서 이 시대의 사도행전을 쓰고 있는 케냐 선교사 박성기,
캄보디아 선교사 박창기 그리고 농촌교회 사역자 박은기와
형제들 중기 동기 이야기와 가족들의 또 다른 이야기를 기도하는 마음으로 바라봅니다.
역사 자료를 찾아 좋은 책을 내 준 장자 박중기 장로에게 감사의 인사를 올립니다.

광주 동산교회 원로목사 황 영 준

| 추천사 |

어느 날 미국에 있는 손자들에게 지난 한국 방문 중에 가장 기억에 남는 것이 무엇인지 물었습니다. 곧 성년의 나이가 되는 손자들이 무엇이 달라졌는지, 무엇을 가장 소중하게 생각하는지를 제가 물었던 것입니다. 그랬더니 두 손자 모두 같은 답을 했습니다. 출국을 며칠 앞두고 할아버지께서 3일에 걸쳐 한국 역사, 한국 교회사와 그 속에서 이어져 온 우리 가문의 신앙, 마지막으로 할아버지의 그리스도 영접과 지금까지의 사역에 대해 들려주신 것이 가장 감명 깊었다는 것입니다. 그리고 한국에 살고 있는 또 다른 손자들에게도 우리 가정의 신앙에 대해 기억하는지 물었더니 초등학교 5학년 아이가 내용을 그대로 읊는 것을 보고 깨닫는 바가 있었습니다. 성경은 믿음의 계보를 중시하며 반복적으로 기록했습니다. 이는 선대로부터 시작된 가문의 믿음과 그것을 발전시키고 전수해 온 것이야말로 다음 세대에 물려주어야 할 소중한 유산이기 때문입니다.

이 책의 내용은 오늘날 많은 그리스도인 가정에 시사하는 바가 무척 큽니다. 자녀들이 예수를 믿지 않아 혼동하는 이 시대, 그 비참함을 뼈저리게 느끼고 있는 이런 시대에 한 번이라도 내 자식들에게 우리 가정의 신앙사와 나와 동행하신 주님에 대해 이야기해 본 적이 있는지, 또 이처럼 기록을 남기는 가정이 있는지, 저 역시 뒤돌아보게 합니다.

신명기에는 기억하라, 기억하라, 기억하라고 합니다. 후손들에게 반복하면서 반드시 가문의 신앙을 잘 지키도록 했습니다. 신앙은 학문적인 논리로 정리될 수 없습니다. 신앙은 곧 삶이기 때문에 논리를 넘어선 것입니다. 그런데 우리는 자녀들에게 내가 살아오면서 하나님께서 함께하신 귀한 기록을 전수하지도 않은 채 자녀들이 곁길로 가는 것만 한탄하고 있습니다.

박 목사님 가문의 신앙의 첫 문을 여셨던 박소님 전도사님은 우리 외할머님의 수양딸이셨습니다. 외할머니께서 가장 사랑했던 친딸 이상으로 신뢰하고 사랑했던 전도사님의 이름을 제가 글로 읽으면서 가슴 뭉클한 감동을 누렸습니다. 이 기록처럼 하나님께서 우리와 함께하셨던 신앙의 현장을, 그 큰 은혜를 우리가 반드시 자녀들에게 전해야 합니다. 이런 관점에서 이 책은 너무나 귀한 책입니다. 그뿐만 아니라 내가 믿은 예수님은 어떤 분이셨는지 확실하게 자녀들의 마음에 새겨, 예수 그리스도의 구세주 되심과 주님 되심이 드러나는 신앙의 바통을 잘 전해야 합니다. 이런 거룩한 가문의 기록이, 우리 후손들에게 믿음의 반석에 서서 우리 하나님은 아브라함의 하나님, 이삭의 하나님, 야곱의 하나님이 되심을 고백하게 할 것입니다. 모든 그리스도인 가정에 이와 같은 아름다운 전승의 축복이 있기를 소원하며, 많은 사람에게 책이 전해지는 축복이 있기를 바랍니다.

남서울은혜교회 원로목사 홍정길

| 차례 |

순교자 박병근(朴炳根) 전도사의
사역 기록과 그 가족들의
신앙의 이야기

내가 진실로 진실로 너희에게 이르노니

한 알의 밀이 땅에 떨어져 죽지 아니하면 한 알 그대로 있고

죽으면 많은 열매를 맺느니라(요한복음 12장 24절)

이 글을 쓰게 된 이야기

2014년 청명한 가을 어느 날, 아마 11월의 어느 날이었던 것 같다. 내가 출석하는 전주 온누리교회에서는 2014년 10월 5일~11월 30일까지 제3회 선교학교를 진행 중이었다. 제3회 선교훈련학교(주제 : 아버지의 눈으로 열방을 보라)를 실시하던 중, 선교학교 수업 과정 중 하나로 선교 현장 탐방 시간에 전주대학교 호남기독교박물관[1])을 탐방하게 되었다.

그해 2014년 6월 개관한 전주대학교 호남기독교박물관의 전시 방향은 첨단 영상 전시 기법을 동원한 감동을 주는 전시로 전시 도입부에 미국 남장로교 7인 선발대[2])의 선교 영상 및 호남 지역 순교자 발자취 영상 등 디지털 아트비전이 활용되었다.

호남 지방 최초의 선교사들 7인 선발대의 활동상을 보고 기도실 입구를 지나다 좌측 벽면에 지도와 함께 그림으로 그려진 호남 지방 순교자의 명단이 기록되어 있는 것을 보았다. 충청남도, 전라북도, 전라남도, 제주도의 순교자의 이름이 각 시, 군별로 나뉘어 적혀 있었다.

"한 알의 밀이 땅에 떨어져 죽으면 많은 열매를 맺느니라"(요 12:24)는 성경 말씀과 함께 각 도와 시 군별 지도 그림과 함께

호남 지역 순교자 1910~1953년 635명,

충청남도 69명,

전라북도 161명,

제주 11명,

전라남도 395명

이라고 지도와 함께 각 도, 시, 군별 순교자의 명단이 기록되어 있는 것을 보았다. 순교 시기의 구분은 3 · 1운동, 신사참배, 여순사건, 4 · 3사건, 6 · 25전쟁 등으로 십자가의 크기와 색으로 구분하여 지도에 표시되어 있었다.

나는 순교자들의 명단을 유심히 살펴보다, 그중 하단 끝 부분에서 함평군 4명의 순교자 이름 속에서 나의 할아버지 **박병근**(나산교회)의 이름을 발견하였다. 순간, 갑자기 내 속

에서 무엇인가 솟아오르는 것에 가슴이 먹먹해지면서, 몸에 전율이 흐르고, 눈에 이슬이 맺혔다. 머리 속이 텅 빈 것 같은 순간의 충격에 잠시 빠져든 것을 느꼈다.

함평(4명)

6·25전쟁 : 정재련(구봉교회), 김규, 박병근(나산교회), 정인태(몽탄교회)

바로 그 명단 위에는 영암(87명)의 6·25전쟁의 순교자 명단 중에서 영암읍교회(24명) **김인봉**의 이름도 보았다. 김인봉 전도사는 나의 고모부로 박병근 할아버지의 사위였다.

나는 전주온누리교회 은퇴장로이다. 1999년 11월 20일 안수집사로 임직을 받았고, 2011년 3월 20일 장로로 안수를 받고 시무장로로 봉사하다 교회 내규에 따라 65세가 되던 2016년 말까지 시무를 마치고 2017년 1월 1일 장로직을 은퇴하였다.

전주온누리교회는 선교에 많은 열정을 갖고 있는 교회이다. 1992년부터 오○○ 선교사 외 해외 선교지 4곳을 지원하기 시작했다. 2002년 정용비 목사께서 2대 담임목사로 부임한 후부터는 해외 선교에 사역을 더욱 집중하였다. 2005년 12월 박○○ 목사를 제1호 단독 선교사로 캄보디아에 파송하였고, 2004년 8월 1차 단기선교(몽골)를 시작으로 2012년

이 책의 사진 자료를 더 자세히 볼 수 있는 곳 :
https://tinyurl.com/28knwxz5

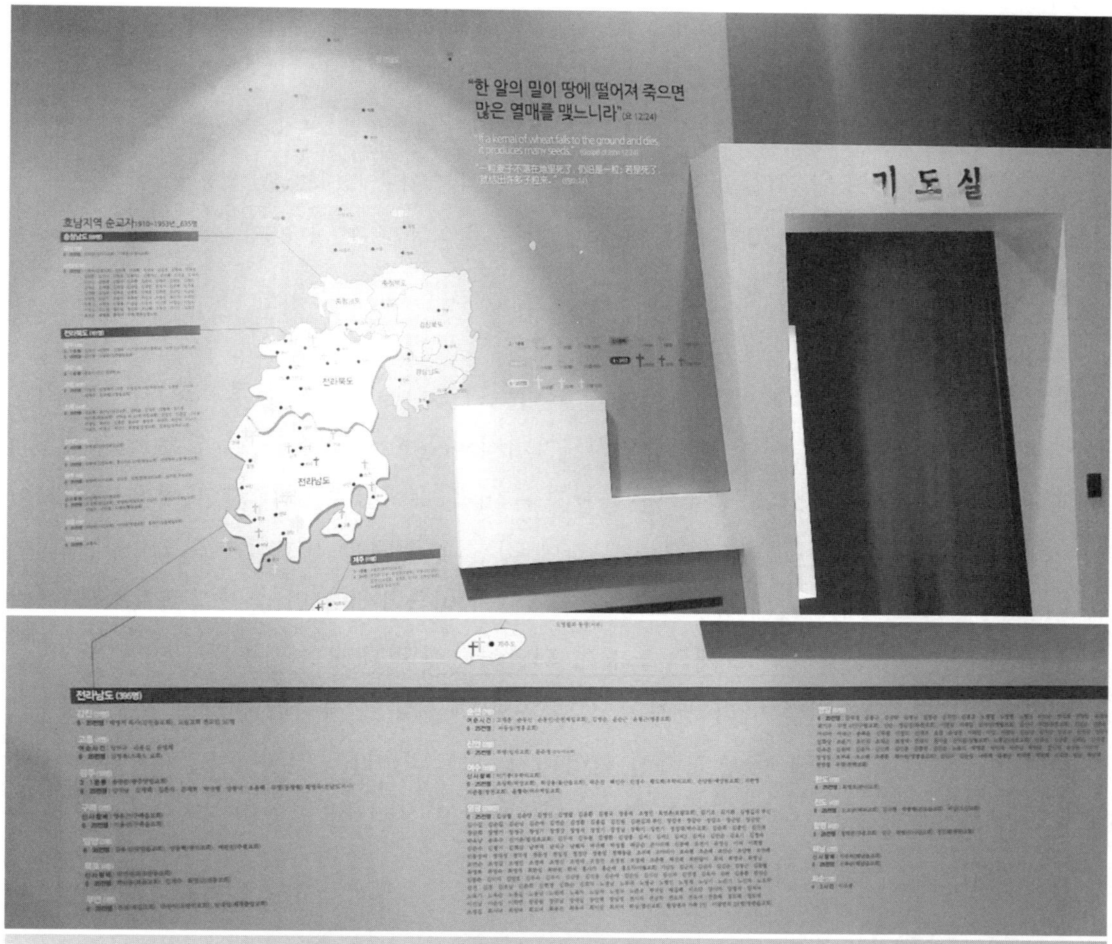

영암 (87명)
6 · 25전쟁 : 김덕경 · 김봉규 · 김상락 · 김정님 · 김창은 · 김치빈 · 김홍호 · 노병철 · 노병현 · 노형식 · 이이순 · 장성례 · 천양림 · 최경애 · 최기우 · 무명 4인(구림교회), 안순 · 정길성(독천교회), 이영심 · 이태일 · 임자임(매월교회), 김상규 · 무명(삼호교회), 김길순 · 김춘동 · 마리아 · 서석근 · 송복윤 · 신덕철 · 신장모 · 신재조 · 요셉 · 윤성전 · 이복만 · 이일 · 이춘만 · 임남상 · 임여상 · 임유삼 · 임태광 · 임항우 · 임화상 · 조윤기 · 조인심 · 조재운 · 조정덕 · 진대식 · 진사울 · 진야곱(상월교회), 노홍균(서호교회), 김동신 · 김동흠 · 김복순 · 김석영 · 김옥준 · 김원배 · 김윤자 · 김인례 · 김인봉 · 김종연 · 김천순 · 노용식 · 박영훈 · 박인재 · 박주상 · 박태준 · 방인태 · 윤상림 · 이문찬 · 장성심 · 조부복 · 조소례 · 조종환 · 채수원(영광읍교회), 김민수 · 김순임 · 나옥매 · 문봉순 · 박석현 · 박원택 · 오죽현 · 필남 · 해남댁 · 현영필 · 무명(천해교회)

완도 (1명)
6 · 25전쟁 : 최병호(관산교회)

진도 (4명)
6 · 25전쟁 : 오교남(벽파교회), 김수현 · 박종해(진도읍교회), 미상(오산교회)

함평 (4명)
6 · 25전쟁 : 정재련(구봉교회), 김규 · 박병근(나산교회), 정인태(몽탄교회)

해남 (2명)
신사참배 : 이우석(해남읍교회)
6 · 25전쟁 : 신복균(해남읍교회)

화순 (1명)
4 · 3사건 : 이도종

회), 지한영 ·
환 · 김병길과 부인 ·
군암 · 장금암 ·
· 김종인 · 김진복 ·
김요기 · 김정숙 ·
· 이씨 · 이희범 ·
순 · 조양현 · 조연례 ·
· 최영국 · 최영님 ·
순 · 김동근 · 김동렬 ·
완 · 김용환 · 김임순 ·
순기 · 노신자 · 노오차 ·

8월까지 18차의 단기선교를 실시하는 등 선교에 열정을 많이 갖고 있었다. 교회 내부에서는 교인들을 대상으로 해마다 한 번씩 선교학교를 개최하였다.

- 2012년 10월 6일~11월 10일까지 제1회 선교훈련학교(미션익스포저)를 하였다.
- 2013년 9월 1일~10월 20일까지 제2회 선교훈련학교(시니어선교한국팀 초빙)를 하였다.
- 2014년 10월 5일~11월 30일까지 제3회 선교훈련학교(주제－아버지의 눈으로 열방을 보라)를 실시하였다.

나는 선교학교의 전 과정을 참석하고 수료하였다. 2014년 3회 선교학교의 수업 과정을 마치고 정리와 다짐의 시간을 갖으면서 "아버지의 눈으로 열방을 보라"는 선교학교의 주제 속의 '아버지의 눈으로…'라는 단어가 자꾸 머리 속에서 떠나지 않고 여운으로 남아 있었다. 더욱, 마지막 선교 현장 탐방 시간에 갔던 전주대학교 호남기독교박물관 벽의 순교자들의 명단 속에서 나의 조부 박병근 전도사의 이름을 보았던 순간의 감동이 되살아 났다. 전율처럼 내게 흐르던 그때의 느낌이 되살아나면서 내게 신앙을 유산으로 남겨 준 선조들의 신앙의 발자취를 따라가 보고 싶었다. 일제시대 신사참배 반대로 3년 2개월의 옥고를 치르고, 6·25전쟁 때 순교하신 할아버지, 남편과 아들·딸과 사위의 죽음을 지켜 보고도 남은 두 아들을 목사로 세우신 할머니, 그리고 우리 집 신앙의 첫 선구자이신 증조부의 신앙의 흔적을 찾아보기로 다짐했다.

그해 봄, 2014년 4월 5~6일까지 '구례중앙교회 창립 110주년 기념식, 전임교역자 초청 행사'에 몸이 불편하신 부모님을 모시고 다녀온 적이 있었다. 그때, 아버님은 1995년 2월 발생한 뇌출혈로 인한 우측 편 마비 장애와 노후한 몸으로 담임목사의 부축을 받아서 예배 축도를 하시는 것을 보았던 기억이 되살아났다. 아버지의 기력이 다하기 전에, 살아 계실 때 우리 집안 기독교 신앙을 도입하신 증조 할아버지와. 그 믿음의 대를 이어 순교하신 할아버지와, 그리고 제주에서 태어나 어릴 적부터 믿음을 갖고 처녀의 몸으로 광주로 선교사를 따라 와서 그들에게 교육을 받고 전도부인으로 사역하신 할머니의 신앙의 발자취를 찾아서 그 기록과 자료를 찾아 놓아야겠다는 생각을 갖게 되었다.

5남 1녀인 우리 형제는, 해외에 선교사로 나간 둘째와 셋째에게는 아들이 두 명씩 있고, 국내에 남은 나와, 두 동생(4남과 5남)들에게는 아들이 없고 딸만 둘 또는 세 명씩 있다. 물론 막내딸인 여동생에게는 아들과 딸이 하나씩 있다.

그래서 나는 더욱 할아버지께서 전도사로 시무하셨던 교회들에서 그 흔적들을 찾아, 후손들에게 그 기록을 남겨 두는 것도 의미 있는 일이라고 생각했다. 또한, 일찍이 제주에서 처녀 때 예수를 믿고 미국인 선교사들을 따라 광주로 나와 이일성경학교에서 공부를 하여 전도부인으로 사역하신 할머니의 신앙의 흔적이나 기록, 교적부 등을 찾아 기록을 남겨 두기로 다짐했다. 후대들이 쉽게 볼 수 있도록 하자고 생각했다.

아버지께서 설이나 추석 같은 명절에 가족들이 모여 예배를 볼 때 보여 주시던, 할아버지께서 순교할 때 입고 계시던 옷의 총 구멍이 난 옷 조각과, "죽도록 충성하라"가 우리 집 가훈이라고 말씀하시던 생각이 났다. 그 외의 할아버지가 친필로 남기신 자료들을 찾고 사진을 찍어 남겨 두기 시작했다. 시간이 되는 대로 광주 부모님 집에 가면, 자료들을 찾아 모으고 사진을 찍고 모아 두기를 시작했다.

| 내가 모은 기록과 참고 자료 |

아버지께서 친히 기록해 둔 가족들에 관한 자료나 인터뷰 기사 등을 찾아 모으기 시작했다. 아버지께서 이미 작성해 두신 서류들 몇 가지를 찾았다. 이를 보니 아버지께서는 이미 오래전부터, 어쩌면 1995년 뇌출혈이 발병 후 회복기에 집에 머무르시면서 이런 기록들을 우리에게 남겨 주시려고 작업을 하시다가 미처 마무리를 못 하셨다는 생각을 갖게 되었다.

할아버지의 친필로 쓰신 「**평양신학교 통신 성경 공부 기록 공책**과 **성적표, 우편 봉투**」. 아버지께서 직접 기록한 「**신앙의 계보**」, 「**우리 가정의 신앙**」, 「**순교자 박병근 전도사**(장로) **약전**(殉教者 朴炳根 傳道師(長老) **略傳**)」 등, 내가 모은 기록과 참고 자료는 이 책의 부록에 첨부하였다.

이를 바탕으로 우리 가족의 믿음의 발자취, 신앙의 계보와 흔적들을 찾아 기록해 보고자 한다. 이 기록은 자랑이 아니고, 우리 후대 자자손손에 이르도록 우리 선조들의 신앙을 **'본받는 사람들'** 되기를 바라는 마음으로 기록하고 있다.

1950년 6·25 한국전쟁과 집안의 역경

은희는 갔도다.
하늘나라로.
너무나도 허망하게 돌아갔도다…….

그 마른 손 눈앞에 보이고
밥 받아먹던 그 모습 그리워진다.

지난 여름 입으로 화롯불을 불어
우유를 데워 먹였는데,
보리밥이라도 먹였는데.

은희야,
세상 고생 버리고 평안한 천국 갔지만
너의 엄마 아빠는 너를 그리워한단다.

하나님이
주셨다가 데려가신 걸
내 어찌 이렇게 못 잊을까.

나에게 힘을 주소서.
나의 마음에 위로를 주소서.

육체는 비록 흙으로 갔지만
영혼은 아버지께 간 줄 아나이다…….
하나님이여.
나를 붙들어 주옵소서.

이 글은 고등성경학교를 막 졸업한 초보 전도사였던 젊은 아빠가, 첫 부임지에서 첫딸을 낳아 한 해도 안 되어 병으로 보내고 흐르는 눈물 속에 그리움과 다짐을 적어 놓은 글이다.

나의 부친(박환규)이 1949년 초 겨울 24살 때 광주 고등성경학교를 졸업하고 전도사로 첫 부임하러 가기 위해, 태어난 지 백 일 정도밖에 안 된 딸을 안고 호로형 버스를 타고 찬바람을 맞으며 갔다. 그것이 어린 딸에게는 병의 원인이 되어 결국은 먼저 하늘나라로 보냈다. 장흥 관산교회에서 전도사로 시무를 시작하자마자, 세상을 떠난 첫딸(은희)을 먼저 하늘나라로 보내고 눈앞에 아른거리는 아이의 모습을 그리며 써 놓으신 글이다.

얼마나 그 마음이 답답하고 아팠을까? 잘 먹이지 못한 아비의 마음, 그리워하다 못해 하나님의 섭리로 위로를 받으려는 울부짖음이 그대로 드러난 글이다. 인간의 연약함을 하나님께서 믿음으로 붙들어 주기를 기도하는 마음으로 끝을 맺고 있었다.

그리고 신학교를 입학하던 해에 터진 6·25 한국전쟁과 부친의 순교하신 죽음, 그 부친의 시신을 찾겠다고 나선 중학교 5학년인 동생 금규의 죽음까지 연달아 이어지는 슬픔 속에 가슴을 도려낸 것 같은 글들을 남겨 놓으셨다. 나의 부친 박환규 목사의 글들을, 광주에서 발행된 기독타임스 2003년 4월부터 5월까지 5회에 연재된 황영준 목사(당시 광주동산교회 시무)님의 연재 기사에서 찾았다. 황영준 목사님은 당시 뇌출혈 후 은퇴하시고 집에서 휴양 중인 나의 아버지를 찾아 오시어, 직접 인터뷰하시고, 그 기록들을 엮어 「**순교자 박병근 전도사 일가 이야기**」로 〈황영준 목회 칼럼〉에 5회에 걸쳐 연재해 주셨다. 연재된 글 중에 부친이 기록한 절규에 가까운 시(詩)를−아니 시보다는 기도나 고백 같은 글을 찾아서 여기에 옮겨 보았다.

1950년 전도사로 시무하면서 장로회 신학교에 입학한 나의 부친은 몇 달 후 6·25전쟁으로 인하여 장흥 관산교회 전도사를 사임하고, 할머님이 해방 전 일본 경찰에 의해 영암읍교회서 쫓겨나 고생 끝에 터를 잡아 놓은 영암 신흥 부락으로 돌아왔다. 그해 9월 추석이 지나고 며칠 후 그에게는 또다시 청천벽력 같은 소식이 전해졌다. 함평 나산교회 전도사로 시무 중이던 그의 부친이 공산군들에게 끌려가 함평에서 총에 맞아 돌아 가셨다는 소식이 전해졌다. **순교를 하신 것이다.**

부친의 사망 소식을 듣고도 전쟁으로 인해 시신을 거두러 가지를 못한 가족들과 함께 눈물로 기도의 재단을 쌓으면서 부친의 모습을 그리며 기록해 놓으신 글－부친의 순교를 그리는 글을 황영준 목사님과의 대담 후 황 목사님이 연재하신 글에서 찾았다.

둥근 달이 높이 떠 있고
고요하고 고적한 외로운 밤.

묵묵히 최후를 맞으려고
죽을 소와 같이 끌려가는 그 발걸음.

장엄하고 용감하고 아름답도다.
붉은 피로 땅을 적시고 쓰러진 순교자.

인간의 칭찬과 인생의 높음을
멀리한 거룩한 사도.

세상의 고초와 쓰라림을 다 마치고
죽음으로 순종한 아름다운 성도.

지금은 천국에
아름다운 한 송이 꽃이리라.

－ 부친의 순교를 추모하는 글. 박환규 씀

부친의 순교의 모습을 그리며 쓴 글로, 세상의 어려움, 역경, 감옥의 생을 마치고 비록 이 땅을 피로 적시고 가지만, 천국의 꽃으로 피어날 거룩한 성도의 모습을 그리는 글이다.

그리고 얼마 후, 부친의 시신을 찾겠다고 나선 동생 금규. 그는 당시 광주 숭일중학교 5학년에 재학 중, 전쟁으로 무안에 있는 형수의 친정집에 피신해 있었다. 그 동생이 부친의 시신을 찾겠다며 함평으로 갔다. 그곳에서 지역의 빨치산 잔당들에게 붙잡혀 죽었다는 소식이 전해진다.

사랑스러운 딸과 부친, 누님과 매형, 그리고 동생까지 보내야만 했던 6·25 한국전쟁의 아수라장 속에서 전쟁의 아픔과 상처 속에서 그는 스스로에게 다짐과, 하나님 앞에 서원하는 심정의 글을 적어 놓았다. 이러한 아픔과 고통 속에서 천국의 소망으로 부친의 길을 따라가겠다는 신앙의 고백과 부친의 교훈으로 받아들이는 정신은 어디에서 왔을까?

나,
부친 뒤를 잇기 위하여
이곳에 왔으니
어머니 용서하십시오.

어머님이 슬퍼하시는 모습이
내 눈에 나타납니다.

어머님,
천국 가신 부친과 금규.

우리 식구들 천국 가면
기쁜 얼굴 대할 것이니

슬픔을 기쁨으로 바꾸어 주시는
주님의 위로가 우리 가정 위에
영원히 떠나지 않을 줄 압니다.

내 할 일 다 하고
주님 뜻 준행하다가

부친 가신 그 길을
나도 따라가길 원합니다.

이것이 부친의 최후 교훈입니다…….

– 부친 2주기에 박환규 쓴 글

이런 글을 남기신 부친의 신앙과 그 신앙의 뿌리를 찾아보려고 한다. 20대에 전도사를 시작으로 약 30여 년을 가난한 시골 교회 목회자로 살다, 교단의 분열 등의 이유로, 50대 중반의 나이에 할머니가 남겨 주신 유산을 팔아 광주에서 교회를 개척하고, 목회하신 부친의 신앙의 근원은 어디에서 어떻게 시작이 된 것일까? 남은 두 분의 형제가 모두 목사가 되어 평생을 목회로 헌신한 그 배경과 가족, 선조들의 발자국을 따라가 보기로 하고, 그 흔적들을 찾아 나섰다.

아버님이 기록해 놓은 「우리 가정 신앙의 계보」와 광주 동산교회 황영준 원로 목사님의 글 「순교자 박병근 전도사 일가 이야기」를 바탕으로 우리 가정의 기독교 신앙의 뿌리와 흔적들을 찾고 추적하여 기록해 보려고 한다. 할아버지가 시무하셨던 교회에서 발간된 교회사에 기록된 기록들을 찾아 연대 순으로 옮겨서 한눈에 볼 수 있도록 나열해 보고자 한다.

우리 집안에 첫 기독교 신앙을 받아들여 믿음의 선구자 되신
나의 **증조할아버지 박문택**(朴文澤–신앙의 1대) **권서전도인**과,
6·25전쟁 때 순교하신 **할아버지 박병근**(朴炳根–신앙의 2대) **전도사**,
박병근 전도사의 아내 **좌추선**(左秋仙) **전도부인**(권사)과,
그들의 3남 1녀 중 전쟁 때 장녀와 2남을 먼저 보내고 남은
부친의 형제 박환규(朴煥圭), **박남규**(朴南圭) **목사**(신앙의 3대)까지 계보의 순서에 따라 그 기록을 적어 보고자 한다.

그리고, 또 한 분 18살에 시집가 남편을 잃고, 일찍이 예수를 믿고 무안 박씨 집안에 신앙의 선구자이시며, 유복자 딸을 키우며 한평생 전도자의 삶을 살아오신 나의 외할머니

박소님(朴少任) 전도부인에 관한 기록도 적어 보고자 한다.

나와 우리 형제들에게도 손자와 손녀를 주셨으니 우리 가족은 벌써 신앙의 6대까지 이어지고 있음에 감사하다. 더욱 바라고 원하기는 우리의 후손들이 여호와를 사랑하고 그의 계명을 잘 지켜, 수천 대 자손에 이르기 까지 그 은혜가 이어지기를 기도하는 마음으로 이 글을 적어 보고자 한다.

> 내 아들아 내 말에 주의하며 내가 말하는 것에 네 귀를 기울이라
> 그것을 네 눈에서 떠나게 하지 말며 네 마음 속에 지키라
> 그것은 얻는 자에게 생명이 되며 그의 온 육체의 건강이 됨이니라
>
> – 잠언 4장 20~22절

> 나를 사랑하고 내 계명을 지키는 자에게는 천 대까지 은혜를 베푸느니라
>
> – 출애굽기 20장 6절

신앙의 1대
박문택(朴文澤)

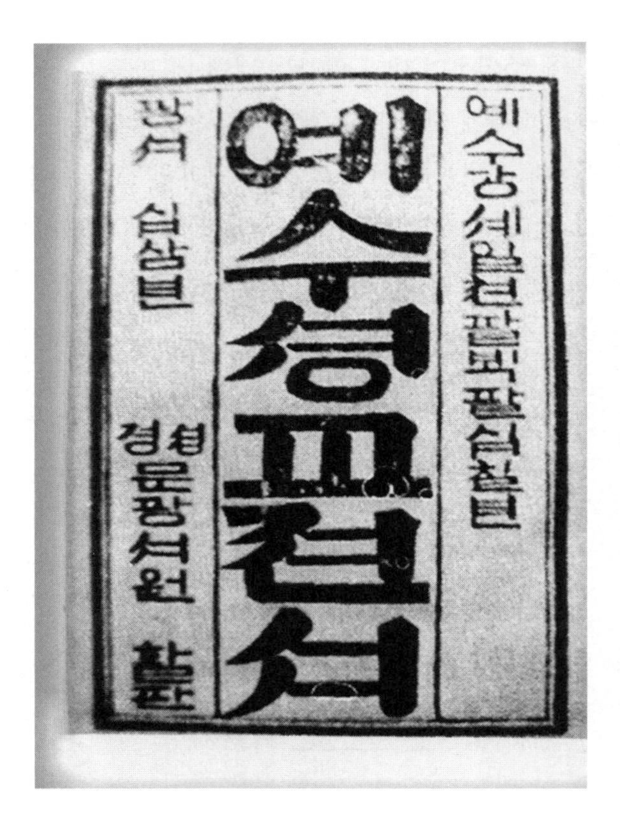

순교자 박병근(朴炳根) 전도사의 부친
〈박문택 증조 할아버지의 사진이 없어 집안에서 가장 오래된 성경 사진을 게재합니다.〉

나의 증조할아버지이시며, 우리 가정 믿음의 선구자이신 박문택(朴文澤)의 정확한 생년월일과 돌아가신 날 등에 관한 기록과 사진이 없다.

박문택 증조부님은 전남 지역에 처음 선교사로 들어온 유진 벨[3](Eugene Bell, 1868~1925, 한국 이름 배유지) 선교사의 전도로 그가 세운 구소리[4]교회의 교인이 되었다. 구소리교회[5]는 광주 지역 최초의 교회인 우산리교회가 분리되어 설립된 교회다.

우산리교회는 주민들의 반대로 교회가 유지될 수 없게 되자, 1899년 나주군 삼도리 지역과 광주군 구소리 지역의 교인들이 독립하여, 각각 삼도리 교회와 구소리 교회를 세웠다. 호남신학대학교에서 역사신학을 강의한 적 있는 차종순 목사[6]의 글에 의하면, 유진 벨(Eugene Bell) 선교사는 1896년 11월에 송정리와 우산리 지역을 최초로 방문하고, 1897년 가을부터 하층민을 중심으로 예배를 드리기 시작하였다고 한다. 나주에 선교부를 세우기 위해 군산에서 나주로 여행하는 길에 송정리 지역에 머물면서 전도하여 세워진 우산리 교회라는 것이다. 최초의 교인 김일 서방의 집에서 최초로 예배가 시작되었지만 양반들과 관리들이 박해를 가함으로 우산리교회는 폐쇄되고, 1899년에 삼도리와 구소리에서 다니던 교인들이 각각 자기 동네에 교회를 세웠다고 한다.

1905년 선교 보고를 보면 오웬[7](C.C. Owen 1867~1909, 한국명 오기원, 또는 오원) 선교사가 구소리교회에서 32명을 문답하여 5명을 세례교인으로, 18명은 학습교인으로 세워 46명이 되었다는 내용이 있는 것으로 보아 초창기에 교인이 많았던 것 같다. 가난한 농촌이었기 때문에 예배당도 없었지만 가까운 시일에 건축할 것으로 보고했으니 교회가 활발하게 성장하고 있었던 것이다.

박문택은 우산리교회를 다녔는지는 확인되지 않지만, 그는 오웬 선교사에게 세례를 받고(1899~1905년 사이로 추정), 조사(助事)로 그를 돕는 매서인(賣書人)과 전도인(傳道人)으로 열심히 활동하였다. 그가 협력했던 오웬 선교사가 남평, 나주, 영암, 장흥, 보성, 능주, 동복, 화순, 옥과, 낙안, 순천, 광양, 구례 등을 순회하면서 선교 활동을 했으니, 매서인이요 전도인인 박문택 씨 또한 그 지방을 순회했을 것이다. 동네 사랑방을 찾아가서 찬송을 부르고 사람들이 모이면 전도했다. 아내 김로동(金蘆洞)도 덕림마을 사랑방을 찾아다니면서 전도해서, 덕림교회(1904년 설립, 나주) 개척에도 함께 했다고 한다.

초기 한국교회에서 권서인(勸書人, colporteur)은 당시 대영성서공회(The British and Foreign Bible Society) 시절에 오늘날로 말하자면 성서공회의 직원으로서, 삼천리 방방곡곡에 성경(단권 성경과 소위 쪽복음)을 가지고 가서 복음을 전하면서 일종의 외판 행상을 벌이면서 성경을 판매한 매서인(賣書人)이다. 이들은 단지 서적을 판매하는 것에 그치지 않고, 복음이 전파되지 않은 산간벽촌에 직접 가서 복음을 전한 복음 전도인들이었다.(이 글은 대한성서공회 KOREAN BIBLE SOCIETY 홈페이지 http://kbs.bskorea.or.kr/bskorea/pr/bibkorea/bibkor_read.aspx?idx=407#에서 가져온 글입니다.)

광주지역 최초의 교회로 새롭게 주목받고 있는 삼도교회. 예배당 옆쪽에는 1960년대에 세워진 석조 종탑이 있다. 출처 : 기독신문(http://www.kidok.com)

C. C. Owen: 1867-1909, 한국명 오기원,

자료출처 : https://tinyurl.com/2ypxbfly
평양대부흥 1907REVIVAL.com의 한국기독교사 게시판 기사 중에서 6. 오웬 선교사의 사역에 기록된 내용입니다.

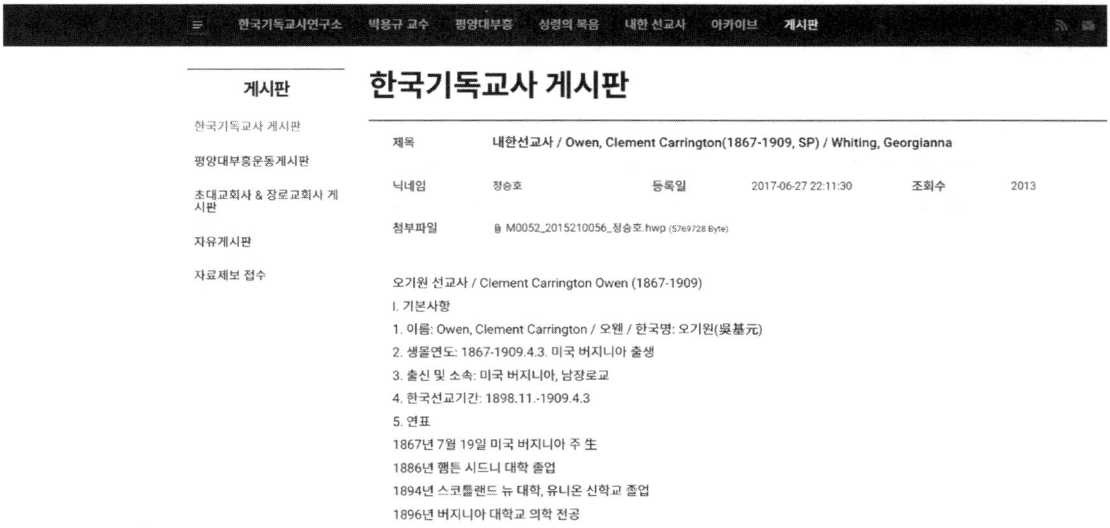

한국기독교사연구소 박용규 교수 평양대부흥 성령의 목음 내한 선교사 아카이브 게시판

게시판

한국기독교사 게시판
평양대부흥운동게시판
초대교회사 & 장로교회사 게시판
자유게시판
자료제보 접수

한국기독교사 게시판

제목	내한선교사 / Owen, Clement Carrington(1867-1909, SP) / Whiting, Georgianna				
닉네임	정승호	등록일	2017-06-27 22:11:30	조회수	2013
첨부파일	M0052_2015210056_정승호.hwp (5769728 Byte)				

오기원 선교사 / Clement Carrington Owen (1867-1909)
I. 기본사항
1. 이름: Owen, Clement Carrington / 오웬 / 한국명: 오기원(吳基元)
2. 생몰연도: 1867-1909.4.3. 미국 버지니아 출생
3. 출신 및 소속: 미국 버지니아, 남장로교
4. 한국선교기간: 1898.11.-1909.4.3
5. 연표
1867년 7월 19일 미국 버지니아 주 生
1886년 햄튼 시드니 대학 졸업
1894년 스코틀랜드 뉴 대학, 유니온 신학교 졸업
1896년 버지니아 대학교 의학 전공

오기원 목사의 헌신적 선교를 잘 보여주는 부분이다. 이러한 열정으로 목포에 있는 목포교회를 비롯해서 송정리교회, 해남 선두리교회, 보성 신천리교회, 월곡교회, 양동교회, 운림리교회, 광주교회, 오나도 관산리교회, 나주 내산리교회, 방산리교회, 장흥 진목리교회, 고흥 옥하리교회, 화순읍교회, 광양읍교회 외에도 15개처를 개척했다

1905년 동안에 오기원 목사는 잉게교회, 바다등교회 그리고 구소교회와 나주교회를 집중적으로 선교했으며, 구소교회의 상황을 보고하였는데, 32명이 문답하고, 5명이 세례를 받고, 18명이 요리문답 교인이 되어 46명이 된다고 하였다. 이뿐 아니라 장흥, 보성, 낙안, 능주, 동북, 화순, 순천, 광양, 구례, 남평까지 순회하면서 복음을 전하고 달력과 서적을 판매하였다.

박문택에게는 2남 2녀의 자녀가 있었다.

장남의 이름은 병환(자삼) 차남의 이름이 병근이다.

큰아들 병환(자삼)의 부인은 이름은 알 수 없고 성이 金(김)씨로만 알고 있고, 그에게는 성만(시만), 금순, 복순, 성수 이렇게 2남 2녀를 두셨다.

박환규 목사가 직접 기록한 「우리 가정의 신앙」이라는 글(부록에 게재)에 의하면 "큰집에는 형 시만(성만)과 동생 성수, 누나 금순, 복순이가 있었다."라 적고 있다.

박문택의 장남인 병환(炳煥)의 1남 성만(시만)에게는 순칠, 순기, 두 아들이 있었고, 2남 성수에게는 종남, 종국, 종대, 종관, 네 아들이 있었다.

박문택의 차남인 병근(病根)에게는, 1남 천석(어릴 적 사망), 1녀 유순(6·25 때 병사), 환규, 금규(6·25 때 순교), 남규가 있었다. 전쟁 후 남은 두 아들 환규와 남규는 모두 목사가 되었다.

박문택 매서전도인(賣書傳道人)은 오웬 선교사의 조사로 그를 돕고 있었던 관계로 추천을 받아 둘째 아들 병근을 숭일학교에 입학을 시키게 되었다.

박환규 목사가 기록해 놓은 신앙의 계보(부록)의 도형화

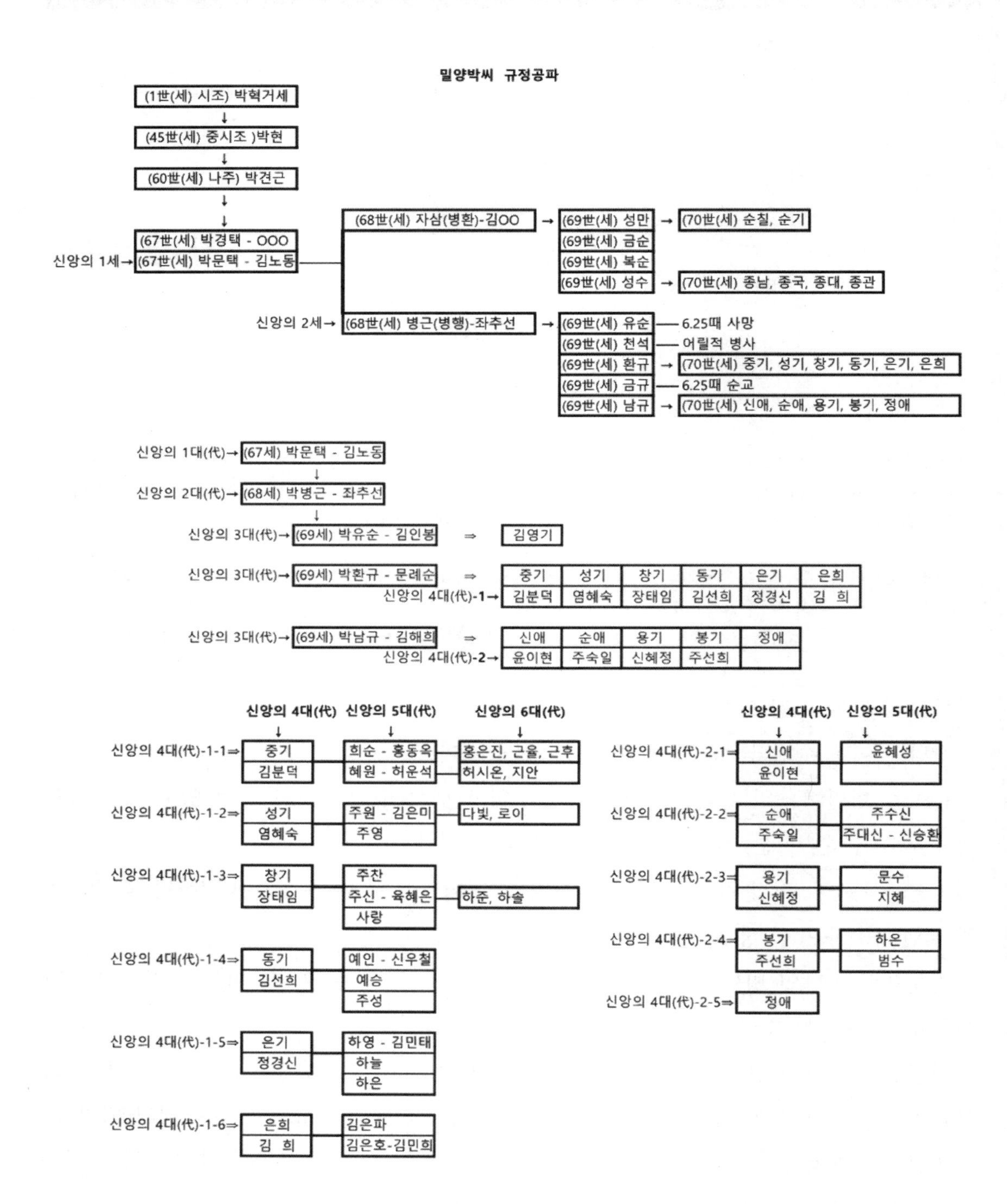

신앙의 2대
박병근(朴炳根) 전도사(장로)
(6 · 25 순교자)

출생과 성장

1892년 6월 7일 전라남도 광산군 대촌면 구소리에서 권서전도인 박문택과 김로동(金蘆洞)의 2남 2녀 중 2남으로 출생. 어려서 모친을 잃고 아버지의 손에 이끌리어 마을에 있는 한문 사숙(서당(書堂))에 다니면서 한문을 접하였고, 나주군 남평읍에 있는 남평사립학교에서 3년간 수업을 받았다.

1908년에는 권서전도인인 아버지 박문택의 도움과 오웬(Dr. C. C. Owen 한국명 오원 또는 오기원) 선교사의 후원으로 광주 지방 최초의 미션학교인 숭일학교 고등과에 입학하여 공부하였다.

1912년 3월 박병근은 광주 숭일학교에서 학업을 마치고 졸업하였다.

그 후, 그는 기울어 가는 나라의 운명과 가난한 농촌 자녀들을 그냥 볼 수가 없어, 교회에서 운영하는 사립학교 교사로 뛰어들었다.

1913년 그는 고향에 있는 구소리교회 사립학교를 비롯해서,

1914년 보성 지방 교회에 있는 운림학교,

1915년 광산 삼도교회에 있는 조선학교에서 아이들을 가르쳤다.

1910년 8월 22일에 한일합병조약이 조인되고, 8월 29일 발효되었다. 이에 따라 새로운 교육령이 발표되자 교회가 운영하는 많은 사립학교가 문을 닫게 되었고, 그 여파로 나라 잃은 설움과 함께 그가 서야 할 자리마저 잃게 되었다.

나의 부친 박환규 목사의 글(「우리 가정의 신앙」-이 책 부록)에 "일본 대지진 때 일본을 다녀왔고(몇 년간 계셨는지 알 수 없다)"라는 기록이 있다. 그런 자세한 기록이나 시기에 관한 이야기는 더 이상 확인할 수 없었다. 교회 사립학교 교사를 그만둔 1916년도 후, 이 시기에 일본을 다녀오지 않았을까 하는 생각을 가져 보았다. 참고로 1923년 9월 1일 11시 58분 진도 7.9의 강진이 일본의 중심지 도쿄와 관동 일대를 강타하였다는 기록이 있다. 이것이 관동 대지진과 조선인 학살 사건이 일어난 때이다.

그리고 또 하나의 새로운 사실이 있는데, 나는 단기 4293년(서기 1960년) 7월 22일자 광주시청에서 발급한 호적등본(부록에 첨부)에서 조부의 이혼 기록을 찾았다. 지금까지 어느 누구

에게서 한 번도 들어 본 적이 없던 사실이다. 조부께서는 언제 결혼했다는 기록은 없다. 오직 호주 박병근의 처－이봉운(李奉云), 양봉덕(梁奉德)의 장녀 전주 이씨 이대례(李大禮), 단기 4254년(서기 1921년) 3월 10일 離婚(이혼). 毎日家絕家(매일가절가)로 因(인)하여 나주군 나주면 대정정(大正町) 59번지에서 家創立(가창립)으로 除籍(제적)이라고 기록되어 있었다.

기록상의 연도별로 보면 일본이 한국을 합병하여 사립학교 교사를 그만둔 다음, 결혼하였다가 이혼하고 일본을 다녀온 것이 아닌가 생각해 본다. 여기에 대한 이야기나 더 이상의 자료가 없다. 이것은 오직 나의 추상적인 생각일 뿐이다.

전도사 사역의 시작

박병근은 매년 선교부에서 농한기를 이용하여 실시했던 **성경사경학원**에 입학하여 성경을 배우기 시작했다. 그는 성경에 대한 학습 열정이 강하여 매년 실시하는 성경사경학원을 한 번도 거르지 않고 참석했고, 이러한 그의 열심을 전남노회가 인정하여 1924년 전도사로 임명하였다.

1994년 발행된『한일장신대학 70년사(이순례 저)』[8]의 80페이지 기록을 보면 "사경회 운동은 전국적으로 번져, 1909년 북장로교 선교 구역에는 모두 5만 명에 달하는 사람들이 800여 회의 사경회에 참석했을 정도이다. 이 사경회는 일반신자반과 지도자반, 교회 조사나 설교자를 위한 신학반이 있었고, 일반 신자를 위한 사경회는 지교회 사경회, 지방 사경회, 또는 제직 사경회 등으로 나뉘었다. 기간은 대개 농한기를 이용하여 4일에서 10일 동안이었는데 내용은 주로 4복음과 바울서신, 교리문답, 주기도문, 십계명, 사도신경 등이었다. 그리고 일반 상식도 포함되어 있었고 새벽기도회로 시작된 하루 일과는 오전에는 성경 공부, 오후에는 일반 상식과 개인 전도법을 공부하고 전도, 심방을 하기도 하였다. 밤에는 다시 성경 공부를 하거나 집회를 열어 전도 강연을 하였다."는 기록이 있다.

또한, 한국장로교 출판사(통합)에서 펴낸『광주 전남 지방의 기독교 역사』[9](총회교육자원부 편 / 김수진 저, 2013년) 책의 120~121페이지에 "선교사들이 선교 활동을 전개하면서 가장 먼저 해결해야 하는 문제가 교회 지도자의 양성이었다. 선교사들이 대면 접촉을 통해 선교 활동을 하고 신자들을 돌보는 일은 아주 어려운 일이었기 때문에, 이들을 대신할 종교 지도자를 양성하여 이들을 통해 신자와 교회를 관리하는 것이 효율적이라는 판단을 하게 되었다. 이러한 필요에서 **'달성경학교'**, **'사경회'**, **'연례성경공부'** 등을 실시하게 되었고, 이것은 교회 성장에 토대가 되었다. 사경회를 좀 더 체계적이고 효율적으로 운영하기 위해 선교사들은 **달성경학교**를 운영하게 되었다. 주로 농한기인 겨울에 선교기지의 예배당으로 청장년의 신자들을 모아 성경 공부와 전도 강연을 중심으로 집중적인 교육을 하였다. 농어촌의 청장년을 모아 전도자 양성을 목적으로 1년 중에 3개월은 성경 공부를 하고, 9개월은 지역 촌락으로 돌아가 교회 활동을 돕도록 하였다."는 기록이 있다. 위의 기록들을 참고하여 보면 박병근 전도사도 **연례성경학교, 달성경학교, 사경회** 등을 통해 공부하였을 것으로 사료된다.

또한, 그는 고향집인 대촌면 구소리에서 1924년 1월 25일부터 평양신학교 소안론 선교사에게 **성경통신과정**(41~63페이지 수록)의 공부를 시작하였다는 것을 볼 수 있다.

1922년 8월 10일 제주 출신 좌추선 전도부인과 결혼을 했다.

담양 창평교회 사역

1924년 4월 17일 전남노회에서 전도사 임명을 받고, 그의 첫 부임지는 담양군 창평면 창평교회였다. 이웃 면에 있는 대전면 대치교회도 겸임을 하였다.

1923년 3월 5일 장남 천석이 출생했지만, 어린아이일 때 병으로 세상을 떠났다. 호적의 기록에는 조부 박병근과 같은 날인 단기 4283년(서기 1950년) 9월 13일 오전 9시 30분경 영암군 군서면 해창리 번지 미상의 뒷산에서 사망한 것으로 4293년(1960년) 5월 2일 할머니께서 사망신고를 접수한 것으로 되어 있다. 이런 기록은 당시의 교통과 전쟁 등의 상황들을 참고로 뒤늦게야 호적을 정리한 것으로 생각된다.

1925년 1월 10일 장녀 유순은 제주도 대정면 영락리에서 출생으로 기록되어 있다.

1926년 12월 차남 환규가 창평에서 출생했다. 그러나 박환규 목사의 글 "우리 가정의 신앙"[10]에는 "누님 유순은 제주에서 태어났고 동생 금규도 제주에서 태어난 것을 보면 제주에 두 번 들어간 것 같다. 어머니는 제주 대정면 영락리가 고향이다."라고 적고 있다. 이는 친정에 가서 딸을 낳고 돌아온 것으로 추측된다. 박병근 전도사의 친필로 쓴 가족 교적부를 보면 젖 세례 즉 유아세례를 장녀 유순은 1925년 3월 3일 타마자[11] 목사에게 받았고, 장남 환규는 1927년 5월 5일 타마자 목사에게 받았다고 기록하고 있다. 창평에서 유아세례를 받은 것으로 생각된다. 타마자 선교사는 담양 지역 사역을 주로 하시었다. 아마도 창평에서 유아세례를 받은 것으로 생각된다. 타마자 선교사는 담양 지역 사역을 주로 하시었다.

▲ 타마자 목사 부부

창평교회는 박병근 전도사의 아들 박환규 목사의 출생지이면서, 또한 그가 목사가 되어 1956년 4월부터 1959년 12월까지 시무하기도 했다.

더욱 흥미로운 사실은, 박환규 목사 시무 기간 중인 1958년 2월 11일 그의 3남(신앙의 4대)인 박창기 목사(현재 캄보디아 선교사)가 창평교회 사택에서 출생한다. 신앙의 3대 박환규 목사와 4대 박창기 목사 두 사람이 같은 곳 즉 담양군 창평면 삼천리 창평교회 사택에서 태어난 것이다.

박병근 전도사는 창평교회를 담임하면서 동시에 이웃 대전면 대치교회도 겸임하여 눈부신 부흥을 이루어 냈다. 그의 목회로 창평교회와 대치교회가 부흥되자 3년 후인 1927년에, 전남노회는 취약지인 제주도로 박병근 전도사를 파송하였다. 아마도 부인 좌추선 전도부인의 고향이 제주도 대정면 영락리 출신이고, 그녀가 모슬포교회에서 윤식명 목사에게 세례를 받고 신앙생활을 시작한 것도 작용하였으리라 생각된다.

제주 지역 사역

"제주 선교가 1913년 총회에서 전라노회로 이첩되고, 이어서 1917년 전라노회가 전북노회와 전라노회로 분립되었다. 이에 따라 제주 선교 구역도, 산북 지방(제주성내, 삼양리, 한림리 중심)은 전북노회가, 산남 지방(모슬포, 중문리, 법환리를 중심)은 전남노회에서 맡게 되었고, 성읍과 조천 등 정의 지방은 약화되었다.

이기풍 목사 이후 지방 순회 목회자로 산남 지방은 윤식명, 이경필, 최흥종 목사로 이어졌고, 산북 지방은 최대진, 김창국, 이창규, 김정복 목사로 그리고 정의 지방은 임정찬 목사가 1917년부터 1922년까지 순회목회를 담당했다."[12]는 기록이 있다.

아마 그 후, 1927년 박병근 전도인은 이경필 목사에 의해 제주 두모리교회 전도사로 파송된 것 같다.

제주 지방 사역의 근거 자료는 2021년 6월 10일 현 제주도 한경읍 한경교회(옛 두모리교회) 윤강혁 목사님이 보내 주신 『한경교회 100년사』 책을 근거로 하였다.

또한 제주 선교 역사와 이야기는 제주교회넷(http://jejuchurch.net/bbs/board.php?bo_table=jc_history)의 제주기독교역사(문서자료) 『제주기독교 100년사(통합)』을 참고로 하였다.

"제주교회넷"의 Shorten URL이나, QR Code입니다.
휴대폰에서도 볼 수 있습니다.
https://tinyurl.com/2ao5w9vr

제주 지역 두모리교회 사역

한경교회 100년사 사진자료실 :
https://tinyurl.com/2673s3z9

1920년대

교회 설립과 예배당의 건축 그리고 조직교회의 설립

한경교회는 초기 제주 교회 신앙공동체의 자전(自傳)과 전남노회의 지원[4] 등으로 두모리 기도처로 시작되었다. 1920년 봄 복음을 받아들인 몇몇 신자의 집에서 기도모임으로 시작하여, 1922년 초가 2동을 매입하여 예배당으로 사용하면서 교회로서의 제반 기반을 갖추게 되었다. 1928년 성탄절을 앞두고 두 번째 함석지붕 예배당을 신축하고 모슬포교회에서 파송한 박병근 장로 임직과 함께 조직교회로 설립된다. 교회 설립 초기 10년은 대정지방 순회목회자인 윤식명, 이경필 목사 그리고 강성립, 원용혁, 김경신, 박병근, 전도인 등의 헌신적인 사역이 중요한 역할을 했다. 전도인 파송을 책임진 광주 봉선리교회(한센인 교회)와 산남지방의 거점교회인 모슬포교회의 지원이 큰 힘이 되었다. 특히 안수 기도로 병을 낫게 하는 허신애의 신유 사역이 전도와 교회성장에 크게 사용되었다. 무엇보다 제사 문제로 재산적 손해와 생명의 위협까지 무릅쓰고 신앙을 지킨 초기 신자의 결단은 두모리 신앙공동체 형성과 역사에 큰 귀감이 되었다. 당시는 지역교회별 전담 목회자를 두지 못하고 지방 전도목사의 순회목회와 전도인 그리고 장로, 영수, 집사, 권찰 등의 역할이 중요했다. 두모리교회가 속한 대정(산남)지방은 모슬포교회를 거점으로 윤식명 목사의 순회목회가 1920년대 초 교회 설립의 기초를 다졌다면, 이경필 목사는 1928년과 1929년 장로장립을 통해 두모리교회가 제주노회의 분립 이전에 조직교회로 성장하는 데 전기를 마련했다.

1919년 3·1운동으로 한국교회의 피해가 복구되지 않은 어려운 상황에서도 총회와 노회 차원의 제주선교는 계속되었고, 무엇보다 두모리교회가 설립되던 1920년 제주의 봄은 3명의 걸출한 목회자가 제주 전역에 복음사역을 왕성하게 이어가던 시기였다. 또한 김창국 목사와 윤식명 목사는 조봉호 독립군자금 사건에도 연루되어 함께 형을 치를 만큼 제주도 사람들의 민족독립 의식을 일깨우는 데도 적잖은 역할을 했

4) 특히 광주 봉선리 나환자병원의 나환자 교회인 봉선리교회가 파송한 남전도인 원용과 광주여전도회가 파송한 여전도인 김경신 등의 지원이 초기 교회 설립에 큰 힘이 되었다.

『한경교회 100년사』 72페이지에 "1927년에는 이기풍 목사가 다시 성내교회의 담임으로 부임하여 제주 지역이 새로운 부흥의 기회를 가졌다. 그해 6월 이경필 목사는 신병 치료차 휴가를 얻어 고향으로 갔고, 모슬포교회에서는 장로가 된 원용혁 전도인 후임으로 **박병근 전도인을 두모리교회에 파송했다.**"는 기록[13](아래 사진)이 있다. 그는 제주도 구우면 두모리 교회(현재 제주도 한경면 두신로 92-6에 위치한 한경교회)를 전도인으로 담임하여 그곳에서 1929년 장로 장립까지 받게 되었다.

1927

1927년에는 이기풍 목사가 다시 성내교회의 담임으로 부임하여 제주지역이 새로운 부흥의 기회를 가졌다. 그해 6월 이경필 목사는 신병치료 차 휴가를 얻어 고향으로 갔고, 모슬포교회에서는 장로가 된 원용혁 전도인 후임으로 박병근 전도인을 두모리교회에 파송했다.

교인을 세웠다. 이곳에서의 전도 활동은 용수리 첫 신자인 김기평의 열심있는 자급전도와 이경필 목사, 윤식명 목사, 원용혁 전도인이 드리고, 김진배, 김경신 등 전도인들의 활동이 컸으며, 평양 숭실전문학교 학생전도대의 전도집회 등에 힘입은 바 컸었다."(pp. 136 ~137)

한경교회 윤강혁 목사님이 보내 주신 『한경교회 100년사』 책에서 순교자 박병근 전도사가 친필로 기록한 두모리교회 제1호 당회록의 사진을 찾아볼 수 있었다. 이는 우리에게 아주 귀중한 자료이기에 여기에 사진으로 게재한다. 나의 조부 박병근 전도사의 **친필 기록**을 볼 수 있어 감격적인 순간이었다.

▲ 두모리당회 표지

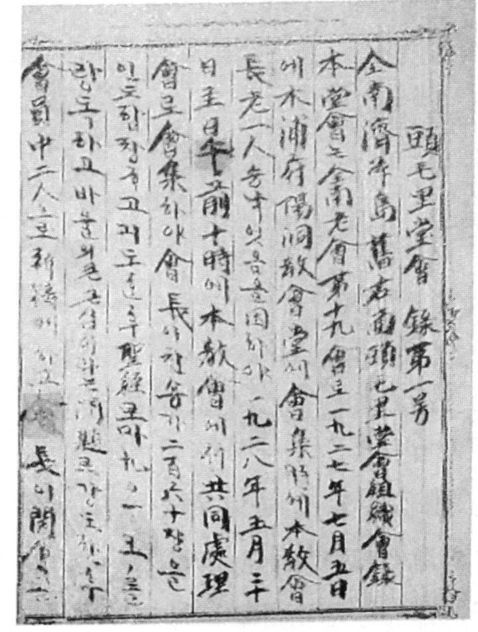

▲ 제1회 두모리당회록 1면

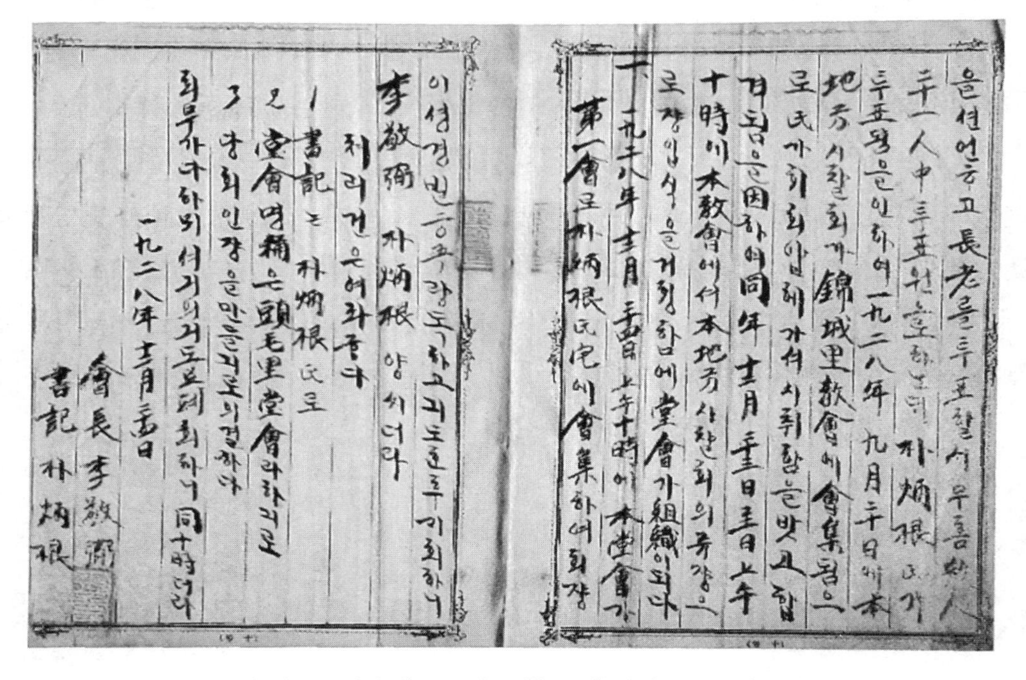

▲ 제1회 두모리당회(1928면 12월 24일) 당회록 2~3면

頭毛理堂會錄 第1號(두모리당회록 제1호)

전남 제주도 구우면 두모리당회 조직회록.

본 당회는 전남노회 제19회로 1927년 7월 5일에 목포부 양동교회당에 회집 시에 본 교회 장로 1인 승낙하였음을 인하야 1928년 5월 20일 오전 10시에 본 교회에서 공동 처리 회집하야 회장이 찬송가 260장을 인도 합창하고 기도한 후 성경 로마서 9장 1~5절을 낭독하고 바울의 큰 근심이라는 문제로 강도한 후 회원 중 2인으로 기도케 하고 회장이 개회됨을 선언하고 장로를 투표할 시 무흠 교인 21인 중 투표원으로 하는데 박병근(朴炳根) 씨가 투표됨을 인하여 1928년 9월 20일에 본 지방 시찰회가 금성리교회에 회집됨으로 씨가 회 회합에 가서 시취함을 받고 합격됨을 인하여 동년 12월 23일 주일 오전 10시에 본 교회에서 본 지방시찰회의 주장으로 장립식을 거행함에 당회가 조직되다.

1928년 12월 24일 오전 10시에 본 당회가 제1회로 박병근 씨 댁에서 회집하여 회장이 성경 빌 2장 5절을 낭독하고 기도한 후 개회하니 이경필 박병근 양씨더라.

처리 건은 다음과 같다.

1. 서기는 박병근1씨로
2. 당회명은 두모리당회라 하기로
3. 당회 인장을 만들기로 의결하다.

회무가 다하매 서기의 기도로 폐하니 동 10시더라.

1928년 12월 24일

회장 이경필

서기 박병근

〈이상은 『한경교회 100년사』 75~76페이지에 수록된 「두모리교회 1호 당회록」 – 앞 페이지 사진과 그 내용을 한글로 옮겨 적은 내용이다.〉

위의 글은 박병근 전도사의 친필로 작성된 두모리교회 1회 당회록의 사진의 글을 한글로 옮겨 적은 것이다.

박병근 전도사는 전남노회 파송으로 두모리교회 전도인으로 부임 시무 중, 1927년 7월 5일에 목포 양동교회당에서 회집된 제19회 전남노회에서 장로 1인을 승낙을 받아, 1928년 5월 20일 오전 10시에 두모리교회에서 공동처리회(공동의회) 회집을 통해 장로 피택을 받았다.

1928년 9월 20일에 제주 지방 시찰회가 금성리교회에서 회집되어 시취함을 받고 합격하였다.

《한경교회 70년사》에는 두모리교회의 첫 장로장립과 조직교회의 설립을 다음과 같이 기록하고 있다.

"12월 23일에 박병근 전도인이 초대 장로로 장립받고 모슬포교회 이경필 목사가 당회장으로 임명됨으로 전남노회 소속 두모리 장로교회가 조직교회로 서게 되다."[54)]

한경교회가 1920년 기도처 모임에서 시작하여, 윤식명 목사와 이경필 목사가 전도인과 함께 삼남 지방 순회목회를 하며 복음전파와 교회성장을 이루어갔다. 1928년에는 교회 창립 9년 만에 모슬포교회에서 파송한 박병근 전도인이 두모교회 장로가 됨으로 두모교회는 조직교회로 굳건하게 자리를 잡게 되었다. 1928년 12월 24일 이경필 목사를 회장으로 박병근 장로를 서기로 하여 첫 두모리당회를 개최하고 남긴 제1회 당회록은 아래와 같다.

1928년 12월 23일 주일 오전 10시 시찰회의 주장으로 장로 장립식을 거행했다. 모슬포교회 이경필 목사가 당회장으로 박병근 전도인이 두모리교회 장로가 됨으로 **두모교회**는 이제 **조직교회**로 굳건하게 자리를 잡게 되었다.

1927년 모슬포교회가 박병근 전도인을 파송하여 사역한 지 1년 만인 1928년 말에 박병근 전도인이 두모리교회 장로가 된다. 하지만, 박병근 장로는 두모리교회에 뿌리를 둔 교인이라기보다는 파송된 전도인으로 사역하다 장로가 되었고, 장로 장립 후 전도인으로 얼마 있지 않아 (산남)지방 조사라는 순회사역으로 두모리교회 시무를 하기가 어려워 새로운 장로를 세워야 했다. 1929년 5월 19일 오후 7시 두모리 새 예배당에서 이경필 목사와 박병근 장로는 2명이 모인 제4회 당회에서 정기노회에 이를 청원키로 결의했다. 동년 9월

30일 오후 7시 김계공의 집에서 열린 당회에서는 박병근 장로를 본 교회 장로 사면 청원을 수리하고, 신임 김계공 장로를 서기로 피택했다.

1929

김계공 장로 임직

1927년 모슬포교회가 박병근 전도인을 두모리교회로 파송하여 사역한 지 1년 만인 1928년 말에 박병근 전도인이 두모리교회 장로가 된다. 하지만 박병근 장로는 두모리교회에 뿌리를 둔 교인이라기보다는 파송된 전도인으로 사역하다 장로가 되었고, 장로 장립 후 얼마 있지 않아 (산남)지방 조사라는 순회사역으로 두모리교회 시무를 하기가 어려워 새로운 장로를 세워야 했다. 1929년 5월 19일 오후 7시 두모리 새 예배당에서 이경필 목사와 박병근 장로 2명이 모인 제4회 당회에서 정기노회에 이를 청원키로 결의했다. 동년 9월 30일 오후 7시 김계공의 집에서 열린 당회에서는 박병근 장로를 본 교회 장로 사면 청원을 수리하고, 신임 김계공 장로를 서기로 피택했다.

"1929년 박병근 장로가 지방 조사를 겸함으로 본 교회 시무가 불가하여 장로 사면하고, 김계공 씨가 2대 장로로 장립받다.(1959년까지 시무)"[14]라고 기록하였다.

《한경교회 70년사》는 김계공 장로 장립을 다음과 같이 기록했다.

"1929년 박병근 장로가 지방 조사를 겸하므로 본 교회 시무가 불가하여 장로사면하고, 김계공씨가 2대 장로로 장립받다.(1959년까지 시무)"

두모교회 김계공 장로 장립에 대해 <제주선교100년사>에는 다음과 같이 기록하고 있다.

"한편 이경필 목사는 모슬포교회의 자립 이후 산남지방의 선교거점을 고산으로 옮겨 선교활동을 계속해 나갔다. 그의 고산 체류 중 기록에 남을 만한 사항은 1929년 11월 두모교회의김계홍[55]을 장로로 장립시킨 일이다. 그의 선교사역은 1930년 2월 말경 중단되었다. 동년 3월 광주 금정교회의 부름을 받아 제주를 떠났기 때문이다."[56]

1928년 10월 16일 이곳 제주 구우면 두모리교회 사택에서 3남 금규가 출생하였다. 박병근 전도사가 친필로 쓴 가족 교적부를 보면 젖 세례 즉 유아세례를 1929년 4월 20일 리경필 목사(당시 모슬포교회 담임)께 받았다고 기록하고 있다.

바쁜 목회 중에도 배우기를 그치지 않았다. 1924년 1월 25일 당시 거주하던 대촌면 구소리에서부터 시작한 통신성경공부(신약) 과정-평양신학교 소안론 목사(William L. Swallen)[15]에게 우편으로 하는 성경 공부에 열중하였다. 아마도 전남노회에서 전도사로 임명받기 전부터 통신성경공부를 시작한 것으로 보인다.

제주에서도 평양신학교 통신과정의 성경 공부(구약)를 계속하여 소안론(蘇安論) 목사로부터 우수한 점수를 받았다. 다음 아래 사진은 박병근 전도사의 평양신학교 통신성경공부의 기록이다.

1924년 1월 25일 창평교회 전도사로 부임하기 전에 고향 광산군 대촌면 구소리에서 시작한 성적표와 1927년 11월 9일 작성된 적색 성적표를 보면 무려 4년여 동안을 교통과 통신이 불편하던 그 시절에 우편을 이용하여 꾸준히 평양신학교 소안론 목사님께 통신과정으로 성경 공부를 한 것으로 사료된다.

지금처럼 통신 수단이나 교재가 좋은 것도 아니고 기껏해야 직접 손으로 묶어 만든 공책에 글을 쓰고 우편으로 보내고, 그 답과 수정본을 받는 통신 과정이라면 얼마나 지루하였을까? 신앙의 열정과 갈급함이 없이는 못 했을 것이라 생각된다.

다음 페이지는 그 시절 통신성경공부 하시던 공책과 성적표 사진이다.

먼저, 광산군 대촌면 구소리 본가에서 신약과정을 시작하였고, 후에 제주에서 구약과정을 시작한 기록과 공책을 사진으로 여기에 게재한다.

이 사진 기록은 현재 캄보디아에서 아가페센터를 세우고 GMS 선교사로 사역 중인 박창기(박병근 전도사의 손자) 선교사가 보관하던 사진 파일이다.

평양신학교 통신성경공부 자료 사진 보는 곳 :
https://tinyurl.com/29do6qws

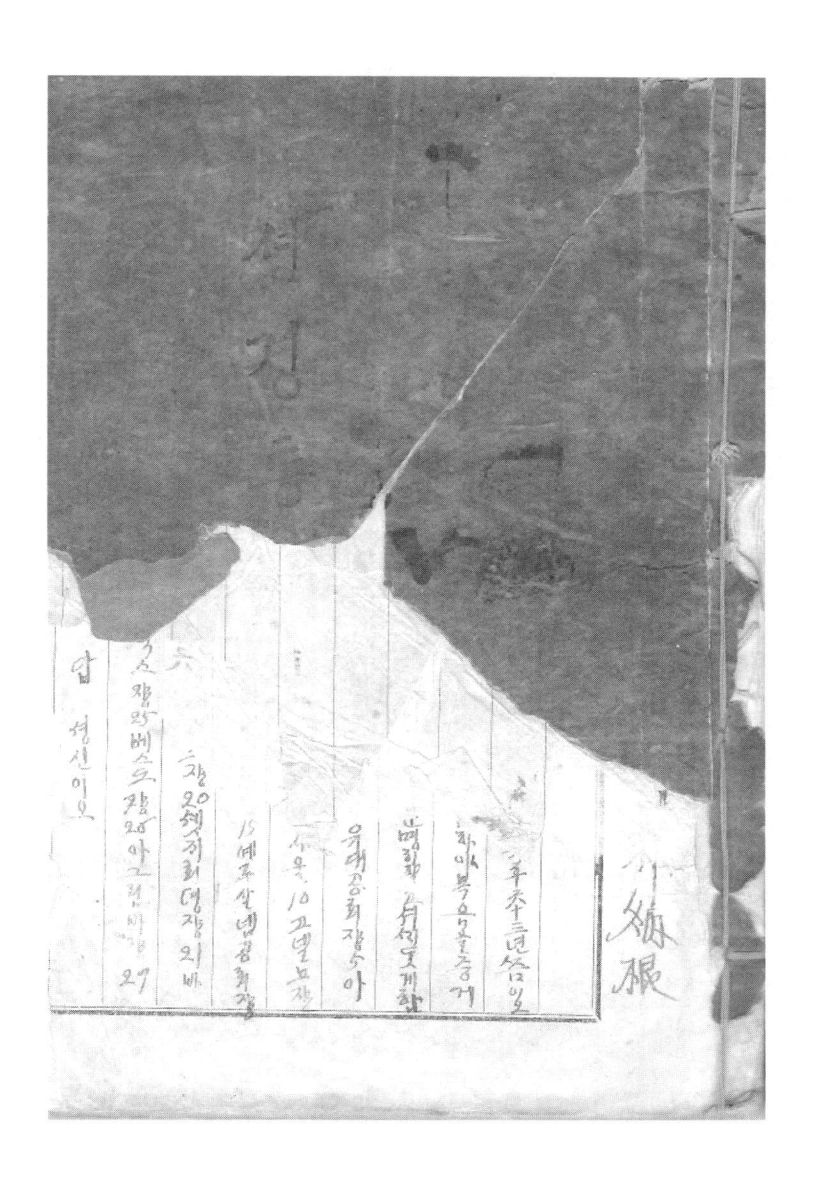

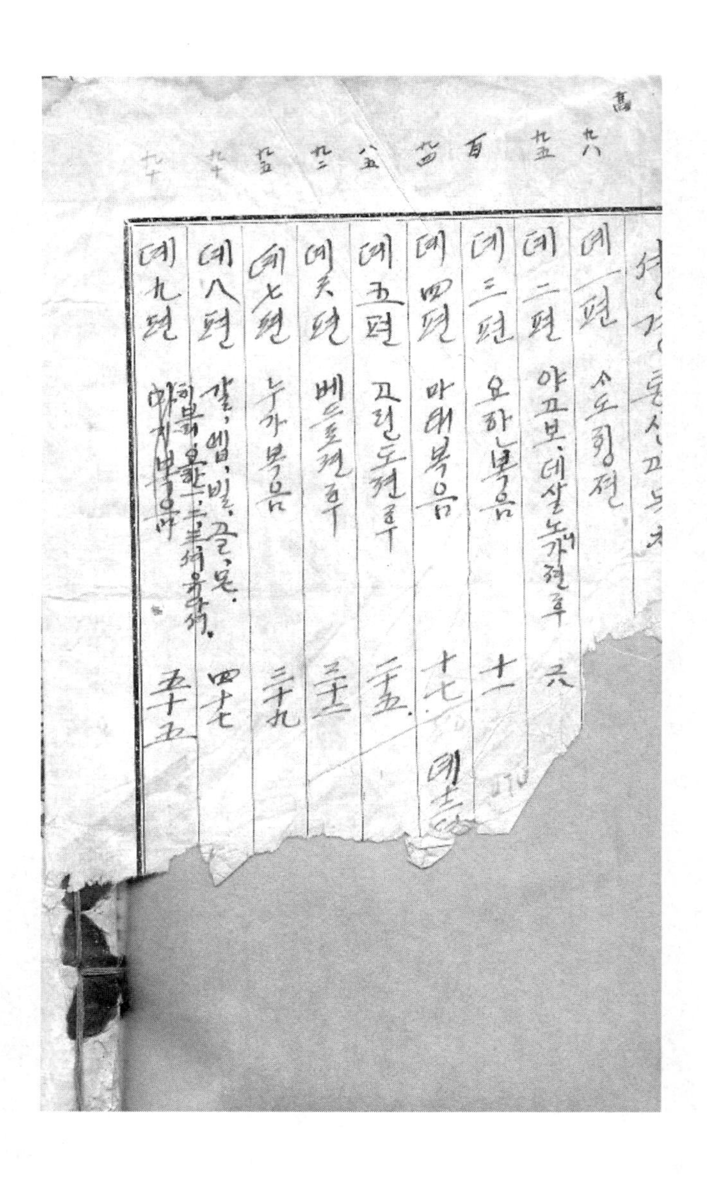
제一편 소도힝젼
제二편 야고보, 데살노가젼후 六
제三편 요하ᄂ복음 十一
제四편 마태복음 十七
제五편 고린도젼후 二十五
제六편 베드로젼후
제七편 누가복음 三十九
제八편 갈, 엡, 빌, 골, 몬. 四十七
제九편 마가복음 五十五

[illegible] 朴緖根

소도횡전 데一편 공부

一답 이척존이는 누가복음 뎌록한 누가요 [illegible]

二답 예수셔 [illegible] 하시고 [illegible] 하시고 교회를 세우시고 [illegible]

三답 합二十八이오 1 예수승텬 장2 오순졀셩신 장3 안죤방이 장4 유대공회 장5 아나니아와 삽비라 장6 일곱집사 장7 스데반 장8 빌닙 장9 사울 10 고넬뇨 장 11 그리스도 수 [illegible] 12 핍박 장13 션교발졍 장14 첫번회졍 장15 예루살넴공회 장 16 빌닙보 장17 유로바 장18 울 [illegible] 회졍 장19 에베소 장20 [illegible] 회뎡 장21 바울잡힘 장22 발명 장23 가이사랴 장24 베닉스 장25 베스도 장26 아그립바 장27 파션 장28 로마 장이오

四답 셩신이오

五답 납, 존귀한 데오빌로와 一우 권세 있는 내시 八ㅇ二七, 경건한 고넬료 十ㅇ二, 독실히 믿는 서
기오바울 十三ㅇ七, 디모누시오 요 十七ㅇ二十, (又) 녀, 주의 모친 마리아 一ㅇ四十, 녀도 다비다
九ㅇ三十七, 마가의 모친 마리아 十二ㅇ十二, 주추 장사 루디아 十六ㅇ十四, 브리스길나 十八ㅇ二 이요

六답 二ㅇ四, 四ㅇ三十一, 八ㅇ十五, 八ㅇ十七, 九ㅇ十七, 十ㅇ四十五, 十ㅇ四十四, 十三ㅇ二, 十三ㅇ五十二, 十五ㅇ八, 十九ㅇ六, 二十九ㅇ二十五

七답 스도 一ㅇ廿六, 갈릭 二十ㅇ二十八, 연지자 十三ㅇ一, 모사 十三ㅇ二, 감독 十四ㅇ二十三, 집사 六ㅇ一三

八답 맛디아뇨 一ㅇ二十六,

九답 스데반, 빌닙, 브로고로, 니가노르, 디몬, 바메나, 니골나, 일곱이요 六ㅇ五

十답 쎤시는 불속에 죄로 죽은 것이요 五ㅇ十

十一답 四ㅇ三, 五ㅇ十八, 六ㅇ八, 十二, 十三, 九ㅇ二十, 十四ㅇ二,

十二답 이적 十一이오 / 각국 방언 할 二ㅇ四, 오 안은뱅이 던 十二ㅇ十六, 3 부부가 죽으스

되우 잘 되답ᄋᆞᆯ 양이라 만일 이후에 다시 본 곳을
가게 되면 회답ᄒᆞ여 주시옵소셔
셔ᄒᆞᆫ 이ᄃᆡ 편도 되답ᄒᆞ여 보내시며 고틀 ᄃᆡ가 강ᄒᆞᄂᆞᆫ
ᄒᆞ족 쪽 보내오니 받아 보시고 그 족 족대로 강
을ᄒᆞ여 보내시옵

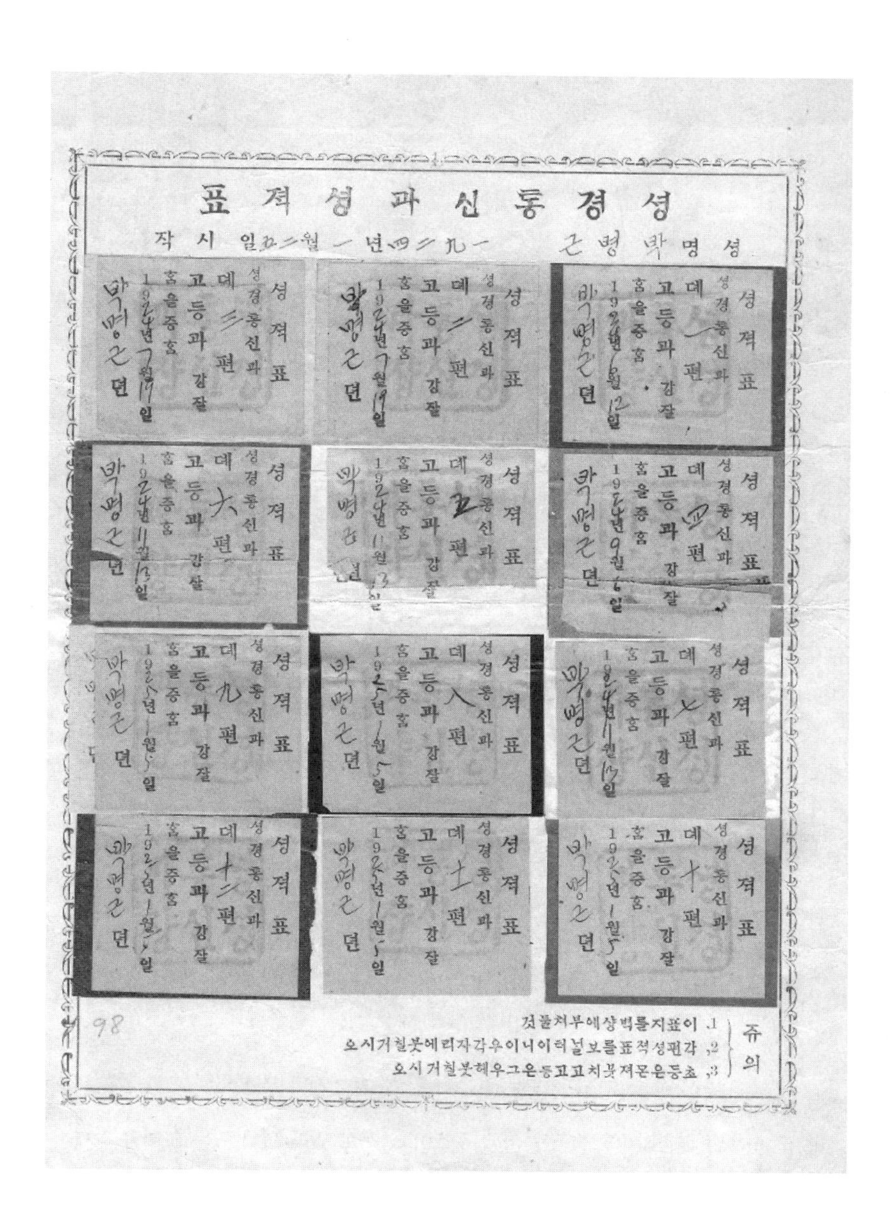

성경통신과성적표

성명 박명근　一九二四년 一월 二五일 시작

성적표 성경통신과 데一편 고등과 강잘 홈을중홈 1924년 6월 12일 박명근 던

성적표 성경통신과 데二편 고등과 강잘 홈을중홈 1924년 7월 19일 박명근 던

성적표 성경통신과 데三편 고등과 강잘 홈을중홈 1924년 7월 19일 박명근 던

성적표 성경통신과 데四편 고등과 강잘 홈을중홈 1924년 9월 6일 박명근 던

성적표 성경통신과 데五편 고등과 강잘 홈을중홈 1924년 11월 3일 박명근 던

성적표 성경통신과 데六편 고등과 강잘 홈을중홈 1924년 11월 13일 박명근 던

성적표 성경통신과 데七편 고등과 강잘 홈을중홈 1924년 11월 14일 박명근 던

성적표 성경통신과 데八편 고등과 강잘 홈을중홈 1925년 1월 5일 박명근 던

성적표 성경통신과 데九편 고등과 강잘 홈을중홈 1925년 1월 5일 박명근 던

성적표 성경통신과 데十편 고등과 강잘 홈을중홈 1925년 1월 5일 박명근 던

성적표 성경통신과 데十一편 고등과 강잘 홈을중홈 1925년 1월 5일 박명근 던

성적표 성경통신과 데十二편 고등과 강잘 홈을중홈 1925년 1월 5일 박명근 던

주의
1. 이표지를벽상에부처둘것
2. 각편성적표를보날이러니이우각자리에붓칠거시오
3. 초등은몬저붓치고고등은그우헤붓칠거시오

98

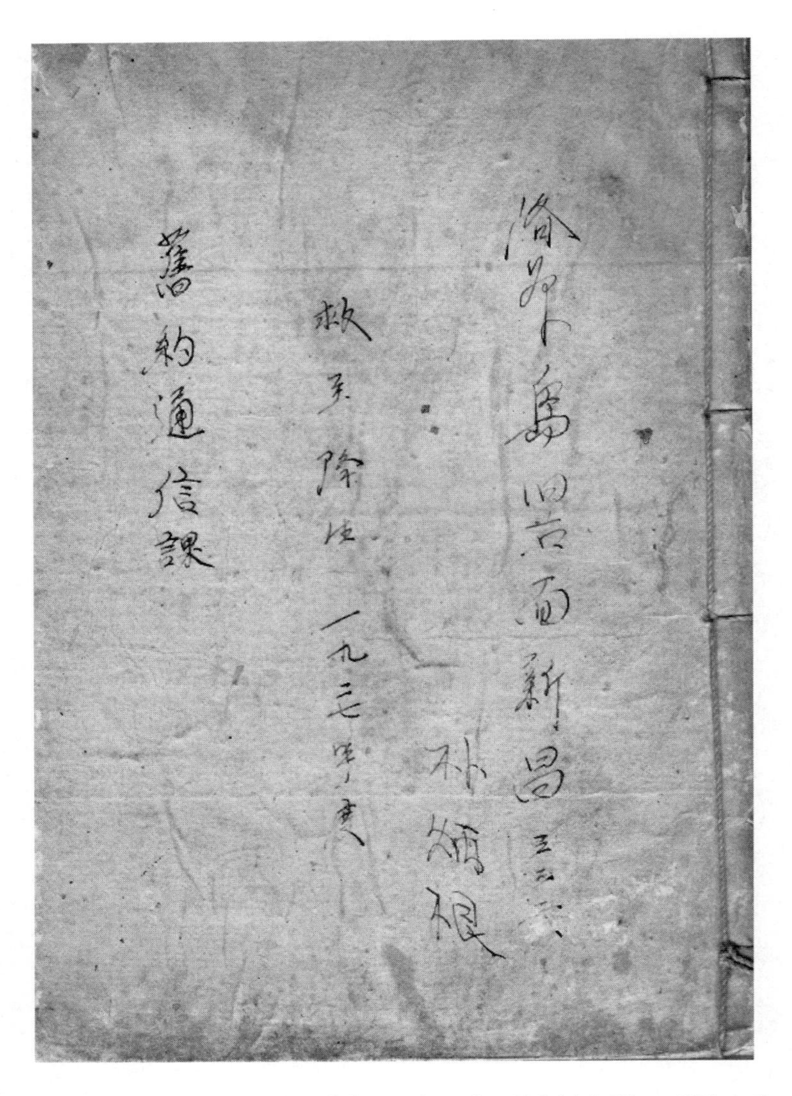

주도 구우면 신창리 332번지는 사택 주소이고, 바로 옆에 붙어 있는 교회당 소재 주소는 두모리였다. 2022년 6월 20일 방문 확인함.

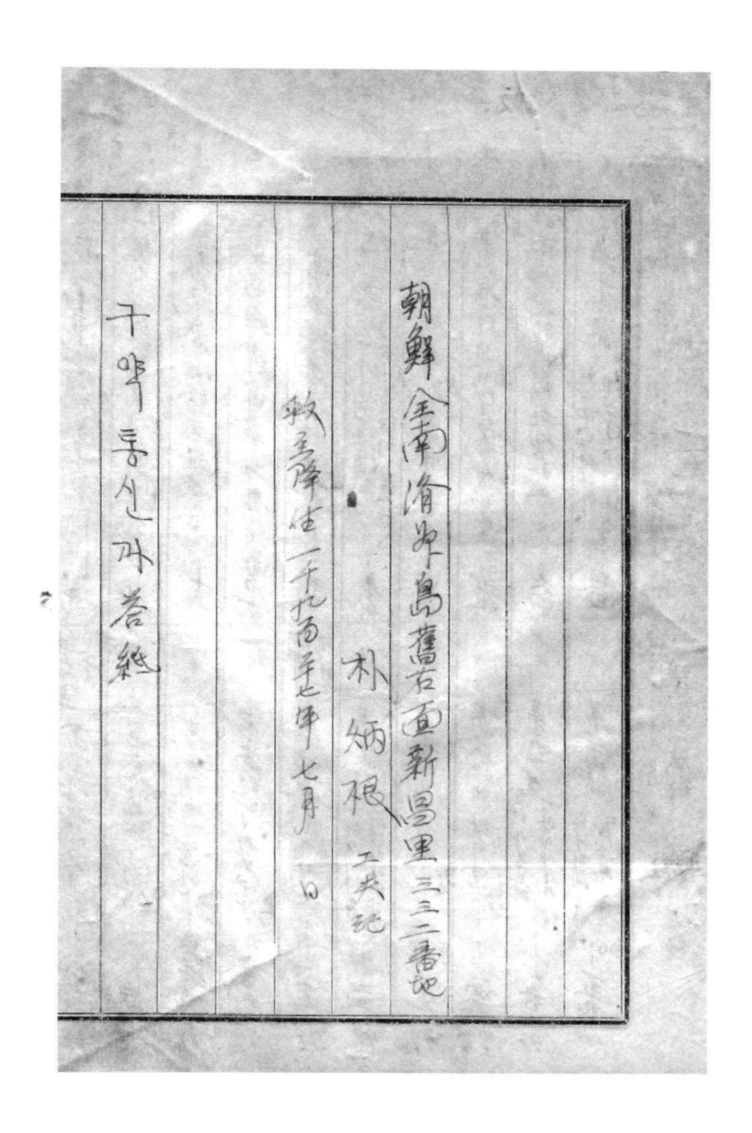

朝鮮全南済州島舊右面新昌里三三二番地

朴炳根 工夫記

救主降生一千九百五十七年七月 日

구약 통신과 答紙

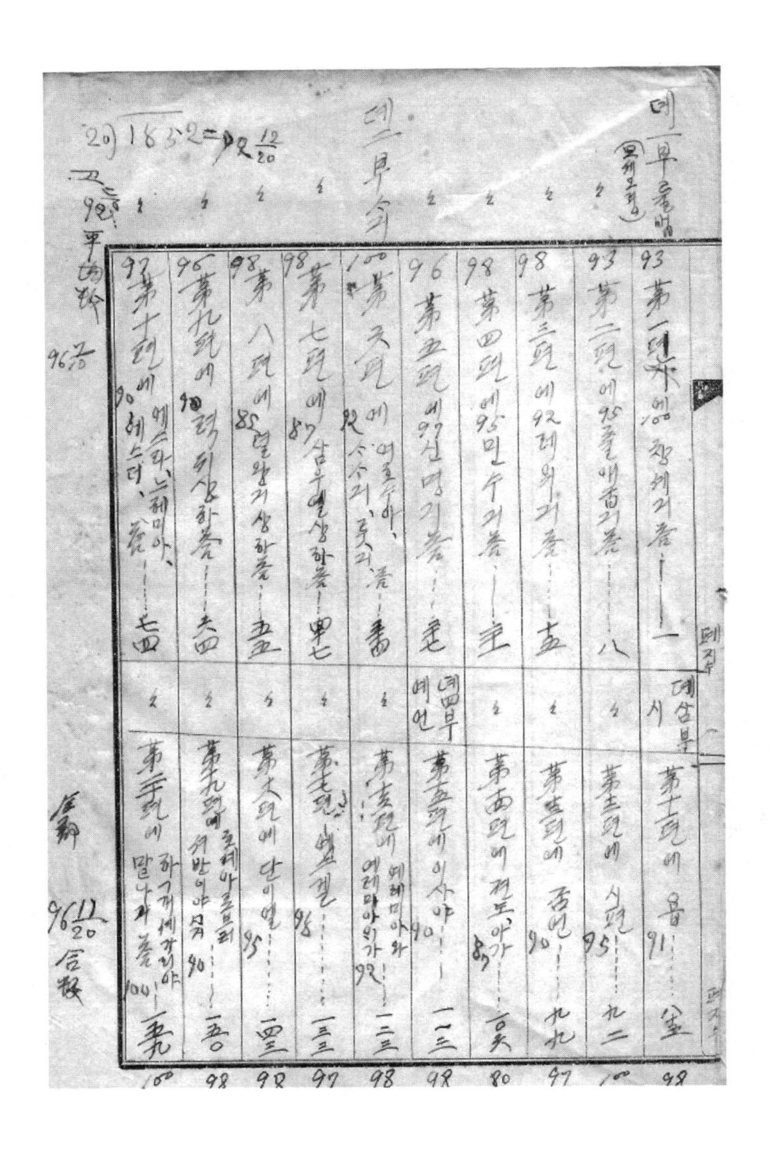
데一부 율법 (모세오경)
데二부 역사
第一편에 창세기 卷
第二편에 출애굽기 卷
第三편에 레위기 卷
第四편에 민수기 卷
第五편에 신명기 卷
第六편에 여호수아, 사사기, 룻기 卷
第七편에 삼우엘상하 卷
第八편에 열왕기상하 卷
第九편에 역대상하 卷
第十편에 에스라, 느헤미아, 에스더 卷
데삼부 시
데四부 예언

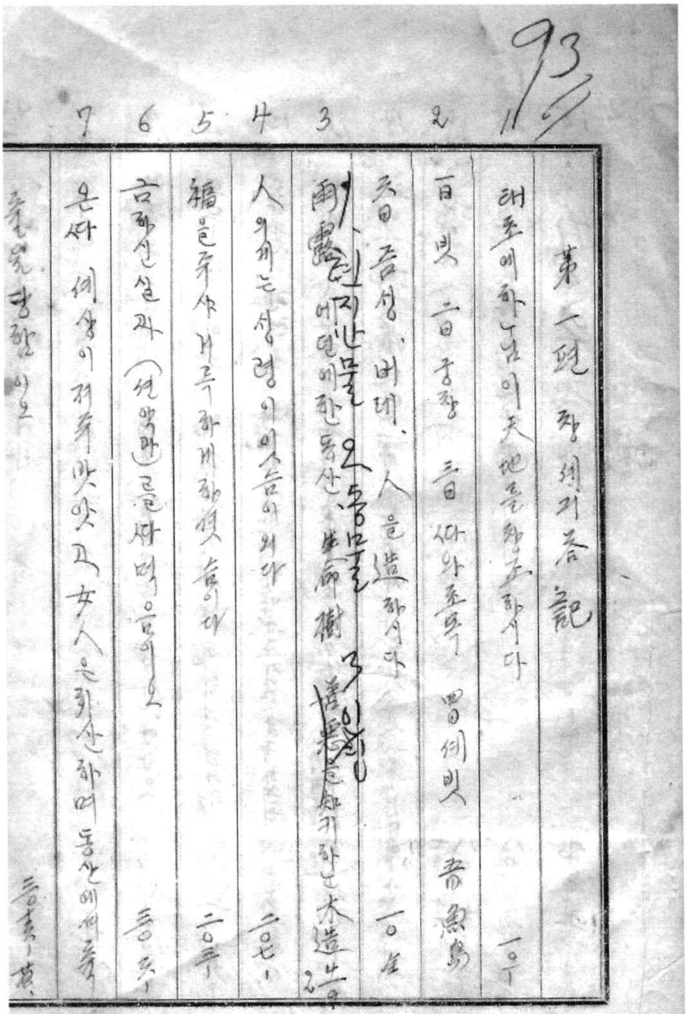

7 6 5 4 3 2 1

第一編 창세기答記

태초에 하나님이 天地를 창조하시다 一우

一日 빛 二日 궁창 三日 식다와 초목 四日 해빛人 五日 魚鳥

六日 즘생, 버래, 人을 造하시다 一〇

에덴에 한 동산 生命樹와 善惡을 知케 하는 木 造

人의게는 성령이 이슴이외다 二〇七

福을 주사 거룩하게 하셧슴이다 二〇

금하신 실과(선악과)를 따먹음이오 三〇

온 세상이 저주받앗고 女人은 해산하며 동산에서 축

출 당함이오 三〇

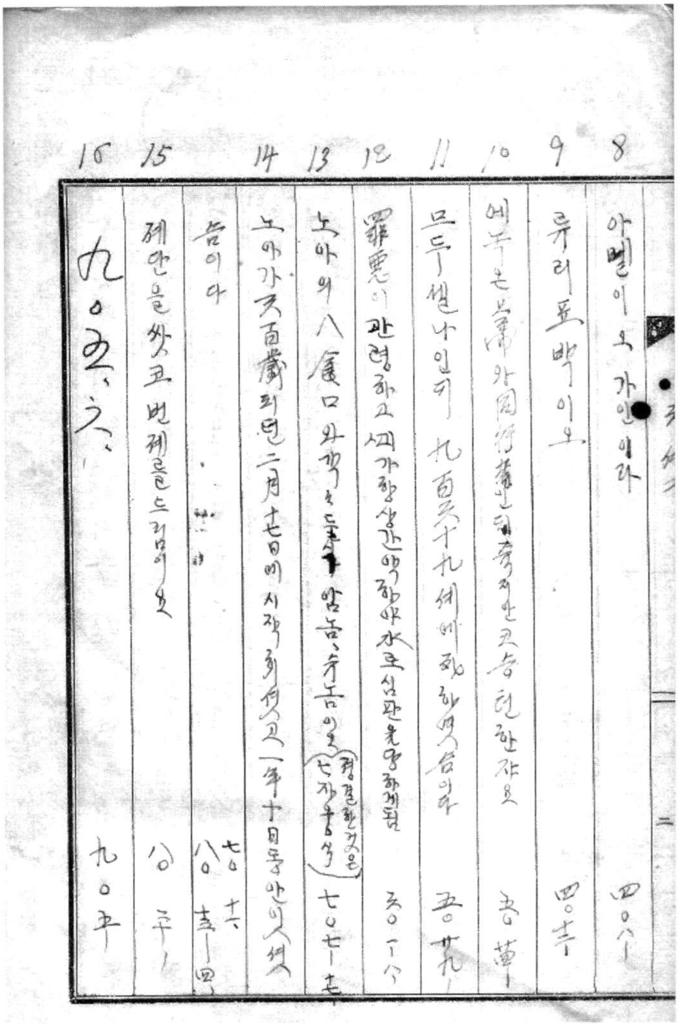

8 아벨이오 가인이라

9 류리표박이오

10 에녹은 [illegible] 죽지안코 승천한자오

11 므두셀나인대 九百六十九세에 死하엿슴이라

12 罪惡이 관영하고 [illegible] 水로 심판을 당하게됨

13 노아의 八食口와 짐승 암놈 숫놈이오 (정결한것은 七 자웅식)

14 노아가 六百歲되던 二月十七日에 시작되엿고 一年十日동안이엿섯

15 숨이다

15 제단을 쌋코 번제를드리엿오

16 九○五六

17 배ㅣ 안짓나 오게 안표보 (洪水로주멸세상표) 九〇十一六ㅣ

18 탑을 쌓세 에 하심이요 十一〇四ㅣ七ㅣ

19 五〇마 十〇마 十一〇마 三十五〇마 辛亥〇마

20 1 成大国 2 積福 3 名이 [illegible] 4 福이 되라 [illegible]

우리 역이도자의게는 [illegible] 地球旅이 [illegible] 十二〇二ㅣ

21 제단을 쌓고 제사함 十二〇七ㅣ

22 흉년을 [illegible] 自己妻를 누이라고 [illegible] 十二〇十ㅣ十三ㅣ

23 十七장에 할례 후는 [illegible] 十七〇九ㅣ十四

24 十八〇에 기록하여 [illegible] 義人과 惡人을 [illegible] 滅하시지 마시옵소서 함 義人 十人

만 있어도 용서하시라고 간구하였음이다

32 31 30 29 28 27 26 25 24

류황과 불을 비갓치 나리여셔 멸망식힘 十九 [illegible]

모압과 암몬 二國 [illegible] 十九 [illegible]

愛子 이삭을 모리아 山에셔 번제를 [illegible] [illegible]

에서와 야곱이오 [illegible]

[illegible] 에게 [illegible] 주고 엇은 것 [illegible] [illegible]

하란에 가다가 [illegible] 見함 (루스 地) [illegible]

야곱이 혼인한 후에 [illegible] 二十年 동안에 [illegible] [illegible]

고향으로 도라와 자미잇게 生活함 [illegible]

야곱이 고향으로 도라올 때에 天使로 더브러 씨름하야 이기고 福을 受故로 이

39 38 37 36 35 34 33

스라엘이라고 지명하다 [illegible]

33 르우벤、시므온、레위、유다、잇사갈、스불론 및 又 요셉、벤야민

이요 又 단、납달니요 又 갓、아셀이니라 [illegible]

34 兄弟들의 곡식단들이 둘너서 제단에 절한 것과 해와 달과 열한 별에

요셉의 계절한 사람 생긴 거시요 三十七。五ノ十ノ

35 이스마엘人(상고)에게 팔려 간 사람이다 三十七 廿七ノ八ノ

36 삼위 동정함으로 나와 [illegible] 옷을 가라 입고 出하여 [illegible] 十二曲

37 全国을 안할 하고 총리 대신이 됨이요 四十 四十

38 四十五章 에 귀족함이요

39 도합 七十名 이와다 四十六 ○ 二十七

40 41 42 43 44

五 信仰에 關함

아브라함과 妻 사라며 이삭과 妻 리브가며 레아와 야곱이오 [illegible]

男七名 / 아담 2 에노크 3 노아 4 아브라함 5 이삭 6 야곱 7 요셉 [illegible]

女三名 / 해와 2 리브가 3 사라

章名 / 창조 2 안식일 3 범죄 4 살인 5 아담의 족보 6 방주 7 洪水 8 下陸

9 무지개 10 노아의 족보 11 탑 12 離鄕 13 救姪分居 14 [illegible] 15 [illegible]

16 [illegible] 17 할례 18 [illegible] 19 [illegible] 20 [illegible] 21 사라 生子 22

納[illegible] 23 [illegible] 24 [illegible] 25 [illegible] 26 [illegible] 27 [illegible]

28 [illegible] 29 야곱이 [illegible] 30 야곱이 [illegible] 31 야곱 來鄕 32 [illegible] 33 [illegible]

[illegible] 34 야곱의 [illegible] 35 야곱이 復見上主 36 에서 후손의 족보 37 요셉 38

濟州島舊右面新昌里三三二番地

朴炳根

一九二七年八月 [illegible]

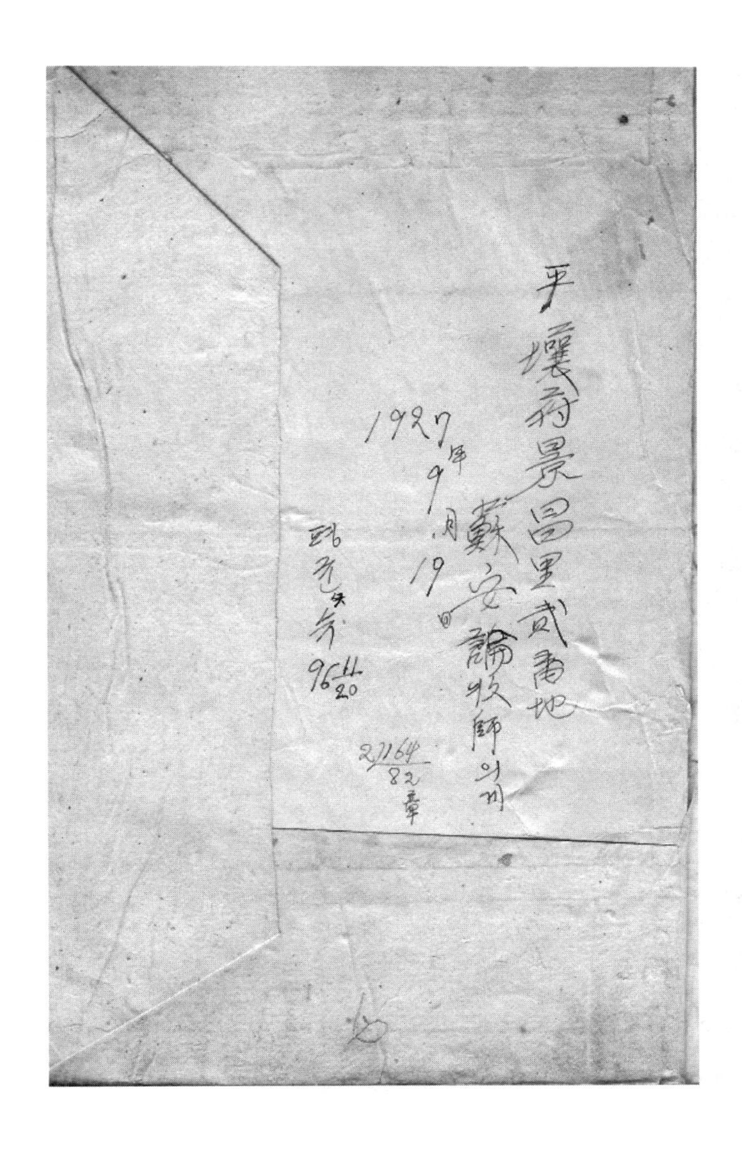
平壤府景昌里
蘇安論牧師의게
1927年 9月 19日

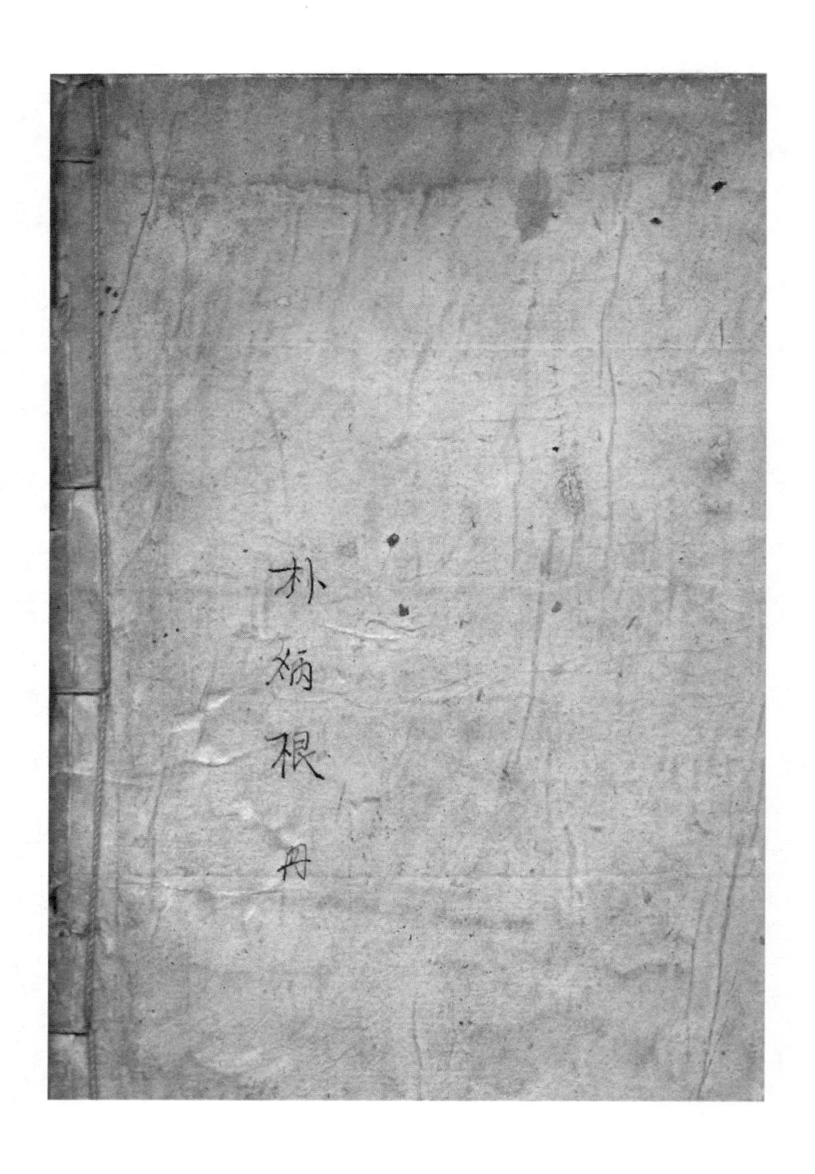
朴炳根 冊

구약셩경통신과셩적표용지

주후 一九二七년 칠월 칠일 시작 셩명 박병근

셥적표 뎨一편 고등과강을 잘홈 一九二七년十월 일 박병근 뎐

셥적표 뎨二편 고등과강을 잘홈 一九二七년十월 일 박병근 뎐

셥적표 뎨三편 고등과강을 잘홈 一九二七년十월 일 박병근 뎐

셥적표 뎨四편 고등과강을 잘홈 一九二七년十월 일 박병근 뎐

셥적표 뎨五편 고등과강을 잘홈 一九二七년十월 일 박병근 뎐

셥적표 뎨六편 고등과강을 잘홈 一九二七년十一월 일 박병근 뎐

셥적표 뎨七편 고등과강을 잘홈 一九二 년 월 일 박병근 뎐

셥적표 뎨八편 고등과강을 잘홈 一九二 년 월 일 박병근 뎐

셥적표 뎨九편 고등과강을 잘홈 一九二 년 월 일 박병근 뎐

셥적표 뎨十편 고등과강을 잘홈 一九二七년十一월 일 박병근 뎐

뎨十一편 용

셥적표 뎨十二편 고등과강을 잘홈 一九二 년 월 일 뎐

셥적표 뎨十三편 고등과강을 잘홈 一九二 년 월 일 뎐

셥적표 뎨十四편 고등과강을 잘홈 一九二 년 월 일 뎐

셥적표 뎨十五편 고등과강을 잘홈 一九二 년 월 일 뎐

셥적표 뎨十六편 고등과강을 잘홈 一九二 년 월 일 뎐

셥적표 뎨十七편 고등과강을 잘홈 一九二 년 월 일 뎐

셥적표 뎨十八편 고등과강을 잘홈 一九二 년 월 일 뎐

셥적표 뎨十九편 고등과강을 잘홈 一九二 년 월 일 뎐

셥적표 뎨二十편 고등과강을 잘홈 一九二 년 월 일 박병근 뎐

쥬의

一、이용지는 간수ᄒ여두엇다가 후일에 셩적표를 밧을때에 각편을 써라 제자리에 붓칠것

二、공부한 셩적표를 붓쳐서는 벽에 붓치면 지류리를 (사진틀) 갓흔대 너히서 벽에 걸면 지할것

三、초등은 문제 붓치고 고등은 그 우 가운데 붓칠거시오

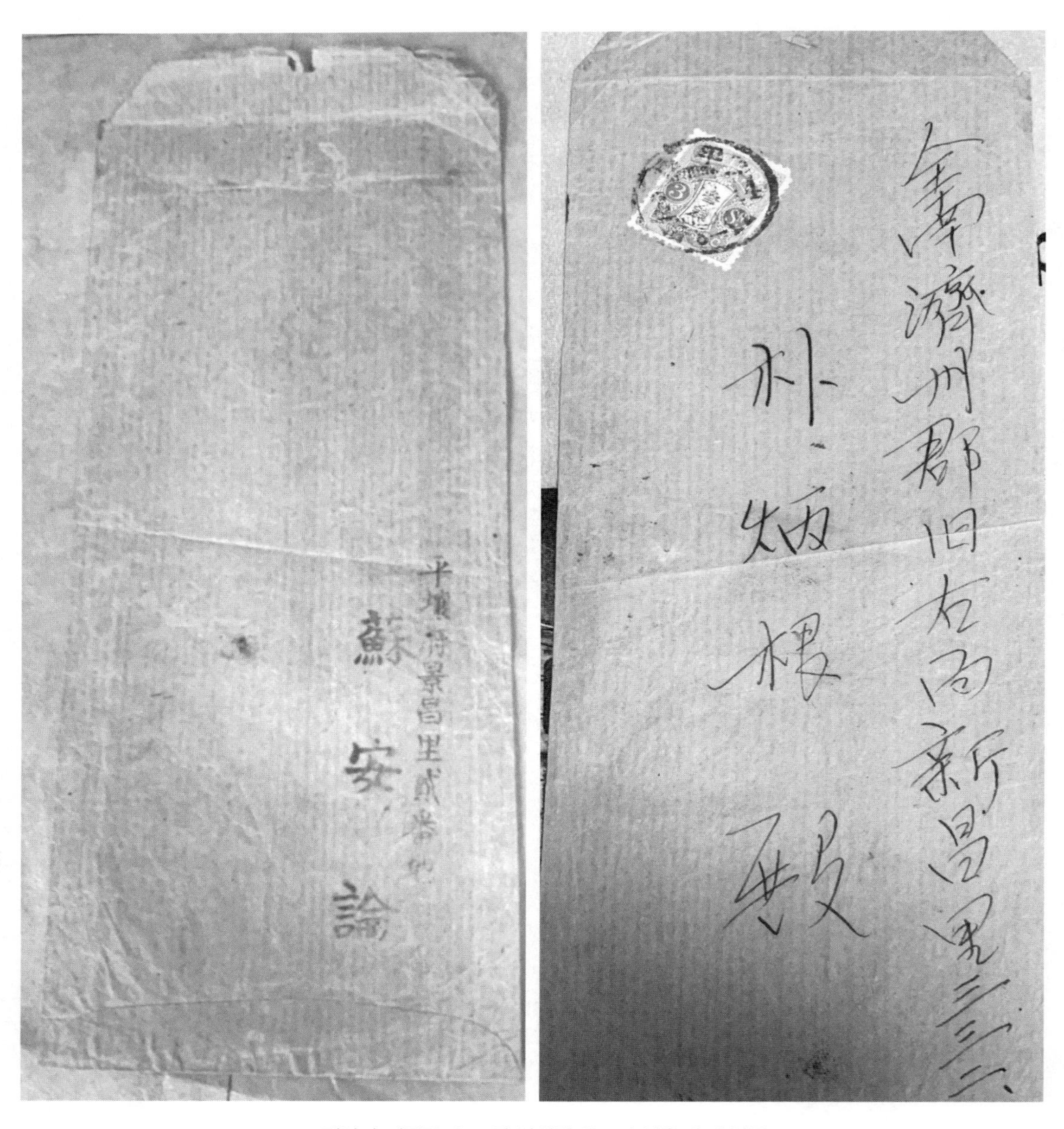

▲ 평양과 제주를 오고 간 날인된 우표가 붙은 우편 봉투

제주 모슬포교회 당회록에 '최홍종 목사 위임식'에 지방시찰위원으로 기록된 박병근 장로의 이름을 찾아볼 수 있다.

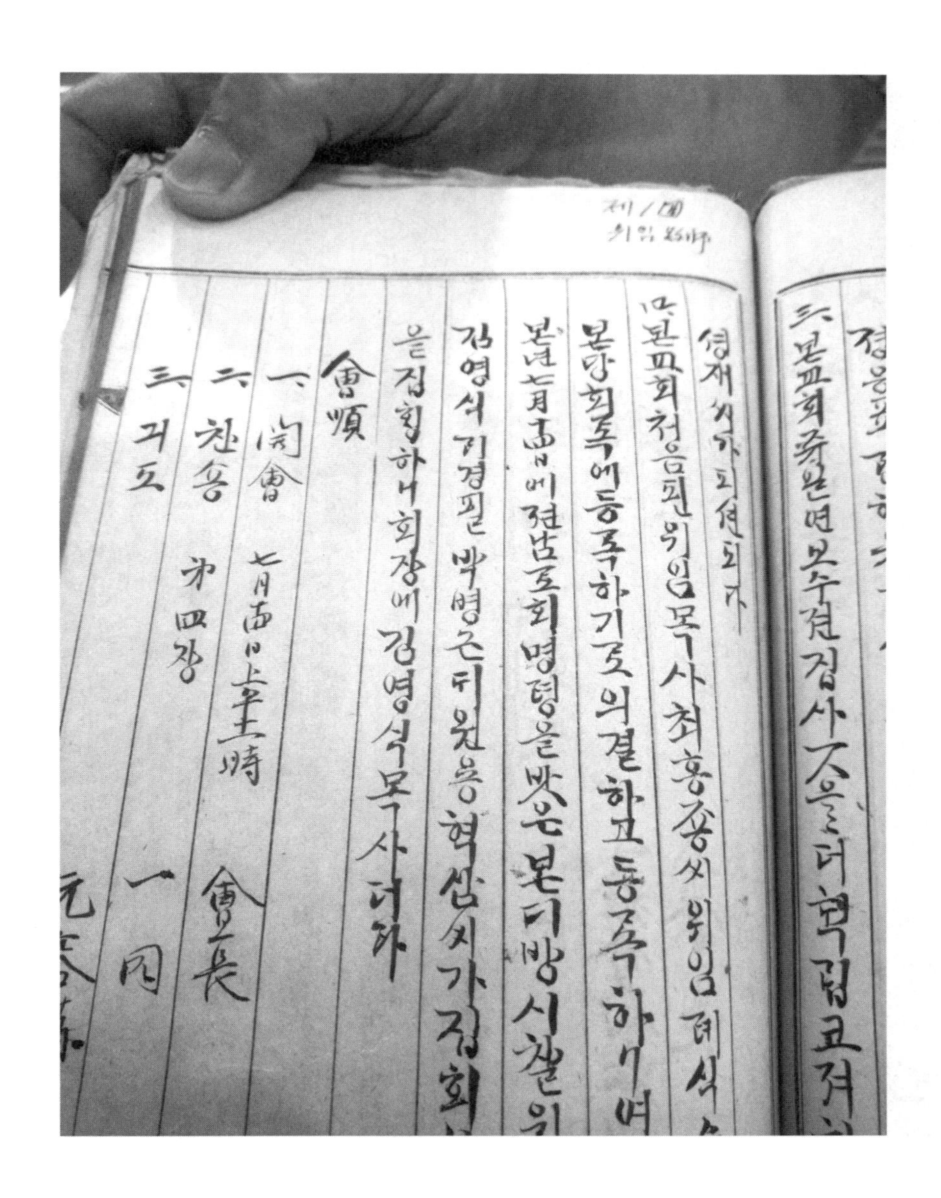
본교회처음된위임목사최홍종씨위임례식
본당회록에등록하기로의결하고등록하기여
본년七月二十日에젼남노회명령을받은본디방시찰위
김영식기경필박병근三씨가
을집회하니회장에김영식목사더라
會順
一、開會 七月二十日上午十一時
二、찬송 第四장 會長
三、긔도 一同

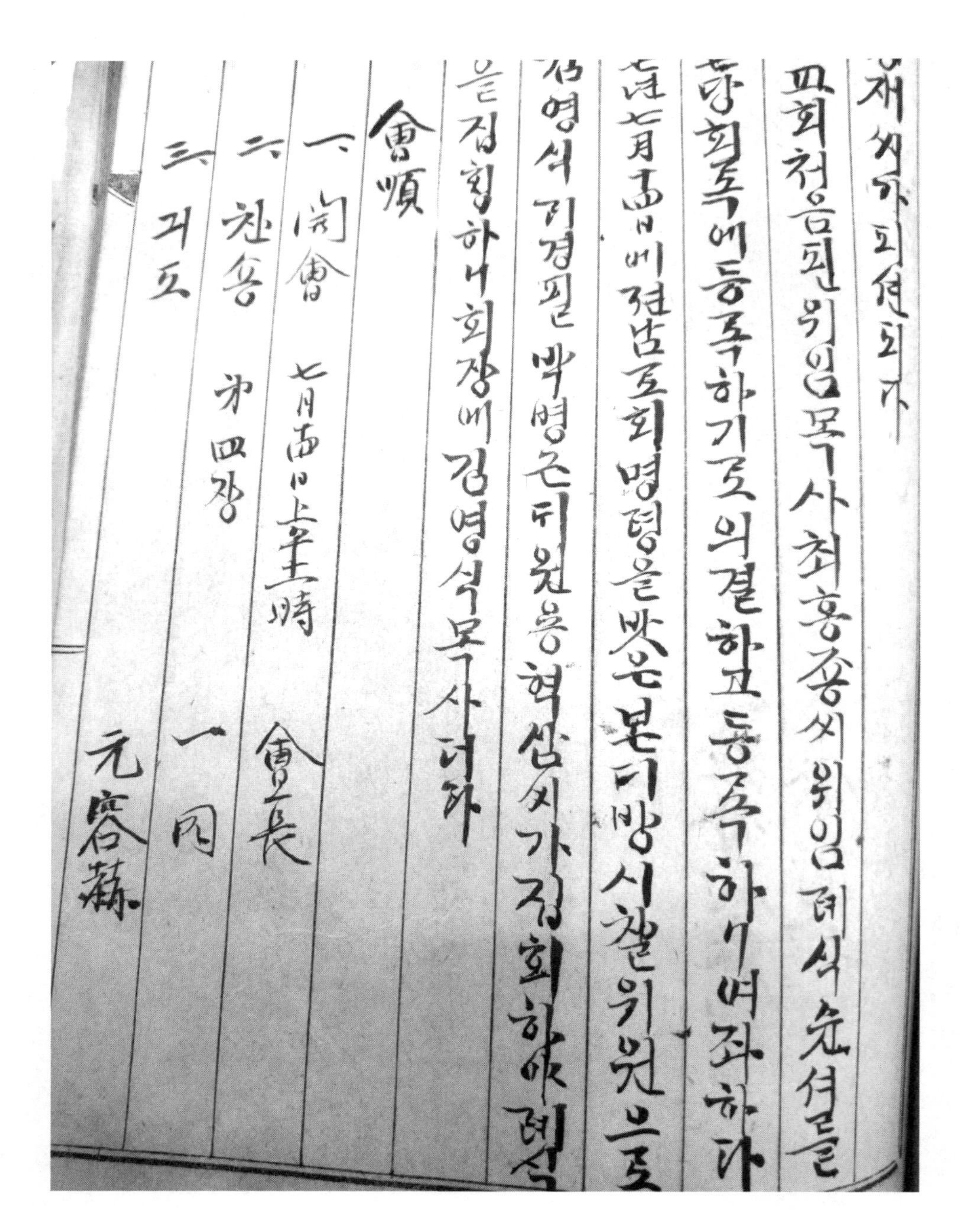
...재씨가피선되다
四회처음된위임목사최흥종씨위임례식슌셔를
...회록에등록하기로의결하고등록하여...하다
...년七月廿日에전남노회명령을받은본디방시찰위원으로
김영식리경필박병춘디원용현신씨가집회하야례식
을집힝하니회장에김영식목사러라
會順
一. 開會 七月廿日上午十時 會長
二. 찬송 第四장 會長
三. 긔도 一同
元容赫

2022년 6월 20일 제주를 방문하여 모슬포교회 100주년사료전시관에 들려 할머니, 할아버지 기록을 찾아 본적이 있었다.(위의 사진)

그때, 찾지 못하고 모슬포교회 담임 손재운 목사님과, 제주선교100주년기념교회 이형우 목사님께 혹 찾으시면 소식을 주시라고 부탁을 드리고 온 적이 있었다. 그리고, 1달 후

2022년 7월 19일 제주 모슬포교회 담임(손재운)목사님과, 제주선교100주년기념교회 이형우 목사님께서 기적적으로 찾아 보내 주신 모슬포교회 당회록(1929년도 기록)의 일부이다. 사진이 잘려 위 아래를 다 볼 수 있게 2장을 게재했다.

그 내용을 읽기 좋게 다시 옮겨 적어 본다.

『4. 본 교회 처음 된 위임목사 최흥종 씨 위임 례식 순서를
본 당회록에 기록하기로 의결하고 등록하니 여좌하다.
본년(1929년) 7월 14일에 전남노회 명령을 맡은 본 지방 시찰위원으로 김영식, 리경필, 박병근과(?) 원용혁 삼 씨가 집회하여 례식을 집행하니 회장에 김영식 목사더라.

회순			
회순	**1. 개회**	**7월 14일 상오 11시**	**회장**
	2. 찬송	**제4장**	**일동**
	3. 기도	**원용혁』**	

* 사진의 우측 상단에 [제1회 목사 위임]이라는 메모도 보인다.

한경교회 100년사에도 언급된 대로, 파송된 전도인으로 사역하던 박병근 전도사는 장로가 되었다. 두모리교회 장로가 되어, 전남노회 산하에 제주 지역 시찰위원으로 활동하였다는 것을 볼 수 있다.

박병근 장로는 장립 후 얼마 있지 않아, 산남 지방 조사라는 순회사역으로 두모리교회 시무가 어려워 새로운 장로를 세워야 했다[16].

1929년 5월 19일 오후 7시 두모리교회 새 예배당에서 이경필 목사와 박병근 장로 2명이 모인 제4회 당회에서 정기노회에 이를 청원키로 결의했다. 동년 9월 30일 오후 7시 김계공의 집에서 열린 당회에서는 박병근 장로를 본 교회 장로 사면 청원을 수리하고, 신임 김계공 장로를 서기로 피택했다. 이런 기록들을 보면 박병근 전도사는, 리경필 목사를 도와서 산남 지방 조사로, 순회 전도인으로 열심히 활동했던 것으로 사료된다.(39페이지 한경교회 70년사 사진 참조)

한경교회

장흥군 지역 교회 사역

1930년에 박병근 전도사는 다시 육지인 전라남도로 옮겨 사역을 시작하였다. 전남노회 목사님들과 선교사들의 결정으로 장흥으로 사역지를 옮긴 것으로 추정된다.

장남 박환규 목사의 글에[17] "내가 안 것은 장흥으로 이사 갈 때부터다. 비가 오던 날이었다. 호로형 버스를 타고 장흥 관산으로 가, 부평 가는 정자나무 밑에서 내렸다. 약 5리 정도 걸어가 개척을 시작한 것 같으나 잘 안 된 것 같았다. 평상 위에 앉아 놀던 일이 생각난다. 다시 부평리로 이사 가서 개척교회를 시작하다. 한약방 하던 박 씨 가족이 예수를 믿고 그 외 여러 가정이 예수를 믿었다. 부평리교회 예배당을 건축하고 교회는 부흥하였다. 나는 크리스마스 때면 연설을 하였고, **"늙어 죽고 천당 갈 놈"**이라는 욕을 하여 동리 사람들이 그 말을 들으려고 놀리곤 하였다. 동생 남규는 거기에서 태어났다. 부평에서 3년간 살고 장흥읍교회로 옮겨 6년간을 살았다. 예배당과 사택을 건축하였다. 6년 후 영암읍교회로 옮겨 시무하였다."라고 적어 놓으셨다.

이 글에 나오는 한약방 하던 박 씨 가족 중 한 분이 『영암읍교회 80년사』 111~115페이지에 **"순교한 남편 김동흡 장로를 말한다"**라는 글을 쓰신 영암읍교회 순교자 김동흡 장로의 부인 **박정순 권사님**인 것을 알 수 있었다.

박 권사님은 "내가 그이와 결혼하게 된 것은 훌륭한 신앙의 선진이었던 박병근 전도사의 중매에 의해서였다. 그때 박 전도사는 영암읍교회의 전도사였다. 나는 장흥군 관산읍 부평교회에 다니고 있었다. 그 교회는 박 전도사가 개척한 곳이다. 교회를 지을 때 나의 아버지(박병선)와 큰아버지(박제선) 등이 협력하여 건물을 지었고, 아버지는 밭을 교회 부지로 헌납했었다. 친정과 영암까지는 150리 길이었는데 결혼 당시에 나는 그 길을 택시를 타고 다녔을 만큼 잘사는 집안이었다."라고 적고 있다.[18]

1930년 7월 7일 전남 장흥군 관산면 부평교회를 개척, 시무하고 3년만에 교회당을 건축할 만큼 부흥을 이루었다. 부평교회 개척과 함께 대덕면 삭금리교회와 진목리교회를 겸임 시무하였다고 한다.

3남 박남규 목사는 이곳 관산 부평교회에서 1931년 9월 21일(음력 7월 7일) 출생하였다. 또한 박병근 전도사가 친필로 쓴 가족 교적부를 보면 젖 세례 즉 유아세례를 1932년 10월 23일 조하파[19] 목사께 받았다고 기록하고 있다. 박환규 목사가 기록한 글에 장흥에서 초학문답을 암송하여 동생 금규와 함께 조하파 선교사에게 신약성경을 상으로 받았다고 적고 있다.

1934년 1월 1일부터는 장흥읍교회로 전임하여 시무를 시작하였다.

전도사로 장흥읍교회에 전임한 박병근은 당회장인 조하파 목사의 순회 지도하에 교회의 재건과 부흥에 헌신하게 된다.

박병근 전도사는 장흥읍교회에서 다시 장로 장립을 받았고 허물어져 가는 교회당과 사택을 새로이 건축하였다.

장흥읍교회(장흥중앙교회) 제1회 당회록에 의하면 "1934년 10월 21일 오전 11시에 조하파 목사는 당회장으로서 제1대 정기신, 박병근 씨 장로 임직식을 집례하고 조직교회가 되었음을 선언하였으며, 그 날 오후 6시에 박병근 장로 댁에서 제1회 정기당회를 회집하여 서리집사(남 2, 여 2)의 사무를 처리하였다."는 사실이, 기록되어 있다. 박병근 전도사의 부인 좌추선은 이때 서리집사의 직을 맡았다.

또한 1936년 4월 22일 오후 3시 30분 제5회 정기당회에서 박환규(11세), 박금규(세) 초학문답을 하였다고 기록하고 있다.(당회록[20] 사진 첨부)

박병근 장로는 장흥읍교회 당회원으로서 실직적으로 주도한 기록들이 적혀 있다. 그는 가정집을 예배당으로 개수 증축하여 1935년 10월 13일 헌당하였고, 박병근 장로는 그 열정과 능력을 인정받아서 1939년 3월에 영암읍교회에서 청빙하여 이명하게 되었다.[21]

1939년 3월 21일 오후 5시 제10회 당회록[22]의 기록－이명하여 보낼 교인에 박병근 가족이라고 기록하고 있다.

여기에 장흥읍교회 제1회, 5회, 10회 당회록의 기록 사진과 장흥중앙교회 설립 110주년사 책의 내용과, 장흥읍교회 예배당 헌당식을 보도한 동아일보 당시 신문의 지면 사진과 기사의 내용을 소개한다.

110TH HISTORY OF
JANGHEUNG JUNGANG PRESBYTERIAN CHURCH

생명의 빛,
태동, 성장 그리고 아름다운 동행!

- 교회 설립 110주년 기념 -

대한예수교 장로회 장흥중앙교회

장흥읍교회 헌당식의 기사가 서기 1935년(소화 10년) 10월 17일 (목요일)자 제5345호 4면 동아일보에 보도된 것을 디지털 동아일보(https://www.donga.com/archive/newslibrary/view?ymd=19351017&mode=19351017%2F0003731954%2F1)에서 찾을 수 있었다.

장흥읍교회 사진자료실 :
https://tinyurl.com/23jpgvqz

||| 제1회 정기당회 |||

- 주후 1934년 10월 21일 오후 6시
- 장소 : 정기신 장로 댁
- 참석회원 : 조하파, 정기신, 박병근.
- 결의사항

1. 서리집사 4인 선정 : 남) 선완근, 김장수.
   여) 좌추선, 하소조.

당회장 : 조하파 목사　서기 : 정기신 장로

||| 제5회 정기 당회 |||

- 주후 1936년 4월 22일 오후 3시 30분.
- 장소 : 본 교회당
- 참석회원 : 임시당회장 김아열 목사,
  박병근 장로, 원용혁 장로
- 결의사항

1. 교인명부 검사처리
   1)제명 : ①조마리아(별세)　②소달윤(별세)
   2)실종 : 강귀금
   3)해벌 : *** 는 책벌이래 회개한 증거있어 해벌함.
   4)출교 : ① *** 출교 - 7계범　② *** 출교 - 7계범
   ③ *** 출교 - 주상　④ *** 출교 - 7계범
   5)이명 : ①정기신, 현향례, 정주일, 정복동례 일가족은 북간도 용정교회로 이명 수송함.
   ②정귀애는 목포양동교회로 이명 수송함.
2. 서리집사 선정 : 남)김화용, 김장수, 소두현
   여)좌추선, 하소조
3. 학습문답 : 강일용(1905. 10. 3생),
   구교송(1909. 12. 16생)
   초학문답 : 박환귀(11세), 박금귀(9세)
4. 노회총대 : 박병근장로
5. 상회에 상정할 총게지를 작성하여 회장에게 교부하다.

||| 제10회 정기 당회

- 주후 1939년 3월 21일 오후 5시
- 장소 : 본교회 교역자 사택
- 참석회원 : 최병호 목사, 박병근 장로, (방청 : 김화용 집사, 임원식 전도사)
- 결의사항

1. 이명하여 보낼 교인 : 배영석가족, 김종섭가족, 천금선, 박병근 가족.
2. 이명하여 입적할 교인 : 박강산, 리경단, 김주원가족, 김종순.
3. 세례문답 : 별지와 같음
4. 학습문답 : 별지와 같음
2. 직원임명
   1)영수 : 김화용
   2)서리집사 : 남)김장수, 강일용, 임상금
   여)이다복, 김자경
3. 속회 8시에 예배와 성례식 거행하다.

임시 당회장 : 최병호 목사
서기대리 : 임원식 전도사

※ 일제 강점기 신사참배거부 및 주일날 선거방해 이유로(주일예배 타종으로) 장성철 전도사와 16명의 교인들이 투옥되다. (1939. 3. 21. 이후부터 1942. 3. 21. 까지 기록은 없음)

||| 제11회 정기 당회 |||

- 주후 1942년 3월 22일 오후 4시
- 장소 : 교역자 사택에서
- 결의사항

1. 학습문답 : 별지와 같음
   임시 당회장 : 김주환 목사 (1942. 3. 23. 이후부터 1946. 5. 10. 까지 기록은 없음)

||| 제12회 정기 당회 |||

1차 예배당 건립기

제1대 조하파 목사
(Hopper. Joseph/趙夏播/선교사) 사역 (1934.10.21. ~ 1938.3.)

조하파 목사는 1892년 6월 1일 미국 켄터키주 스탠퍼드에서 출생하였으며, 가족사항은 부인 Hopper, Annis Barron과 3자녀를 두었다. 1914년 센터대학, 1917년 루이스빌 신학교를 졸업하였으며, 1928년 루이스빌 신학교에서 신학석사 학위와 1939년 유니온 신학교에서 신학박사 학위를 받았다.

미국 남장로교 파송 선교사로 1919년 부인과 함께 내한하였고, 1920년 정식 선교사로 승인을 받았으며, 목포선교부 소속으로 영암, 해남, 강진, 장흥지방을 순회하며 농촌선교에 진력하였다.

장흥읍교회 연혁에 의하면, 1906년~1934년까지는 선교사나 전도사 혹은 전도부인이 시무 목사(교역자)의 직무를 수행하였으며, 노회에서 선교사 또는 인근 조직 교회의 목사를 파견하여 지역 내 여러 교회의 당회장 직무를 임시 겸임하도록 하였던 것으로 보인다.

우리 교회에 부임과정은 조선야소교장로회 전남노회에서 담임 교역자로 파송하였을 것으로 추정되고(당시는 선교사가 지역 내 여러 교회를 순회하면서 예배를 인도하였음), 제1회 당회록에 의하면 1934년 10년 21일 오전 11시에 조하파 목사는 당회장으로서 제1대 정기신, 박병근씨 장로 임직식을 집례하고 조직교회가 되었음을 선언하였으며, 그 날 오후 6시에 박병근 장로 댁에서 제1회 정기당회를 회집하여 서리집사 임명(남2, 여2)의 사무를 처리하였다.

주요 경력은, 대한야소교장로회 전남노회 관내에서 의료선교사 맹현리, 오원 등과 협력하여 의료, 교육 등 사업을 통해 복음 전파에 진력을 다했으며, 진목, 삭금, 대리(명덕), 지천교회 등을 순회하면서 예배를 인도하였다. 여러 지역에 교회를 세우고(각 교회 연혁 참조) 전도사 파송과 목포달성경학교를 개설하였으며, 1947년 7월 21~22일에 양동교회에서 열린 제1회 임시노회에서 정명여고 설립자 5인중 1인, 또한 이사 6인 중 1인으로 선임(목포새한교회 120년사 230쪽 참조)되었다. 한 때는 평양장로회 신학교에서 교육 활동을 하였으며, 1940년경 일제에 의해 강제 추방되었다가 해방 후 1947년 다시 내한하여 목포지역에서 농촌선교에 주력하다가 1957년에 은퇴를 하고 미국으로 돌아간 후 1971년 2월 20일에 소천하였다.

▼ 제1회 장흥,강진,영암 연합사경회(1937.9.22.)

▲ 1937년 9월 22일 강진읍 제1회 장흥, 강진, 영암 지방 연합사경회 기념촬영

장흥중앙교회 설립 110주년

주님의 몸된 교회를 사랑했던 선배들의 발자취를 따라

▣ 제1대 박병근 장로 (1934. 10. 21~ 1939. 03.)

박병근 장로의 아버지 박문택 씨는 광주지방에서 거의 최초로 기독신자가 되었다. 오웬 선교사(Dr. C.C.Owen : 한국이름 오원)에게서 세례를 받았으며 선교사를 도와 매서인(賣書人)과 전도인으로 놀랄 만한 활동을 하였다. 이러한 아버지의 영향을 받은 박병근은 일찍이 전도의 소명을 받고 일생을 하나님의 선교에 헌신하였다.

광주에 기독교학교인 광주숭일학교가 세워지자 1908년에 고등과에 입학하여 수업을 받았다. 아버지와 오웬 선교사의 후원을 받아서였다. 숭일학교를 졸업한 박병근은 가난한 농촌의 자녀들에게 배움의 기회를 주고 그들에게 새로운 학문을 가르치겠다는 사명감으로 사립학교 교사로 나섰다.

광산군 대촌면 구소리 사립학교, 보성군의 운림학교, 광산군의 조산학교 등이 박병근이 교사로 봉사한 학교였다.

일제강점기에 교육을 통제한 무단 통치에 많은 사립학교가 폐교되자 박병근은 망국의 한과 더불어 민족교육에 헌신하겠다는 현장도 박탈당했다. 그러나 박병근은 이에 멈추지 않고 농한기에 열리는 광주대사경학원(光州大査經學院)에 입학하여 성경을 공부하였으며, 조선야소교장로회 전남노회 선교부에서는 박병근의 신앙 열정과 실력을 인정하여 1924년 전도사로 임명하였다.

전도사가 된 박병근은 담양군 창평읍교회에서 첫 목회가 시작되었다.

그 후 담양군의 대치교회를 거처 1928년에는 선교의 불모지인 제주도의 구우면 두모리교회로 파송되었다. 5년간의 두모리 교회 사역을 감당하다가 전남 장흥군 관산면 부평교회에 부임하였다. 3년만에 예배당을 신축하여 헌당하는 은혜로운 역사를 일구어낸 박병근은 1934년에 장흥읍교회로 전임하게 된다. 전도사의 직분으로 장흥읍교회에 전임한 박병근은 당회장인 조하파 목사, 그리고 현지 교인인 정기신과 함께 교회의 재건과 부흥에 헌신하게 된다.

1934년 10월 21일 11시에 장흥읍교회 제1회 당회록에는 박병근과 정기신이 제1대 장로로 임직되었다는 사실이 기록되어 있다. 박병근 장로는 장흥읍교회 당회원으로서 실질적으로 주도한 기록들이 얽혀있다. 그는 가정집을 예배당으로 개수증축하여 1935. 10. 13 헌당하였고, 박병근 장로는 그 열정과 능력을 인정받아서 1939년 3월에 영암읍교회에서 청빙하여 이명하게 되었다.(당회록 참조)

박병근 장로는 광산교회, 무안 현경교회를 거처 함평군 나산교회에서 전도사로 시무 중 인민군에 의해 1950년 순교하였다. (장흥읍교회 100년사 P132~135 참고)

長興耶蘇教會
禮拜堂獻堂式

【장흥】 장흥읍내(長興邑內)에서 장로교야소교회(長老敎耶蘇敎會)는 수十성상의 역사를 가저오는 동안 예배당이 협착하야 예배시에 일반신자는 만흔 곤란을 받아오든바 동교회 박병근(朴炳根)전도사의 헌신적 활동과 일반교인의 열성으로 재작년 추기에 五백여원의 건축비를 모와 예배당을 신축하엿든바 여러가지 사정으로 인하야 지금까지 헌당식(獻堂式)을 거행치 못하든것을 일반교인은 유감으로 생각하든바 지난十三일 오전十시부터 헌당식을 동예배당 안에서 거행하엿다 하다.

▲ 서기 1935년(소화 10년) 10월 17일 (목요일)자 동아일보 제 5345호 4면 동아일보

조간 3면

원문 한글변환

長興耶穌教會(장흥야소교회)

4면 사회

長興耶穌敎會(장흥야소교회)

禮拜堂獻堂式(례배당헌당식)

【장흥】장흥읍내(長興邑內(장흥읍내))장로교야소교회(長老敎耶穌敎會(장로교야소교회))는수十(십)성상의 역사를 가저오는 동안 예배당이 협착하야 예배시에일반신자는 만흔 곤란을 받아오든바 동교회 박병근(朴炳根(박병근))전도사의 헌신적 활동과 일반교인의 열성으로 재작년 추기에 五(오)백여원의 건축비를 모와 예배당을 신축하엿는바 여러가지 사정으로인하야 지금까지 헌당식(獻堂式(헌당식))을 거행치 못한것을 일반교인은유감으로 생각하든바 지난十三(십삼)일오전十(십)시부터 헌당식을 동예배당안에서 거행하엿다 한다.

한글 변환시 두음법칙이나 동자이음 적용이 불완전할 수 있습니다

▲ 1935년 10월 17일자 동아일보 기사 – 디지털 동아일보에서

▲ 조선야소교 장로회 장흥읍예배당(왼쪽부터 장남 환규, 부 박병근, 2남 금규, 모 좌추선, 3남 남규, 장녀 유순)

1935년 10월 17일자 동아일보 기사 내용(74페이지)

오른쪽에서 왼쪽으로 쓰인 글

(4) 소화 10년 10월 17일 (목요일) 동아일보(제3종우편물인가) 제5345호

줄 위의 상단에 기록된 신문의 페이지 4쪽과 발행년월일 표시 및 제호

신문지면의 중간 오른편에 보도된 "**長興耶蘇教會**(장흥야소교회) **禮拜堂獻堂式**(예배당헌당식)" 기사 내용(기사는 왼쪽에서 오른쪽으로 표기되었음)

長興耶蘇教會

禮拜堂獻堂式

[장흥] **장흥읍내**(長興邑內) **장로교야소교회**(長老教耶蘇教會)**는 수十성상의 역사를 가저오는 동안 예배당이 협착하야 에배시에 일반시자는 만흔 곤란을 받아오든바 동교회 박병근**(朴炳根)**전도사의 헌신적 활동과 일반교인의 열성으로 재작년 추기에 五백여원의 건축비를 모와 예배당을 신축하엿는바 여러가지 사정으로 인하야 지금까지 헌당식**(獻堂式(헌당식))**을 거행치 못한것을 일반교인은 유감으로 생각하든바 지난 十三일 오전十시부터 헌당식을 동예배당 안에서 거행하엿다 한다.**

(당시 보도되었던 기사의 내용을 그때 당시의 글자 그대로 옮겨 놓았다.)

이 기사의 출처는 동아일보 동아디지털아카이브에서
기사의 화면을 확인할 수 있다.
https://tinyurl.com/22usotwp

영암군 지역 교회 사역

1938년 영암읍교회의 청빙을 받았다. 『장흥중앙교회 110년사』 책[23)]을 보면 1939년 3월 21일 오후 5시 교역자 사택에서 열린 제10회 정기 당회에서 이명하여 보낼 교인 명단에 박병근 가족이 들어 있다. 서류상에는 1939년 3월 이후에 영암읍교회에 부임하여 사역을 한 것으로 보인다.

그는 1938년부터 영암읍교회에 시무하면서, 영암군내 덕진면 영보교회, 군서면 구림교회, 군서면 장사리교회, 군서면 도장리교회 등을 매주 하루씩 순번을 정하여 순회하면서 돌보는 열정을 보였고, 또한 군서면 해창리 신흥교회와, 영암면 장암리 장암교회를 개척하기도 하였다.

https://tinyurl.com/29uu8g2b 

회 목회하면서 사역 하던 중 학산면 소재지인 독천에 교회 개척 설립을 위한 전도 강연회를 갖게 되었다. 여기에 윤남하 전도사가 초청되어 집회하는 등 지역 선교와 복음화에 혼신의 수고를 아끼지 않았다.

일본의 압제와 감시는 더욱 심해졌지만 교회 안에 뜻있는 젊은이들이 관심을 갖고, 찾아오게 되었으니 환난 있는 곳에 복음이 더욱 뜨겁게 증거되었다.

1935년 7월에는 윤남하 전도사가 사임하고 지한홍 전도사가 후임으로 부임하였다. 이때부터 일제는 무단 통치기(1910~19)와 문화 통치기(1920~30)를 지나 민족 말살기로 접어 들어 언어, 문화는 물론 민족 정기의 온상인 교회말살을 위해 신사참배를 강요하는 등 기독교 역사와 조선문화 말살과 탄압이 본격화하였다.

일본은 더욱 만주사변(1913년), 중일전쟁(1937), 태평양전쟁(1941)등을 통해 세력을 확장시키면서 군국주의 야욕을 채워 갔던 것이다.

1936년부터는 신사참배를 거부한 학교를 폐교시켰고 교회가 이 문제로 큰 시련을 한층 더 크게 겪게 된다. 마침내 1938년 평북노회에서 최초로 장로교 신사참배가 의식행위라는 미명 아래 승인되어 교회가 무릎을 꿇게 되었다. 이 같은 굴욕과 우상숭배를 반대하며 신앙을 지켜온 주기철 목사 등이 순교당하는 환난을 겪게 된다.

1938년 지한홍 전도사가 사임하고 박병근 전도사가 부임하였다.

우리 교회에도 일제의 탄압이 더욱 강화되고 마침내 1940년 9월 20일에는 예배당이 훼파 당했다. 성도들의 신앙의 자유가 박탈 당하는 수난과 함께 성도들이 투옥 당하고 흩어지게 되며, 박병근 전도사와 교우 김주철 씨가(김동흠 장로 부친) 투옥된다.

당시 국내는 조선일보와 동아일보가 폐간되고 조선사상 보국연맹을 조직하여 사상운동가를 감시하며 신사참배를 더욱 강요하였다.

총독부는 일본에 항거하는 교회와 애국 운동가를 더욱 탄압 하였으며, 외국인 선교사를 추방하고 징병제와 학병으로 젊은이를 전쟁터로 끌고 갔다.

1942년에는 고유의 각 교단 명칭을 쓰지 못하고 일본 기독교 조선교단이라는 명칭으로 교회를 탄압했다. 이런 움직임에 반대하는 모든 교역자들과 성도들이 투옥 되었으니 우리 교회의 박병근 전도사와 김주철 씨가 3년의 긴투옥생활을 겪고 1943년에 석방 되었다. 그러나 박병근 전도사는 옥중에서 얻은 병고로 계속 시무가 어려워지자 사임한 후일 옥고로 얻은 지병으로 끝내 고생하게 된다. 박병근 전도사는 장흥 출신으로 장흥읍교회, 부산면 금자교회를 비롯 영암, 강진, 장흥 등에서 장로로서 전도인의 사명을 감당하다가 6·25 때 순교했다. 박장로는 박한규, 박남규 두 아들등을 목사로 키워내는 등 훌륭한 사명을 다하셨던 것이다.

□ 심사참배 반대로 옥고 치른 박병근 전도사

박병근은 전형적인 시골교회 전도사였다.또 지금까지 그의 이름을 아는 사람도 그렇게 많지 않은 무명의 전도사이다. 그러나 그는 신앙을 지키기 위해 일제의 갖은 유혹과 탄압에도 꿋꿋하게 맞선 신앙의 거목이었다.

그는 신사참배 때 순교치 못했던 것을 아쉬워하던 나머지 1950년 6·25동란으로 공산군이 쳐들어 왔을 때, 저 남쪽 산골마을, 전남 함평군 나산면 나산리 나산교회에서 장엄한 순교를 하였다.

그는 1892년 전라남도 광산군 대촌면 구소리에서 박문택 전도인의 2남으로 출생하였다. 어려서 모친을 잃은 박병근은 아버지 손에 이끌리어 마을에 있는 한문사숙에 다니면서 세상학문에 접하게 되었고, 다시 나주군 남평읍에 있는 남평사립학교에서 3년간 수업을 받았다.

박병근은 아버지의 도움과 오웬(Dr. C.C.Owen:한국명 오원)선교사의 후원으로 최초의 광주 미션학교인 광주숭일학교에 1908년 고등과로 입학하여 수학했다.

아버지 박문택은 광주지방에서는 최초의 신자가 되었고, 오웬 선교사로부터 세례를 받고 그를 돕는 매서인(賣書人)과 전도인으로 열심히 활동하였다.

박병근은 광주숭일학교를 졸업하자 기울어가는 나라의 운명과 가난한 농촌 자녀들을 그냥 볼 수가 없어서 교회에서 경영하는 사립학교 교사로 뛰어들었다. 그는 고향에 있는 구소리 사립학교를 비롯해서 보성군에 있는 운림학교, 광산에 있는 조산학교에서 차례로 교편을 잡았다. 한일합방과 새로운 교육령이 발표되자 교회가 경영하는 수많은 사립학교가 문을 닫게 되었고, 박병근은 일시에 나라 잃은 설움과 함께 그가 서야할 자리마저 잃게 되었다.

그 후 그는 매년 선교부에서 농한기를 이용하여 실시했던 광주대사경학원에 입학하여 성경을 배웠으며, 매년 실시하는 성경학원을 한번도 거르지 않고 참석했다. 이러한 그를 전남노회에서 인정하여 1924년 전도사로 임명하였으며, 전남 담양군에 있는 창평읍교회에서 첫 목회를 시작하게 되었다.

그는 다시 같은 군 내에 있는 대치교회로 부임하면서 그의 열성으로 교회가 부흥되자 전남노회의 가장 취약지구인 제주도 구우면 두모리교회를 다시 맡겼다. 또한 두모리교회에서는 그를 대접하여 1929년 장로로 장립하기로 했다.

5년간 제주도 섬 목회를 마치고 육지로 나와서 전남 장흥군 관산면 부평교회에 파송을 받고, 3년 만에 교회당을 건축하는 일도 해냈다. 1943년에는 장흥읍교회로 전임하여 거기서도 허물어져가는 교회당을 새로 건축하고 교회를 부흥시켰다.

1938년, 한국교회로서는 악몽의 해였다. 조선예수교 장로회 총회가 신사참배를 결의하자 지방에 있는 전도사들은 이 일에 대해서 만은 일보의 양보도 할 수 없다고 반대하고 나섰다. 그 대표적인 예가 바로 영암읍교회였다. 이때 박병근 전도사는 장흥읍교회를 부흥시키고 다시 영암읍교회로 청빙되어 막 교회당 신축을 끝내고 안정된 여건 속에 있을 때였다. 그러나 일제는 그에게 그럴만한 여유를 주지 않았다.

1940년 9월 20일, 세상 사람들은 영암읍교회에서 무슨 일이 일어난 줄도 모르고 깊은 잠에 잠겨 있었다. 당시 일본 총독부는 조선백성을 혹독하게 부리고 착취하던 때라 모이면 일본을 원망하고 하루 속히 나라가 독립해야 한다는 의지가 강해져 가고 있었다.

박병근 전도사는 이러한 일본 총독부의 학정을 괴로워 하며 새벽마다 하나님께 호소하였다. "하나님, 이 나라, 이 백성을 이대로 놔 두시렵니까? 도와주십시오. 일본 경찰은 하나님의 백성을 혹독하게 핍박합니다. 도와주십시오." 그의 기도는 하나의 절규였다. 그 기도를 듣고있던 교인들도 잠만 자고 있을 수가 없어 새벽마다 교회에 모여들었다.

박병근 전도사가 영암읍교회에 부임한 이후로 새벽기도회에 참석하는 사람은 매일 늘어갔다.

그는 새벽기도회를 인도할 뿐 아니라 자신이 친히 종각에 매어달려 종을 울렸다. "땡그렁 땡그렁 땡그렁……" 교회 종소리는 가난한 농민이 살고 있는 가까운 들판에 뿐만 아니라 재를 몇재나 넘어 더 멀리 까지 울려나갔다. 멀리 사는 교인들은 새벽기도회 시간에 나오지는 못하였지만 그 종소리를 듣고 잠자리에서 일어나 곧 기도하는 교인들도 많아졌다.

어느날 박병근 전도사가 종을 치고 막 교회당 안으로 들어서려고 할 때 난데없이 찬 바람이 불어닥쳤다.

"박 전도사, 그 자리에 좀 서시오."

"당신은 누구시오, 이 새벽 시간에."

한 일본 경찰이 재빨리 박 전도사 앞으로 다가왔다. 이들은 다른 사람이 아니라 전라남도 강진읍 강진경찰서 고등계형사들이었다. 그는 그 길로 강진경찰서 감옥에 수감되었으며 다시 관내 영암경찰서로 이송되어 13개월간의 긴 옥고를 치루었다.

심한 박해와 회유책이 그를 괴롭혔지만 그는 조금도 흔들리지 않고 끝까지 신앙의 절개를 지켰다. 일경찰은 그를 더이상 경찰서에 감금할 필요를 느끼지 않자 어마어마한 죄목을 붙여 재판을 받게하고 광주형무소로 넘겨버렸다.

부인 좌추선은 가정 생활에 위협을 느끼자 고향인 제주도를 다니면서 보따리장사를 했다. 이상하게도 그때 가뭄이 극심했지만 박 전도사의 집 지붕 위에는 수많은 박이 열려 그 박을 팔아서 생활에 큰 보탬이 되었다고 한다.

그런 수난의 생활 가운데 일본인 모리다(森田) 여자 전도사가 이 가정의 뒷바라지를 잘 해주어서 박 전도사가 없는 동안에서도 가족들이 잘 지낼 수 있었다고 한다.

부인 좌추선은 광주 이일성경학교를 졸업하고 서서평(Miss E.S.Shepping) 전도사를 돕는 조사 일을 보았고, 남편이 옥에 갇혀 있는 동안 어찌나 부지런하였는지 돈을 모아 영암읍 근방 신흥리 마을에 작은 집을 마련했다. 남편이 출소하던 1943년 11월 19일 만기로 출감하여 집에 왔을 때는 평생 사택에서만 살던 박전도사는 처음으로 자기집에서 살 수 있었다.

그는 출감하자 자기 집에서 다시 신흥교회를 개척하여 심한 감시의 눈길이 있었지만 조금도 두려워 하지 않고 목회에 정진하였다. 또한 '장암교회도 개척했다.' 1945년 8·15해방을 맞이하자 그의 교역활동은 더욱 활발하여져 당시 구림교회를 담당하여 좌익사상이 심한 영암지방에서 청년들을 선도한 사람 중 하나이다. 1947년 광산교회, 현경교회를 거쳐 공산당 세력이 극심한 함평군 나산교회를 자진하여 부임했다.

밤마다 교인들을 괴롭히고 면민들을 괴롭혔던 공산당들은 6·25가 터지자 곧 박병근 전도사를 연행했다. 이미 공산당이 강한 지방이었기 때문에 교인들이 피난을 권유했지만 끝까지 교회를 지키다가 결국 공산당의 총칼에 순교하고 말았다.

그의 사위인 김인봉 전도사도 영암에서 전도하다가 후퇴 못한 공산군에 붙들려 순교하였고, 둘째 아들 박금규는 수복된 후 광주에서 미션학교인 광주숭일중학교 학생이라 해서 송정리에서 죽임을 당했다.

박병근 전도사는 비록 순교하였지만 그의 장남 박환규(광주 은석교회), 3남 박낙규(광주 광송교회), 또 김인봉 전도사의 아들 김영기(광주 포도나무교회) 모두 목사가 되어 광주지방에서 목회하고 있다. 부인 좌추선은 자녀들의 목회를 위해 늘 기도하다가 1981년 9월 21일 하나님의 부르심으로 소천하였다. 한편 그의 손자들 가운데도 박성기(목사 캐나다선교사), 박창기 강도사, 박은기 총신대학생,

제 1 장 초창기의 교회 ·45

박용기·박정애 성가지휘자 등등으로 헌신하고 있는 것을 볼 때에 희생적 신앙의 뿌리위에 피어난 아름다운 결실임을 칭송하지 않을 수 없다.

1943년 3월에는 교회 설립 28년만에 지한홍 목사가 초대목사로 부임하면서 일제 말의 잔악한 수난 속에서도 새롭게성장을 모색하게 된다.

교회가 훼파되고, 전도사와 성도들이 투옥 되는 등 예배의 처소를 잃고 헤맬때 부임한 지한홍 목사는 새로운 예배 처소를 서남리122번지(현 이선례 권사댁)을 구입 예배소를 마련했다. 그리고 흩어진 성도를 모아 예배를 드리며 교회의 성장을 모색하다가, 마침내 1945년 8월 15일 조국의 광복을 맞았다. 이에 가정 집에서 임시 예배처로 삼아 예배 드리던 곳을 서남리 67번지 당시 심상 소학교 기숙사(현 농산물 검사소)로 옮겨 해방된 이 땅에 복음 선교를 감당하게 되었다.

1946년에는 김동흠 집사를 초대 장로로 피택 임직케 하니, 할렐루야! 교회

1950년대의 목사사택

한국교회의 악몽의 해인 1938년 조선예수교장로회 총회가 신사참배를 결의하자 지방의 많은 전도사들이 이 일에 대해서만은 일보의 양보도 할 수 없다고 반대하고 나섰을 때, 박병근 전도사는 순교를 각오하고 신사참배 결사 반대의 대열에 합류하였다. 이때는 장흥읍교회를 부흥시킨 바 있던 박 전도사는 1939년 영암읍교회의 청빙을 받아 영암읍교회로 부임한다. 영암읍교회를 담임하고 있으면서, 낡은 교회당 신축 공사를 성공리에 마치고 안정된 여건 속에서 주변에 있는 여타 교회를 돌보고 있을 때였다.

▼ 제1회 장흥,강진,영암 연합사경회(1937.9.22.)

아래의 글은 아들 박환규 목사님이 생전에 기록해 두신 글이다.

"일본제국의 신사참배 강요가 점점 더 집요해져 가고 있던 1940년 음력 팔월 추석(양력 9월 16일 월요일) 무렵, '장흥, 강진, 영암 지방 연합사경회'가 장강영 지방시찰회 주최로 강진읍교회에서 열렸다.

박병근 전도사도 이 사경회의 강사 중 한 명으로 초빙되어 하나님의 말씀 선포에 열중하고 있었다. 이 때 강진경찰서 고등계 형사들이 갑자기 들이닥쳐 그 지역 일대의 목사와 장로, 전도사 등 수십 명의 신사참배 반대자들을 모두 체포하였다. 이때 박병근 전도사도 함께 체포되었고, 그들은 모두 강진경찰서로 끌려갔다. 곧바로 박 전도사는 영암경찰서로 이송되었다. 강진경찰서 고등계에서 그 일대의 신사참배 반대자들을 거의 모두 잡아들인 것이었다. 박 전도사는 이후로 영암경찰서 유치장에서 13개월간의 긴 옥고를 치르게 되었다."[24]고 박환규 목사는 기록하고 있다.

여기서 잠깐, 글들을 읽고 살펴보던 중 글마다 표현이 조금 다른 점을 발견했다. 『영암읍교회 80년사』에는 강진경찰서 형사들이 영암읍교회로 찾아와서 체포해 간 것으로 기록되어 있다. 다른 글에는 강진읍교회에서 '장강영 연합사경회' 중에 강진경찰서 형사들에게 체포된 것으로 기록되어 있다.

어느 기록이 정확한지는 알 수 없다. 추측을 해 보건대, 1940년 9월 추석 후 강진읍교회에서 사경회를 마치고 영암으로 돌아가 있을 때, 강진경찰서 고등계 형사들이 집회 참석 인원과 강의 내용 등을 분석하고 보고하여 관계자들을 직접 구속하고 조사하라는 지시를 받고 직접 체포하지 않았나 생각된다. 강진경찰서에 구속 수감하여 조사를 마치고, 다시 관내 영암경찰서로 이송하지 않았을까 하고 추측해 본다.

영암경찰서 유치장에서 13개월간의 긴 옥고를 치렀다. 그리고 광주경찰서로 이송되어 약 6개월을 보내셨다. 유치장에서 심한 박해와 회유책이 그를 괴롭혔지만 그는 조금도 흔들리지 않고 끝까지 신앙의 절개를 지켰다. 일본 경찰은 더 이상 경찰서에 감금하고 있을 수 없어 재판에 회부하여 광주형무소로 이송해 버린다.

1942년 9월 7일(51세) 광주지방법원에서 재판을 받았다.

광주지방법원 형사부에서 '치안유지법 위반'으로 "1년 6개월 미결구류일수 100일 본형에 산입"하는 판결을 받고 옥살이를 시작함.

국가기록원에서 찾은 기록의 사건 개요를 보면 "기독교 전도사로 포교를 하며 아마게돈의 전쟁으로 현존세계의 붕괴하고 절대평화인 지상천국이 건설되어 신자들은 천국의 백성이 된다라고 말하였다."라고 적고 있다. 이 시기에 신사참배를 거부하던 많은 목사님들도 광주지방법원에서 재판을 받고 교도소에 같이 복역하였다고 한다. 1941년 11월 손양원 목사님도 1년 6개월의 형을 받고 같이 복역하였다.

또한 영암경찰서는 신축을 이유로 영암읍교회와 전도사의 사택을 인근의 30여 호나 되는 집들과 함께 허물기로 하였다고 일방적으로 통보하고 교회와 사택을 훼파하였다.

남편이 잡혀가고 사택마저 헐리게 되자 부인 좌추선은 당장 거처를 옮길 수밖에 없었다. 이제 국민학교(현 초등학교)를 막 졸업하거나 재학 중인 4남매와 함께 영암읍에서 10리쯤 떨어진 영암군 군서면 해창리 신흥 부락으로 이사한다. 그 식구들은 거기서 할 수 있는 일을 찾아 생업의 전선으로 뛰어들었다. 장남 박환규는 초등학교 졸업과 동시에 영암읍에서 신문 배달과 양복점, 사진관 등에서 점원으로 또는 목탄차 버스 조수로 직업전선에 나섰다. 둘째 금규와 막내 남규 두 동생들은 초등학교를 10리(약 4km) 길을 걸어서 다녔다고 한다.

다음 기록과 사진은 국가기록원에서 받은 박병근 전도사의 당시 일본제국의 법원인 조선총독부 광주지방법원 형사부 재판장판사와 배석판사 2인의 서명이 기록된 판결문이다. 일본어 원문판과 한글 번역판까지 모두 국가기록원에서 보내 준 자료이다. 정부 기관인 국가기록원에서 청구하니 공문과 함께 보내 주었다.

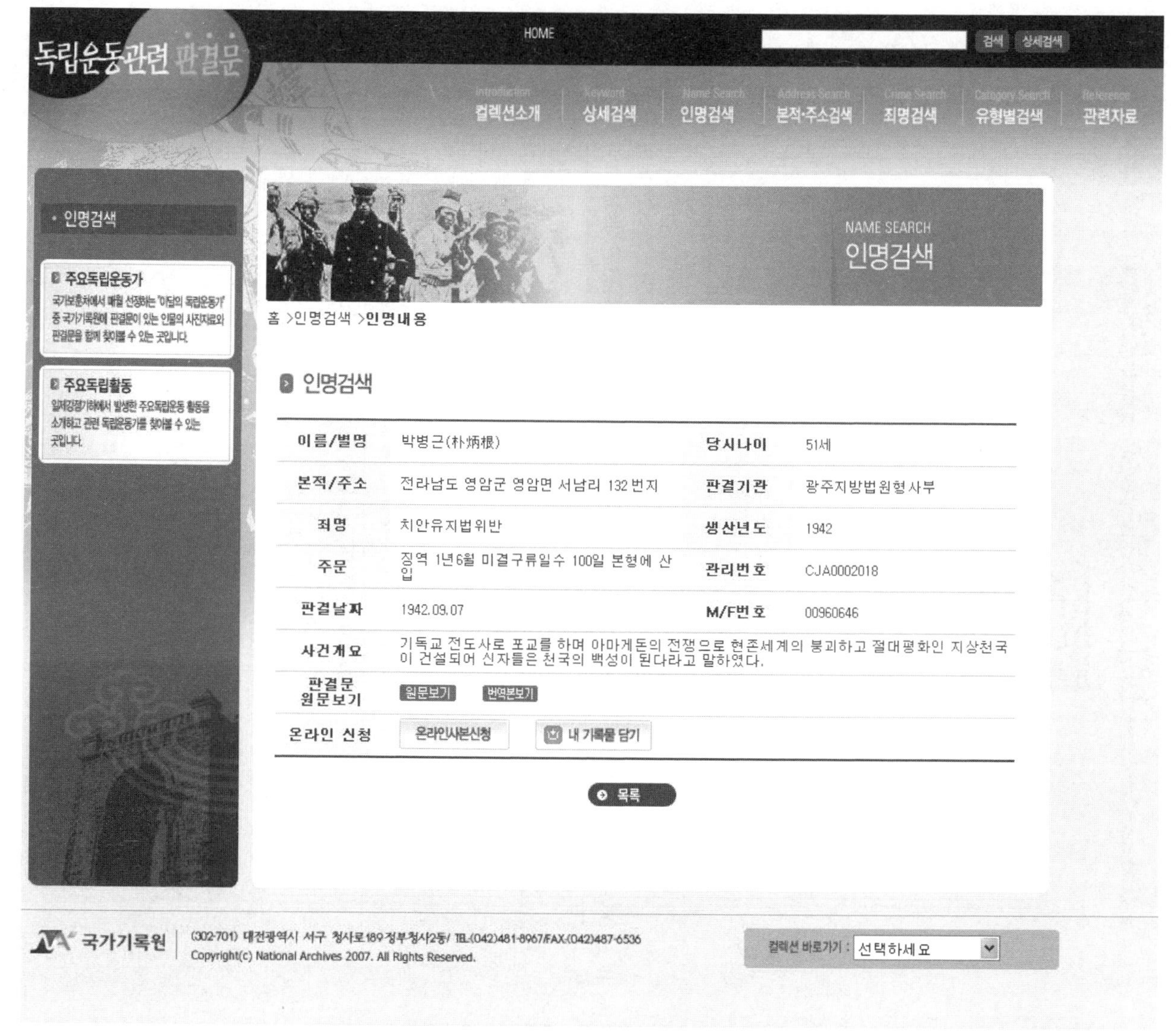

▲ 인터넷으로 국가기록원 홈페이지에 접속하여 〈독립운동 관련자료 데이터베이스〉에서 '박병근'을 검색하여 표지 화면을 사진 캡처한 것임.

국가기록원 자료 쉽게 보는 곳 :
https://tinyurl.com/2aq3nzus

정부3.0, 정보의 개방과 공유로 일자리는 늘고 생활은 편리해집니다.

국 가 기 록 원

수신 박중기 귀하 (우 560-892 전라북도 전주시 완산구 용머리로 29, 5동 1405호 (효자동1가, 효자롯데아파트))

(경유)

제목 온라인사본신청에 대한 회신(신청번호:C201402100005)

1. 국가기록원을 이용해 주셔서 감사합니다.

2. 귀하께서 요청(2014.02.10.)하신 1건에 대한 기록물 사본을 아래와 같이 보내드립니다.(수수료 500원 납부완료)

관리번호	기록물 제목
CJA0002018	치안유지법위반

3. 기타 궁금하신 사항은 공개서비스과 온라인사본신청 담당자(042-481-6303)에게 문의하시기 바랍니다.

붙임 1. 공개청구 및 처리서 1부.
2. 청구기록물 사본 각1부(별송). 끝.

국 가 기 록 원

주무관 이은주 사서사무관 이양선 공개서비스과장 전결 2014. 2. 10. 윤주범

협조자

시행 공개서비스과-1649 (2014. 2. 10.) 접수

우 110-760 대전광역시 서구 청사로 189 정부대전청사 2동 101호 / http://www.mospa.go.kr

전화번호 042-481-6303 팩스번호 042-472-3906 / lej0426@mospa.go.kr / 비공개(6)

소통하는 투명한 정부, 정부3.0으로 함께 만들어 가겠습니다.

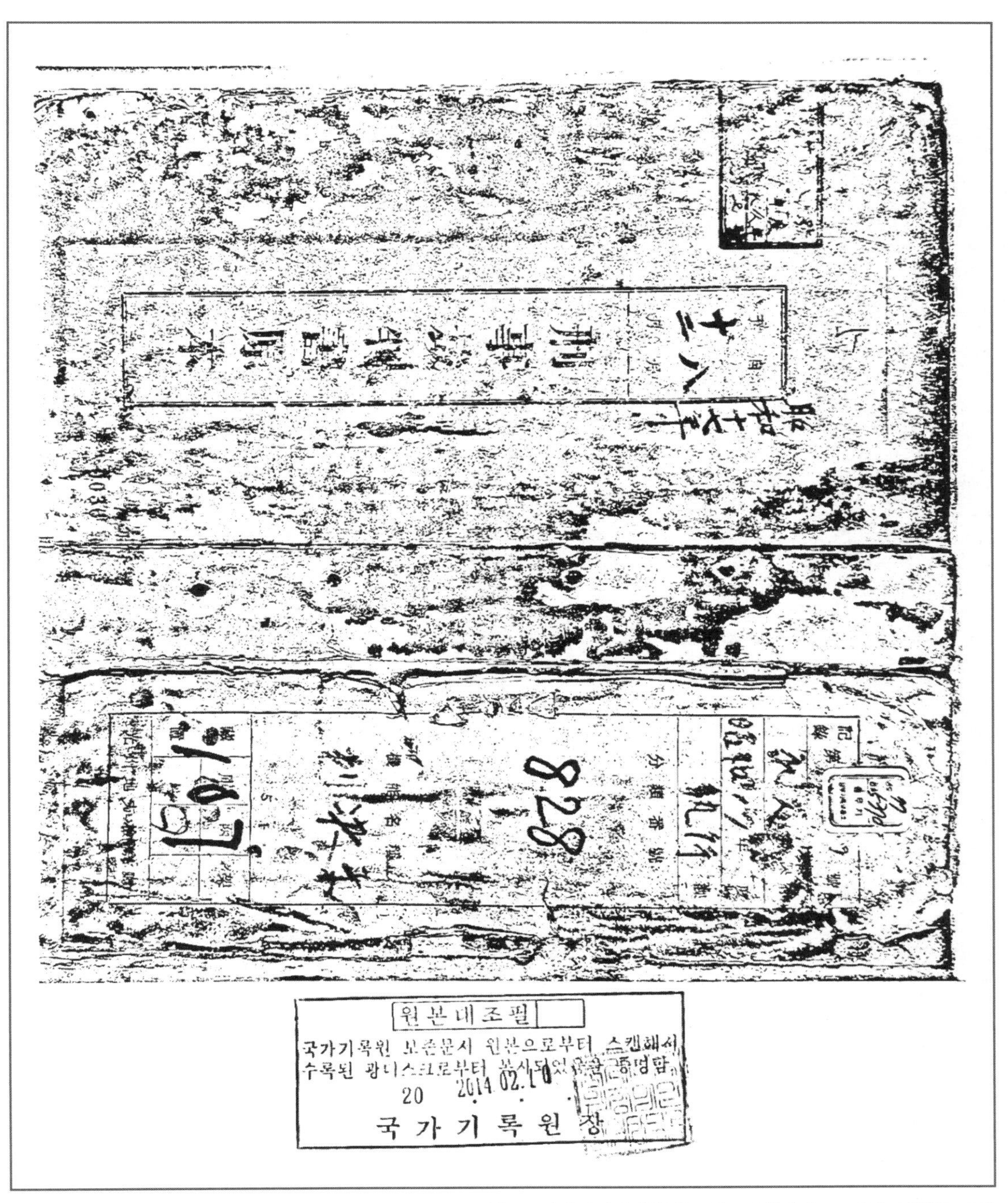

원본대조필

국가기록원 보존문서 원본으로부터 스캔해서
수록된 광디스크로부터 복사되었음을 증명함.
20 2014. 02. 10.
국가기록원장

▲ 국가기록원에서 2014년 2월 10일 발급하여 보내 준 조선총독부 '형사재판서원본' 소화 17년(서기 1942년), 판결문 표지

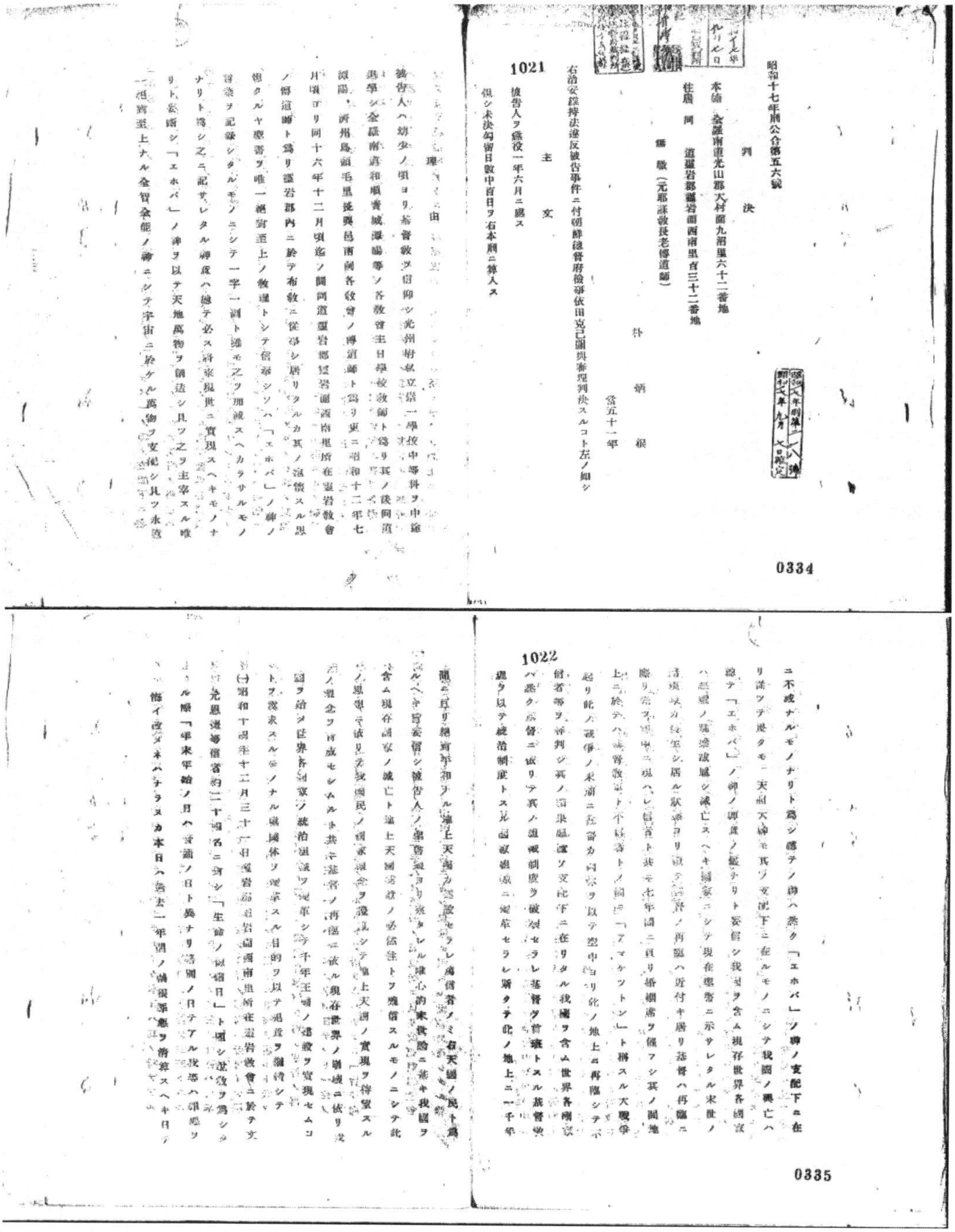

昭和十七年刑公合第五六號

判 決

本籍 全羅南道光山郡大村面九沼里六十二番地
住居 同 道靈岩郡靈岩面西南里百三十二番地
無職（元耶蘇敎長老傳道師）
朴 炳 根
當五十一年

右治安維持法違反被告事件ニ付朝鮮總督府檢事依田克己關與審理判決スルコト左ノ如シ

主 文

被告人ヲ懲役一年六月ニ處ス
但シ未決勾留日數中百日ヲ右本刑ニ算入ス

1021

0334

理 由

被告人ハ幼少ノ頃ヨリ基督敎ヲ信仰シ光州府私立崇一學校中等科ヲ中途退學シ全羅南道和順、寶城、潭陽等ノ各敎會主日學校敎師ト爲リ其ノ後同道潭陽、濟州島、類毛里、長興邑南面各敎會ノ傳道師ト爲リ更ニ昭和十二年七月頃ヨリ同十六年十二月頃迄ノ間同道靈岩郡靈岩面西南里所在靈岩敎會ノ傳道師ト爲リ靈岩郡內ニ於テ布敎ニ從事シ居リタルカ其ノ[illegible]スル思想タルヤ聖書ヲ唯一絶對至上ノ敎理トシテ信奉シソハ「エホバ」ノ神ノ言葉ヲ記錄シタルモノニシテ一字一劃ト雖モ之ヲ加減スヘカラサルモノナリト爲シ之ニ記サレタル神意ハ總テ必ス將來現世ニ實現スヘキモノナリト妄信シ「エホバ」ノ神ヲ以テ天地萬物ヲ創造シ且ツ之ヲ主宰スル唯一絶對至上ナル全智全能ノ神ニシテ宇宙ニ於ケル萬物ヲ支配シ且ツ永遠

1022

ニ不滅ナルモノナリト爲シ總テノ物ハ悉ク「エホバ」ノ神ノ支配下ニ在リ從ツテ[illegible]モ天皇天神モ其ノ支配下ニ在ルモノニシテ我國ノ興亡ハ總テ「エホバ」ノ神ノ御意ノ儘ナリト妄信シ我國ヲ含ム現存世界各國家ハ惡魔ノ[illegible]シ滅亡スヘキ國家ニシテ現在聖書ニ示サレタル末世ノ諸現象カ[illegible]シ居ル狀態ヨリ觀テ基督ノ再臨ハ近付キ居リ基督ハ再臨ニ際リ空中ニ現ハレ信者ト共ニ七年間ニ亘リ婚姻ノ宴ヲ催フシ其ノ間地上ニ於テハ基督敎徒ト不信者トノ間ニ「アマゲツトン」ト稱スル大戰爭起リ此ノ戰爭ノ末期ニ基督カ信者ヲ以テ空中ヨリ此ノ地上ニ再臨シテ不信者等ヲ審判シ其ノ[illegible]ノ支配下ニ在リタル我國ヲ含ム世界各國家ハ悉ク基督ニ依リテ其ノ組織制度ヲ破壞セラレ基督ヲ首班トスル[illegible]理ヲ以テ統治制度トスル王國組織ニ變革セラレ斯クテ此ノ地上ニ一千年間ニ亘リ絶對平和ナル地上天國カ建設セラレ唯信者ノミ右天國ノ民ト爲ルヘキ旨妄信シ被告人ノ[illegible]ヨリ我國ヲ含ム現存國家ノ滅亡ト地上天國建設ノ必然性トヲ確信スルモノニシテ此ノ[illegible]ニ依リ我國民ノ國家觀念ヲ變革シテ地上天國ノ實現ヲ待望スル[illegible]觀念ヲ育成セシムルト共ニ基督ノ再臨ニ依ル現存世界ノ崩壞ニ依リ我國ヲ始メ世界各國家ノ統治組織ヲ變革シテ千年王國ノ建設ヲ實現セムコトヲ欲求スルモノナル處國體ヲ變革スル目的ヲ以テ右事項ヲ宣傳シテ

(一)昭和十四年十二月三十一日靈岩郡靈岩面西南里所在靈岩敎會ニ於テ文[illegible]先惠等信者約三十四名ニ對シ「生命ノ誕生日」ト題シ說敎ヲ爲シタル際「年末年始ノ日ハ普通ノ日ト異ナリ特別ノ日テアル我等ハ罪惡ヲ悔イ改メネハナラヌカ本日ハ過去一年間ノ[illegible]罪惡ヲ清算スヘキ日テ

0335

▲ 판결문(p.94～95)

1023

アル一生ニ於テ最後ノ[illegible]カナケレハナラナイカ本日ハ其ノ時テアル
遂カラネシテ基督カ再臨シテ惡魔ヤ不信者ヲ審判シ基督ヲ主座トスル
理想王國ヲ建設シテ世界各國ヲ統治スルテアラウ現在ノ社會ハ反基
督社會テ今日混ツテ居ル末世ノ[illegible]現象ニ接シ基督ノ再臨ハ近付イテ居
ルカ我等ハ福音ヲ[illegible]スル準備カ出來[illegible]ルモ充分ニ出來テ居ルト云フ
コトハ云ヘナイ故ニ大ニ奮闘シテ基督ノ爲獻身傳道ヲ爲シ基督ノ再
臨ヲ待タネハナラヌ今日十二月三十一日ハ新年ノ準備日テアリ一生ノ
準備日テアリ基督王國ノ準備日テアルコトヲ悟ラネハナラヌ」旨申向
ケ[illegible]

(二)同十四年十二月頃ヨリ同十五年八月頃迄ノ間數回ニ亘リ前記聖潔敎會
ニ於テ文允愚外[illegible]信者約[illegible]十名ニ對シ末世ニ關スル說敎ヲ爲シタル際
「現世ハ惡魔ニ壓サレタル末世ノ[illegible]現象ニ瀕シ末世テアリ基督ノ再臨
ハ近付イテ居ル基督ハ肉体ヲ以テ此ノ地上ニ再臨シ萬王ノ王ト爲ツテ
不信者等ヲ審判シ此ノ地上ニ基督ヲ主座トスル王國ヲ建設シ基督教理
ヲ以テ世界各國家ヲ統治スルカ其ノ[illegible]信仰篤キモノノミカ其ノ國ノ民
トナルコトカ出來ルカラ我等信者ハ信仰ヲ固クシテ基督ノ再臨ヲ待チ
右國家ノ民トナラネハナラナイ」旨申向ケ[illegible]

(三)同十五年七月下旬頃前記[illegible]會堂ニ於テ本部明惠[illegible]等信者約二十名ニ對
シ基督ノ再臨ト審判ニ關シ說敎ヲ爲シタル際「先般南鮮各地ヲ襲ウタ
暴風雨ノ威力ヲ見テ「エホバ」ノ神ノ偉能ト威力ハ想像スルコトモ出
來ナイ程偉大テアルコトカ分リ非常ニ[illegible]シカツタ、之ニ依ツテ觀ルモ
「エホバ」ノ神ノ嫌忌シテ居ル[illegible]ニ集ラカ再臨シ基督ニ依ツテ建設セ

0336

1024

ラレル國家カ實現スルコトハ理論テナク實際テアルコトカ充分ニ認メ
ラレル暴風雨テサヘモカヤウニ威力ヲ示スノテアルカラ基督カ再臨シ
テ現存國家ヲ一變シテ統治スルトキハ如何ニ壯嚴テアルカハ想像スル
ニ難クナイ我等信者ハ獻身傳道シテ基督カラ救ハレネハナラナイ今此
[illegible]世ニ居ル信者達ノ中ニハ天地ヲ創造シテ再臨スル基督ノ面前ニ於テ自
分ハ篤信者テアルト云ツテ良心ニ恥チス基督ヲ迎ヘルコトノ出來ルモ
ノカ居ルカ一人モ居ナイト思フ故ニ我等ハ益々信仰ヲ固クシテ基督ノ
再臨ヲ待チ其ノ時建設セラレル天堂[illegible]基督教理ニ基イテ基督カ萬王
ノ王ト爲ツテ支配スル國家ノ民トナルヤウ努力セネハナラナイ」旨申
向ケ[illegible]

(四)同年八月初旬頃同道[illegible]郡[illegible]面[illegible]在[illegible]敎會ニ於テ[illegible]
等信者約八名ニ對シ基督ノ再臨ト審判ニ關シ[illegible]ト同趣旨ノ說敎ヲ
爲シ
[illegible]

(五)同年八月初旬同道[illegible]郡[illegible]面[illegible]在[illegible]敎會ニ於テ[illegible]女等信者約九名ニ
對シ基督ノ再臨ト審判ニ關シ[illegible]ト同趣旨ノ說敎ヲ爲シ
以テ其ノ目的タル事項ノ實行ニ關シテ煽動ヲ爲シタルモノナリ
證據ヲ按スルニ判示事實中犯意[illegible]ノ點以外ハ被告人ノ當公廷ニ於ケル
判示同旨ノ供述ニヨリ之ヲ認ムヘク犯意[illegible]ノ點ハ[illegible]同被告ノ犯行ヲ
反覆累行シタル事實ニ徵シ明カナルヲ以テ[illegible]
法律ニ照スニ被告人ノ判示所爲ハ行爲時[illegible]ハ昭和十六年法律第五
十四號ヲ以テ改正セラレタル以前ノ治安維持法第三條ニ該當スルトコロ
右改正セラレタル同法附則第二項ニヨリ同法第五條[illegible]第五十五條ヲ[illegible]

0337

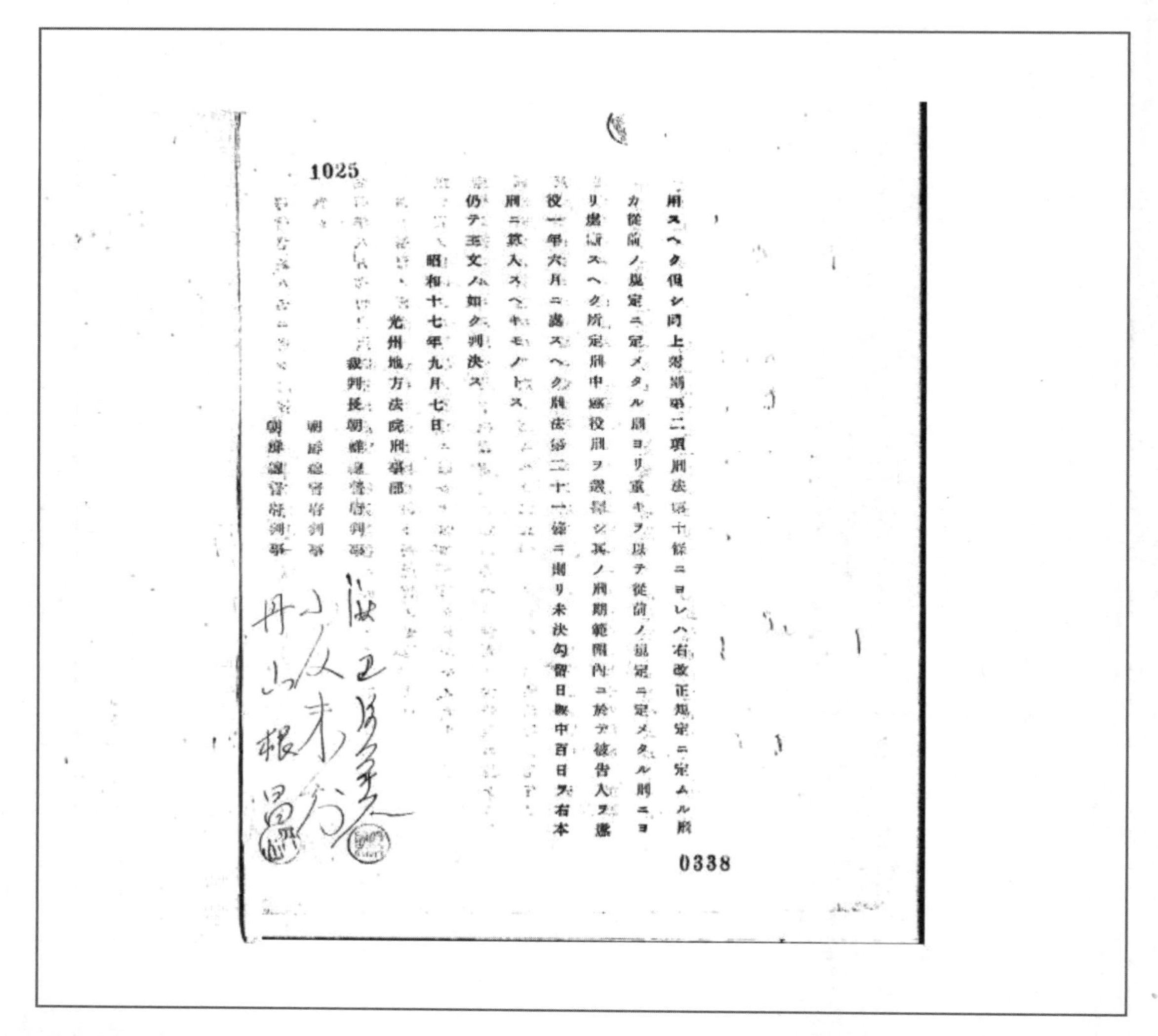
1025

用スヘク但シ同上附則第二項刑法第十條ニヨレハ右改正規定ニ定ムル所カ從前ノ規定ニ定メタル刑ヨリ重キヲ以テ從前ノ規定ニ定メタル刑ニヨリ處斷スヘク所定刑中懲役刑ヲ選擇シ其ノ刑期範圍內ニ於テ被告人ヲ懲役一年六月ニ處スヘク刑法第二十一條ニ則リ未決勾留日數中百日ヲ右本刑ニ算入スヘキモノトス

仍テ主文ノ如ク判決ス

昭和十七年九月七日

光州地方法院刑事部

裁判長朝鮮總督府判事

朝鮮總督府判事

朝鮮總督府判事

0338

▲ 소화 17년(1942년) 9월 7일 광주지방법원 형사부 재판장 조선총독부 판사 외 2명의 판사가 서명한 판결문 원문의 복사본

국가기록원 사진자료실 :
https://tinyurl.com/2bh3553u

관리번호 : CJA0002018 문서번호 : 775370 성명 : 박병근 쪽번호 : 334-338

위 치안유지법 위반 피고사건에 대해 조선총독부 검사 의전극기(依田克己)가 관여 심리 판결함이 다음과 같다.

주문
피고인을 징역 1년 6월에 처한다.
단 미결구류 일수 중 100일을 위 본 형에 산입한다.

이유
피고인은 어려서부터 기독교(基督教)를 믿으며 광주부(光州府) 사립숭일학교 중등과를 중퇴하고 전라남도(全羅南道) 화순군(和順郡), 보성(寶城), 담양(潭陽) 등의 각 교회 주일학교 교사를 하였고, 그 후 동도 담양, 제주도(濟州島) 두모리 장흥읍 남동 각 교회의전도사를 하였고 또 소화 12년(1937년) 7월경부터 소화 16년(1941년) 12월경 사이까지 동도(同道) 영암군(靈岩郡) 영암면 서남리 소재 영암의 전도사를 하며 영암군 내에서 포교에 종사하고 있으며 그가 품고 있는 사상 등은 '성서의 유일절대지상의 교리로서 신봉하는 것은 여호와의신이라 기록하는데 한자 한 획이라 할지라도 이를 가감하지 않고 이를 기록하며 신의 뜻을 모아서 반드시 장래현세에 실현시키기 위하여 망단하고 여호와의 신으로서 천지만물을 창조하고 또 이를 주재할 유일절대지상은 전지전능의 신이므로 우주에서 만물을 지배하고 또 영원한 불멸의 것이 되어 이 모든 신은 모두 여호와신의 지배하에 있음으로 종으로 두려워하고 천소천신도 그의 지배하에 있음으로 우리나라의 흥망은 모두 여호와신의 신의를 다하지 않으면 안 된다.' 고 망신하고 '우리나라를 포함하여 현재 세계 각 국가는 악마의 도량 발호하여 멸망할 국가로서 현재 성서에 나와 있는 말세의 모든 현상이 발생하고 있는 상태에 관하여 기독의 재임은 가까이 있다. 기독은 재임하기 전에 먼저 공중에서 지금의 신자와 같이 7년간에 걸쳐 혼인 자리를 개최하고 그 사이 지상에서는 기독교군과 불신자사이의 아마겟돈(アマケットン)이라 칭하는 대 전쟁을 일으켜 전쟁 말기에 기독교 힘이 육성함으로서 공중에서 잠시 재임하여 불신자 등을 심판하고 그 결과 악마 지배하에 있는 우리나라를 포함하여 세계 각 국가 모두 기독에 의해 그 조직제도를 파괴하는 기독을 수반하는 기독교리로서 통치제도라 하는 국가조직에 변혁하려고 이차에 지상에 일천년간에 걸쳐 절대평화인 지상천국이 건설되어 신자들은 위 천국의 백성이 된다.' 라고 망신하고 피고인의 성서 관으로 오는 유심적 말세론에 기초하여 우리나라를 포함한 현존국가의 멸망과 지상천국건

▲ 판결문의 한글번역본(p.97~99)

설의 필연성을 확신함으로서 이것의 사상에 의하여 국민의 국가 관념을 교란해서 지상천국의 실현을 바라는 관념 교육을 시키려는 것과 같이 기독의 재임에 의하여 현존세계의 붕괴에 의하여 우리나라를 시작으로 세계각국가의 통치조직을 변혁할 목적으로서 범의를 계속하고,

1. 소화 14년 12월 31일 영암군 영암면 서남리 소재 영암교회에서 문원은예(文元恩禮) 등 신자 약 24명에 대해 「생명의 예비일」 이라고 제목 붙이고 설교를 했을 때 「연말연시 날은 보통의 날과 다르다. 각별한 날이다. 우리들은 죄악을 회개하지 않으면 안 되는데 오늘은 과거 1년 동안의 화근(禍根) 죄악을 청산해야 하는 날이다. 일생에서 최후의 준비를 하지 않으면 안 된다. 오늘은 그 때이다. 머지않아 그리스도가 강림하여 악마나 불신자를 심판하고 그리스도를 주로 하는 이상왕국을 건설하여 세계 각 국가를 통치할 것이다. 현재의 사회는 반기독사회이고 오늘날 일어나고 있는 말세의 여러 현상에 비추어 그리스도의 재림은 가까이에 있는데 우리들은 그리스도를 환영할 준비가 되어 있으나 충분히 되어 있다고 말할 수 없으니 크게 각성하고 그리스도를 위해 헌신, 전도를 하고, 그리스도의 재림을 기다리지 않으면 안 된다. 오늘 12월 31일은 신년의 준비일이다, 일생의 준비일이다. 그리스도 왕국의 준비일임을 깨닫지 않으면 안 된다.」 라는 뜻으로 말하고,

2. 동 14년 12월경부터 동 15년 8월경까지 수차례에 걸쳐 위 영암교회에서 문원은예 등 신자 약 40명에 대해 말세에 관한 설교를 했을 때 「현세는 성서에 나타난 말세의 여러 현상에 비추어 말세이다. 그리스도의 재림은 가까이에 있다. 그리스도는 육체로 이 지상에 재림하고 만왕의 왕이 되어 불신자 등을 심판하고 이 지상에 그리스도를 수반(首班)으로 하는 왕국을 건설하고, 기독 교리로써 세계 각 국가를 통치하는데 그 때 신앙이 돈독한 자만이 그 나라의 백성이 될 수 있기 때문에 우리들 신자는 신앙을 돈독히 하여 그리스도의 재림을 기다리고 위 국가의 백성이 되지 않으면 안 된다.」 라는 내용을 말하고,

3. 동 15년 7월 하순경 위 영암교회에서 본향명은(本鄕明恩) 등 신자 약 20명에 대해 그리스도의 재림과 심판에 관해 설교를 했을 때 「지난 번 남조선 각지를 습격한 폭풍우의 위력을 보고 여호와의 신의 권능과 위력은 상상하지도 못할 정도로 위대한 것임을 알고 상당히 두려웠다. 이것을 보아도 여호와의 신이 예정하고 있듯이 그리스도가 재림하고 그리스도에 의해 건설되는 국가가 실현되는 것은 공론(空論)이 없고 실제 있는 것임이 충분히 인정할 수 있다. 폭풍우조차도 그렇게 위력을 나타내고 있는데 그리스도가 재림하여 현재 국가를 일변하고 통치할 때는 얼마나 장렬(壯烈)할지는 상상하기 어렵다. 우리들 신자는 헌신, 전도하여 그리스도로부터 구원받지 않으면 안 된다. 지금 이 곳에 있는 신자들 중에는 천지를 진동하고 재림하는

그리스도의 면전에서 자신은 독신자라고 말하고 양심에 부끄럽지 않게 그리스도를 맞이할 수 있는 자가 있는가. 한 사람도 없다고 생각하니 우리들은 더욱 신앙을 돈독히 하여 그리스도의 재림을 기다리고 그 때 건설되는 천당 즉 기독교리에 따라 그리스도가 만왕의 왕이 되어 지배하는 국가의 백성이 되도록 노력하지 않으면 안 된다.」라는 내용을 마하고,

4. 그해 8월 초순경 동도 영암군 군서면 도장리에 있는 도장교회에서 박택병권(朴澤炳權) 등 신자 약 8명에 대해 그리스도의 재림과 심판에 관해 위의 3과 동 취지의 설교를 하고,

5. 그해 8월 초순 동도 동군 동면에 소재하는 학림교회에서 이 부녀 등 신자 약 9명에 대해 그리스도의 재림과 심판에 관해 위 3과 동 취지의 설교를 함으로써 그 목적한 사항의 실행에 관해 선동을 한 자이다.

증거를 조사해보니

판시 사실 중 범의계속이라는 점 이외는 피고인이 당 공정에서 한 판시 동 취지의 공술에 의해 이를 인정할 수 있다.

범의 계속이라는 점은 단기간 동종의 범행을 반복 누행(累行)한 사적에 비추어 명백하므로 판시 범죄 사실 전부 증명이 있다.

법률에 비추어보니

피고인의 판시 소위는 행위 시 법에 의하면 소화 16년 법률 제54호로써 개정된 이전의 치안유지법 제3조에 해당하는데 위 개정된 동법 부칙 제2항에 의해 동법 제5조, 형법 제55조를 적용해야 한다. 단 위와 같은 부칙 제2항, 형법 제10조에 의하면 위 개정 규정에 정해진 형이 종전의 규정에 정한 형보다 무거우므로 종전의 규정에서 정한 형에 의해 처단해야 한다.

소정 형 중 징역형을 선택하고 그 형기 범위 내에서 피고인을 징역 1년 6월에 처해야 한다. 형법 제21조에 따라 미결구류 일수 중 100일을 위 본 형에 산입하기로 한다.

따라서 주문과 같이 판결한다.

광주형무소를 출소한 박병근 전도사

1943년 11월 19일 3년이 넘는 기간 동안 집을 비웠다가 돌아왔지만, 박 전도사는 하나님께서 오히려 자신의 가정을 지켜 주심을 감사하였다.

평생 사택에서만 살던 박 전도사가 처음으로 자기 집에서 살 수 있게 된 것이었다. 박병근 전도사는 감옥에서 출감하자, 일경에 붙잡히기 전에 영암군 군서면 해창리 신흥부락에 개척하여 부인 좌추선과 몇몇 성도들에 의해서 유지되던 신흥교회로 돌아와 일본경찰의 끊임없는 감시의 눈총 속에서도 조금도 두려워하지 않고 목회에 정진하였다.

1944년 9월 영암 장암교회를 개척하고 시무하였다.

1945년 7월 영암 구림교회를 개척 시무하였다.

1945년 8월 15일 해방을 맞이하자 그의 목회 활동은 더욱 활발해졌다.

1946년에 당시 신흥 부락 이장으로 있으면서 그 마을의 청년들이 이웃 구림리를 중심으로 확산되어 가던 좌익 청년 단체에 가담하지 않도록 적극 권면하여 청년들을 선도하기도 하였다.

1947년 광주 광산교회에서 시무하였다.

1948년 9월 무안군 현경교회로 전임한다.

현경교회에서 시무하던 때에, 이웃 무안 매곡교회 박소님 전도부인의 유복자로 태어난 딸 문레순(19세)과 당시 광주에서 고등성경학교에 재학 중이던 장남 박환규(23세)는 전정현 목사님의 주례로 무안 매곡리교회에서 1948년 12월 27일 결혼을 한다.

1949년 어느 날 함평군 나산교회의 장로님 두 분이 박 전도사를 청빙하기 위하여 현경교회로 방문하였다. 그들의 이야기는 좌익 사상으로 심하게 어려움을 겪고 있었던 나산교회 박장환 목사님이 어느 날 밤 갑자기 들이닥친 빨치산과 격투를 하게 되었고, 이에 그들의 표적이 되어 더 이상 교회를 담임할 수 없게 되어 떠났다는 것이었다. 이 어려운 교회를 감당하실 분은 박 전도사라면서 청빙을 한 것이다. 그 말을 들은 박 전도사는 기도 중에 "주님이 가라 하시면 어디든지 가겠습니다. 이것이 내가 짊어져야 할 십자가라면 지겠습니다." 하고 다짐했다. '일사각오(一死覺悟)'로 신사참배를 거부했던 믿음을 지키기로 한 것이다. 그는 순교를 각오하고 함평 나산교회에 부임하기로 결심한다. 어려운 시대에 어려운 교회에 부임했던 것이다. 나산교회에 부임하자 청년들을 상대로 반공운동에 앞장섰다.

밤마다 교인들을 괴롭히고 면 주민들을 어지럽히던 공상당원들은, 1950년 6·25전쟁이 터지자 곧바로 박병근 전도사를 연행하였다. 전부터 공산당이 강한 지방이었기 때문에 교인들이 피난을 권유했지만 박 전도사는 끝까지 교회를 지키다가 체포되어 함평내무소(현 경찰서 같은 곳)에 수감되었다. 그때, 궁산교회 시무하던 박요한 목사님(대한예수교장로회 58회 총회장)도 함께 함평 내무서에 갇혔다. 감옥에서 끌려 나간 사람들이 다시 돌아오지 않는 것을 보고 학살당한 것을 직감하고 이제는 내 차례가 되었구나 생각했다. 함께 있던 장로님이 "목사님, 어떻게 하고 죽을까요?" 하고 물었다. "찬송하고 기도한 후에 전도하고 죽읍시다." 이렇게 다짐했다고 한다. 그런데 마지막으로 철수하던 공산당이 "당신들, 하나님이 살려 준 줄 아시오." 하고 풀어 주어 죽지 않고 살았다며 그때의 일을 간증한다. 그때 교회를 섬기는 목회자들과 성도들의 믿음 그것은 순교의 신앙이었다.[25)]

공산당원들에 의해 특별 관리 대상으로 분류된 박 전도사는 약 한 달간 독방 생활을 하였다. 박 전도사가 감옥에 수감되어 있는 동안 점차 6 · 25전쟁의 전세는 공산당에게 불리해졌다. 1950년 9월 18일 인천상륙작전 성공과, 9월 28일 서울이 수복되자 공산군들에게 전세가 불리해졌다.

음력 팔월 추석에 이르러 공산당원들은 후퇴할 수밖에 없게 되자 우익 인사들을 줄줄이 포박한 채로 끌어내 함평 향교 뒷산으로 향했다.

감옥에 갇혀 있다가 영문도 모른 채 끌려 나온 우익 인사 46명과 박병근 전도사는 그곳이 그들의 순교지가 될 줄 어찌 알았으랴. 공산당원들의 무차별적인 총살에 의해 박병근 전도사는 끝내 순교의 피를 흘리며 숨을 거두고 말았다. 박병근 전도사의 시신은 두 손은 앞으로 묶이고 기도하는 모습으로 발견되었고, 뒤에서 등에 대고 쏜 총탄이 배를 관통한 흔적이 역력했다. 처참한 모습이었다. 그는 마지막으로 어떤 기도를 드렸을까?

하나님 앞에 신앙의 절개를 지키기 위해 신사참배를 거부하고 옥고를 치렀던 박 전도사는 끝내 일본 경찰이 아닌 좌익 사상에 물들은 동포가 쏜 총탄에 맞아 죽음을 맞이했다. 공산당원들의 체포의 위험이 눈앞에 다가와 있음을 알면서도 끝내 주의 몸 된 교회를 지켰던 박 전도사는 내심 순교의 길을 가는 것을 바라고 있었는지도 모른다.

해방 전 일제하에서 신사참배 반대로 옥고를 치르면서 순교하지 못했음을 하나님 앞에 부끄러워했는지도 모른다. 그러기에 죽는 순간까지도 기도하는 자세를 흐트러트리지 않고 순교의 피를 땅에 쏟았던 것이다.

일제 때 신사참배 거부로 광주형무소에 수감되어서는 손양원 목사님 등과 함께 묶여서 재판정에 오갔다. 그는 그때 순교하지 못한 것을 부끄러워하고 있었다. 신사참배만 아니라 창씨개명도 거절하고 성도들에게 해방의 소망과 주의 강림을 선포하면서 소망을 심어 주었다. 반공운동에도 앞장서서 청년들을 지도했다. 이번에도 변함없이 주님 위해 생명 바칠 일사각오로 주님의 몸 된 교회를 지켰던 것이다.[26]

박병근 전도사가 순교한 날은 1950년 추석 이틀 후 지방 유지들과 함께 함평 향교 뒷산으로 끌려가 죽임을 당했다고 한다.

추석 이틀 후면, 정확히 1950년 9월 26일(화)이 추석이니 박병근 전도사의 순교일은 1950년 9월 28일－음력 8월 17일(목요일)이었다.

▲ 1950년 9월 달력

순교 관련 자료 사진자료실 :
https://tinyurl.com/28ojtafy

▲ 순교 시 입고 있던 옷 조각, 총탄이 지나간 자리

위의 사진은 박병근 전도사가 함평 향교 뒷산에서 공산군들의 총에 맞아 순교할 때 입고 계셨던 옷의 조각이다. 아내가 손수 짜서 만들어 준 옷을 입고 있었는데 그 옷이 피로 물들었다. 구멍 자국은 총알이 지나간 자리이다. 제대로 된 목관 하나도 마련하지 못하고 대나무 발에 부친의 시신을 모셔 장례를 치렀다. 이것은 시체를 수습하여 장례할 때 오려서 후손들이 보관하고 있다.

박병근 전도사(장로) 약력

출생년월일 : 서기 1892년(단기 4225년 6월 7일)
호적등본은 서기 1893년(단기 4226년 6월 7일로 기록됨)

출 생 지 : 全南 光州郡 大村面 九沼理(현 광주광역시 남구 구소동) 62번지에서 박문택(朴文澤)과 김노동(金蘆洞)의 2남으로 출생

1908년(16세)	광주숭일학교 고등과에 입학
1909년 5월 1일(17세)	선교사 오원 목사에게 세례 받음
1912년 3월 1일(20세)	광주숭일학교 고등과 졸업
1913년 3월 1일(21세)	광산 구소 사립학교 교편
1914년 3월 1일(22세)	보성 운림학교 교편
1915년 3월 1일(23세)	광산 조선학교 교편
1922년 8월 10일(30세)	좌추선과 결혼
1923년 3월 5일(31세)	장남 천석(千石) 출생 신고 – 아이 때 사망
1924년 1월 10일	담양 창평교회 시무, 대전면 대치교회도 겸임
1924년 4월 17일(32세)	전남노회에서 전도사로 임명
1925년 1월 10일(33세)	장녀 유순(儒順) 출생 신고 기록됨
1926년 12월 23일(34세)	2남 환규(煥圭) 창평에서 출생
1927년(35세)	전남노회에서 제주도 두모리교회로 파송
1928년 10월 16일(36세)	3남 금규(金圭) 출생으로 신고
1928년 12월 23일(36세)	제주도 두모리교회 시무, 장로 장립
1928년 12월 24일 오전 10시	제1회 두모리 당회를 박병근 댁에서 회집 – 두모리교회 제1회 당회록 기록 – 사진으로 37페이지에 첨부
1929년 9월 30일 오후 7시	제4회 두모리 당회에서 박병근 장로 사면 청원 수리. 산남 지방 순회 조사 활동
1930년 7월 7일(38세)	장흥 부평교회 개척, 시무
1931년 9월 21일(39세)	4남 남규(南圭) 출생으로 신고 기록

1934년 1월 1일(42세)	장흥읍교회 시무
1934년 10월 21일 11시	장흥읍교회 제1대 장로로 임직
1935년 10월 13일(43세)	장흥읍교회 예배당 헌당식 거행
1938년 9월 1일(46세)	영암읍교회 부임
1939년 3월 21일(47세)	장흥읍교회 당회에서 이명 결의함
1940년 9월 20일(48세)	영암읍교회 시무 중 교회당 훼파. 창씨개명과 신사참배를 반대하여 경찰서에 체포, 회유에 거절하자, 조서를 받고 광주형무소로 이관
1942년 9월 7일(50세)	광주지방법원 형사부에서 치안유지법 위반으로 징역 1년 6개월(미결 구류일수 100일 본형에 입) 형을 받음
1943년 11월 19일(51세)	신사참배 거부로 경찰의 구속과 조사 과정, 그리고 광주지방법원의 재판 결과 1년 6개월의 징역형 등으로 모두 3년 2개월 간의 옥고를 치른 후, 광주교도소를 출소함
1943년 11월 20일	영암 신흥교회 시무
1943년 12월 2일	영암군 미암면 채지리 사는 영암군 순회 전도사 김인봉(金仁琫)과 장녀 유순 결혼 신고(기록)
1944년 9월(52세)	영암 장암교회 개척 시무
1945년 7월(53세)	영암 구림교회 겸임
1947년 8월(55세)	광주 광산교회 시무
1948년 9월(56세)	무안 현경교회 시무
1948년 12월 27일	무안 매곡교회에서 박환규와 문례순이 전정현 목사의 주례로 결혼
1949년	함평군 나산면 나산교회 부임
1950년 8월 17일(음력, 양력 9월 28일, 58세)	함평 나산교회 시무 중 공산군들에 의하여 순교
1951년 10월 1일	영암군 군서면 해창리(현 : 영암읍 송평리) 신흥 선산에 안장, 순교자 묘비를 세움
2004년 5월 5일	함평군 나산면 나산교회에 박병근 전도사 순교비 건립과 기념

예배 드림

2022년 9월 12일 11시 영암 신흥교회에서 순교자 박병근 전도사와 아들 박금규 씨의 72주기 추모예배 드림－[대한예수교장로회(합동)총회 순교자 기념 사업부에서 영암 신흥교회 순교자유적지 지정 현판 전달 및 교회 입구에 부착함을 기념하고 감사하는 예배]

한국교회순교자기념사업회
Korea Church Martyrs Missionary Association

HOME | NOTICE | E-MAIL | SITEMAP

사업회 소개 한국교회 순교자 한국교회 순교 유적지 순례프로그램안내 게시판 자료실 후원회

한국교회 순교자
Martyrs
한국 교회 순교자의 사진, 약력, 순교내역을 보실 수 있습니다.

:::: Location : Home > 한국교회 순교자

Quick Link
한국교회 순교유적지
순례신청
순례프로그램

박병근 전도사

출 생 일 : 1893. 06. 07 순 교 일 : 1955. 08. 17 교단 : 장로교

숭일중학교 졸업
창평교회, 제주교회, 부평교회, 장흥교회,
영암읍교회, 영암시응교회, 현경교회, 나산교회

박병근 전도사(장로)는 전남노회 소속으로 강진, 장흥, 영암 일대에서 사역하다가 6·25당시 목숨을 잃은 고 박병근 전도사(장로)의 헌신적 생애를 기리는 순교비가 건립되어, 5월 5일 함평 나산교회(임준석 목사)에서 기념예배와 제막식이 열렸다.

박병근 전도사는 나주지역 최초의 교회인 구소리교회 조사로 활동했던 박문택씨의 아들로 1892년 전남 광산에서 태어나, 광주 숭일학교를 나온 후 58세에 별세하기까지 일평생 전도사로서 교회와 성도들을 섬겨 '무명의 순교자'로 불리기도 한다.

일제하인 1924년 담양 창평교회를 시작으로 관산교회, 장흥읍교회 등에서 시무했으며, 신흥교회와 장암교회를 개척했다. 그 과정에 신사참배를 거부하다 1940년 체포되어 3주간 광주형무소에서 옥고를 치르기도 했다. 그리고 해방 후 이념 대결이 심하던 함평 나산교회로 옮겨 시무하다, 전쟁 발발 직후 좌익세력에 붙잡혀 1950년 9월 30일 경 기도하는 모습으로 함평향교 뒷산에서 인민군의 총에 맞아 순교했다. 이 소식을 듣고 찾아갔던 아들 당시 숭일중학교 5학년이었던 박금규마저 며칠 후 좌익들의 손에 의해 목숨을 잃었고, 사위 김인봉 강도사(당시 무안 해제교회 시무)도 9.28 이후 비슷한 시기에 순교한다.

박 전도사의 꿋꿋한 신앙절개와 목회 열정은 후손들에 의해 지금도 꾸준히 이어지고 있다. 아들 박환규 목사(광주은석교회 원로), 박남규 목사(광송교회 원로) 뿐 아니라, 손자 박성기 선교사(케냐), 박창기 선교사(캄보디아), 박은기 목사(아름다운교회) 등이 4대째 목회와 선교일선에서 복음을 위해 일하고 있다. 박환규 목사는 "강직하고 충성스러운 교역자이셨던 선친의 뜻을 잇고자, 가훈을 '죽도록 충성하라'로 정하고 온 가족이 주의 일에 힘써왔다"며 "시련과 핍박을 온몸으로 견디신 아버님의 생애를 기념하는 순교비가 마침내 건립되어 감격스럽다"고 말했다.

한편 이날 기념예배와 제막식에는 고 박 목사의 유가족과 나산교회 성도들, 영암군 순교자협의회 회장 이서하 목사 등 교계인사들이 참석했다. 나산교회는 이날 유가족들에게 기념패와 위로금을 전달하기도 했다.

◎ 목록

| 전체 | ㄱ-ㄴ | ㄷ-ㄹ | ㅁ-ㅂ | ㅅ-ㅇ | ㅈ-ㅊ | ㅋ-ㅌ | ㅍ-ㅎ |

총 244 명

순교자명	출생년월일	순교년월일	교단
박병근 전도사	1893. 06. 07	1955. 08. 17	장로교
박복수 집사	1915. 03. 23		
박봉진 목사	1890.	1943. 05. 28	성결교
박상건 목사	1897. 01. 14	1950. 09. 28	장로교
박상문 성도	1929. 5. 5	1950. 9. ?	
박석현 목사	1899.	1950.	장로교
박연서 목사	1893년	1950. 09. 20	감리교
박영근 목사	미상	1950. 08. ?	장로교
박영희 장로	1915. 01. 22	1950. 08. 01	장로교
박용순 집사	1904.	1950. 8. 16(음)	

« 1 2 3 4 5 6 7 8 9 10 › »

순교자명+내용 ◎ 검색

KCMMA
110-736 서울특별시 종로구 연지동 136-46 한국 기독교 회관 404호 TEL : 02-766-6319 / 02-747-1766 | FAX : 02-744-0282 | 찾아오시는 길 | E-Mail : kcmma@hanmail.net

아래 기사는 2022년 3월 22일자 《기독신문(www.kidok.com)》 제2334호(통권2654호) 17면에 실린 기사 중 신흥교회 편을 발췌한 것이다.

①신흥교회의 가장 큰 신앙유산은 6·25 당시의 순교사적이다. ②신흥교회 순교자 박병권 장로와 아들 박금규의 시신이 안장된 가족묘지. ③구자성 목사는 순교자들의 존재가 신흥교회에 새로운 영적 동력이 되리라 확신한다.

자료출처 : https://www.kidok.com/news/articleView.html?idxno=214801
자료 쉽게 볼 수 있는 곳 : https://tinyurl.com/283rylzs

한국교회 대표언론
기독신문

HOME > 역사

[역사기획/ 순교사적지로 조명 받는 전남 영암의 교회들] (2) 독천교회 천해교회 신흥교회

정재영 기자 | 승인 2022.03.22 11:45 | 호수 2334

■부자가 함께 순교의 길 걸은 신흥교회

영암읍 승평리의 신흥교회는 1937년 9월 9일 설립된 공동체이다. 6.25 발발 당시 신흥교회에는 초대 교역자인 박병근 장로가 사역하고 있었다.

광주 출신인 박병근 장로는 숭일학교를 졸업한 후 평양신학교 통신과정을 마치고, 1925년 전남노회 소속 전도사로 임명되어 담양 창평교회 등에서 사역했다. 특히 일제강점기에는 신사참배를 거부하다 무려 5년간이나 광주형무소에서 복역할 만큼 신앙적 결기가 강한 인물이었다. 하지만 냉혹한 일제조차 어찌지 못했던 그의 목숨은 결국 동족의 손에 끊어지고 말았다. 끝까지 사역자로서 본분을 지키던 그는 1950년 8월 17일 순교로 생을 마감했다.

비극은 그것으로 끝나지 않았다. 박 장로의 아들 박금규는 당시 부친의 모교이기도한 숭일학교 3학년에 재학 중이었다. 하지만 부고를 듣고 급하게 달려왔던 그마저 공산세력에 붙잡혔고, 결국 부자가 나란히 순교의 길을 걷게 되었다.

두 사람의 시신은 신흥교회 예배당 지척에 있는 가족묘지에 안장되어있다. 후손들이 관리하는 묘소에는 신흥교회 18대 교역자로 사역 중인 구자성 목사와 교우들도 자주 들러 살피고 있다. 두 사람은 이미 총회 순교자 명부에 등재된 것으로 확인됐다.

구자성 목사는 "급격한 교세의 약화 속에서 옛 역사를 제대로 보존·계승하지 못한 아쉬움이 크다"면서 "이번 순교자 등재가 오랫동안 잠잠해 있던 신흥교회 교우들의 자긍심과 열정을 다시 일깨우는 계기가 되길 바란다"고 소망했다.

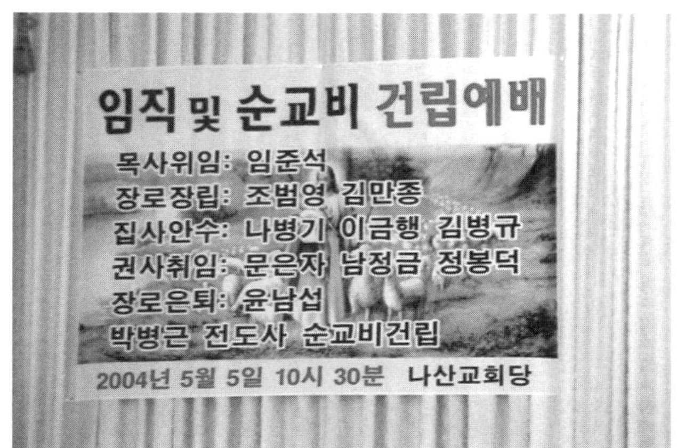
임직 및 순교비 건립예배
목사위임: 임준석
장로장립: 조범영 김만종
집사안수: 나병기 이금행 김병규
권사취임: 문은자 남정금 정봉덕
장로은퇴: 윤남섭
박병근 전도사 순교비건립
2004년 5월 5일 10시 30분 나산교회당

나산
순교비
박병근 전도사

신앙의 2대
좌추선(左秋仙) 전도부인(권사)
(순교자 박병근의 부인)

좌 추 선 전도사

출생과 성장

좌추선(左秋仙)은 서기 1889년(단기 4222년 10월 8일-호적에 기록됨) 제주도 대정면 영락리 1247번지에서 좌안복의 장녀로 출생했다.

이웃의 소개로 예수를 믿기 시작했다. 어린이 같은 순수한 믿음을 가졌던 그는 교회에서 부지런하고 믿음이 좋기로 소문이 났다.

그의 자부 문례순(文禮順)에 의하면 결혼 후, 딱 한 번 시외가인 제주를 가서 시외할아버지 되는 좌안복(左安福) 씨를 뵙고 인사를 드린 적이 있다고 한다. 제주도인지라 거리와 교통 편이 어려웠던 시절이라 자주 갈 수가 없었을 것이다. 시외조부가 장독대로 그를 데리고 가서 "여기가 네 시어미가 앉아서 기도하던 곳이다."고 말하며, 하얀 돌 두 개가 놓여있는 곳을 보여 주었다. 이는 옛 무속신앙에 젖은 사람들이 기독교 신앙이 정립되기 전(前)이었기에 믿음은 모든 것이 정성이 깃들어야 한다는 마음으로 드리는 기도의 모습이었을 거라고 생각한다. 아버지의 모든 말을 다 순종하겠지만, '예수 믿지 말라는 것'만큼은 들을 수 없다고 하였단다.

어느 날 미국인 선교사가 제주에 와서 그녀의 믿음 좋다는 말을 듣고 "성경에 대한 공부를 더 해보겠느냐?"고 물었다. 이에 좌추선은 부모의 허락을 받고 서서평(E.J.Shepping) 선교사를 따라서 처음으로 섬인 제주를 떠나 육지인 광주로 왔다고 한다. 3남인 박남규 목사의 인터뷰 기사에 보면 "좌추선의 모친은 부친이 어린 딸을 육지로 보내는 것을 허락하지 않을 것 같아 부친 몰래 딸을 육지로 보냈다."라고 기록하고[27] 있다.

광주로 가는 과정에서 좌추선의 모친은 부친이 어린 딸을 육지로 보내는 것을 허락하지 않을 것 같아 부친 몰래 추선을 육지로 보냈다. 이 일로 그 후 모친은 부친의 눈치를 보면서 살아야 했다.

제주도 기독교 선교 역사와 좌추선

제주도에는 1908년에 이기풍 목사가 초대 선교사로 파송되어 제주 북부에 성내교회가 새워졌다. 그리고 6년 후인 1914년에 윤식명 목사가 전라노회로부터 제주도 남부 모슬포로 파송되었고, 1915년에는 포사이트 선교사가 미국 선교사로서는 처음으로 제주도에 들어갔다 나온 적이 있다.

전라노회는 1917년에 전북과 전남 두 노회로 분립되었고, 이후 제주 북부 지방(산북지방 山北地方)은 전북노회가, 남부 지방(산남지방 山南地方)은 전남노회가 각각 담당하게 되었다.[28] 여기서 산북 산남이란 한라산을 중심으로 북부와 남부로 나눈 것이다. 1917년에 윤식명 목사님에게 학습과 세례를 받은 기록을 보면, 정확한 연대는 알 수 없지만 추선은 1917년 이전부터 신앙을 갖게 되었을 것으로 추정한다.

기록에 의하면, "서서평[29]은 제주도 선교에 남다른 애착을 가지고 6번이나 왕복 선교를 실시했다. 제주도 순회 전도에서 만난 해녀들이 이일학교에서 공부를 하고 제자들이 되었다. 이들은 제주도의 여러 교회에서 전도사로 나중에는 권사로 교회를 섬기고 복음 전도 사역에 헌신하였다."[30]

"1917년 3월 20일부터 서서평은 이기풍 목사 부부와 2명의 여자 선교사들 즉 서로득 선교사 부인(Mrs. Lois H. Swinehart)과 기안나(Anna Lou Greer) 간호선교사와 함께 제주도를 방문하여 부인사경회를 인도하였다. 오전에는 부인사경회로 모이고, 오후에는 집집마다 다니면서 복음을 전하였다. 이때, 서서평은 부인사경회 인도 이외에 특별히 여성 진료와 위생 교육 등을 실시했다."[31]

"1917년 9월부터 1919년 말까지 서서평은 남장로교 한국선교회의 대표로 세브란스 간호부 양성소로 파견 받아 다른 교파 선교회의 간호사들과 연합하여 활동하였다. 특히 서서평은 간호부 훈련과 강의를 맡았고, 일본어 공부, 병원의 일상 업무 수행, 강의 준비 및 간호 교과서 번역을 하였다. 이 시기 서서평은 스프루 병으로 몸이 무척 약하여 한국 선교회와 간호부양성소로부터 특별 배려를 받기도 했다. 1920년 초부터 광주선교부 지역에서 순회전도를 맡았는데 1920년 3월 9일부터 제주도 산남 지방인 모슬포에서 성경

공부반을 인도하였다."[32)]

서서평 연구회 회장 임희모 박사[33)]의 책 『서서평, 예수를 살다』[34)]의 55페이지 「초창기 서서평 생애 중요한 연보」에 의하면 "1920년 사적으로 소녀들을 침실에서 가르치기 시작하였으나 여의치 않았고, 1922년 재개하여 1924년 남장로교선교회가 승인함(1926년 이일학교로 개명, 후에 한일장신대학교로 발전)"이라고 적고 있다.

이를 근거로 추정해 보며, 좌추선은 1918~1920년 사이에 선교사를 따라 광주로 옮기게 된 것으로 생각된다. 좌추선은 광주로 와서 서서평과 함께 성경 공부를 하고 전도부인이 되어, 선교사들을 돕는 조사로, 순회전도 활동과 확장주일학교운동을 함께 한 것으로 보인다.

좌추선은 서서평을 따라 광주에 와서, 선교사들과 함께 기거하면서, 이일학교가 학교의 모습을 갖추기 전이나 또는 초기의 이일학교에서 공부한 것으로 생각된다. 그는 여자 미국인 선교사들에게 성경을 배우고 조사로 그들을 도우며, 확장주일학교운동과 순회전도를 선교사들과 함께 다녔던 것으로 추정해 본다.

다음 사진은 좌추선 전도부인이 순회주일학교에서 전도할 때 사용하던 1인용 환등기이다. 「예수님 일대기」와 「세계 여러 나라의 도시들」의 사진 자료들이었다. 좌우에 동일한 컬러사진이 있고 이를 넣고 앞, 뒤로 당겨서 초점을 맞추면 컬러사진이 입체적(3D화면)으로 보인다. 1인용 3D 환등기 같은 것이다. 이 도구를 이용하여 시골 여러 마을을 찾아다니면서 어린이와 여자들에게 예수님 이야기를 들려주며 사람들에게 전도하여 교회를 세우는 일에 앞장섰던 것이다.

그중 하나의 열매가 나주 공산교회 설립 기록이다.

나주 공산교회가 1921년 5월 21일 나주 공산면 금곡리 월비마을에서 가정예배로 시작되었다. 예배 인도자는 전도부인 좌추선이었다는 기록이 『공산교회 100년사』에서 찾아볼 수 있었다.[35)]

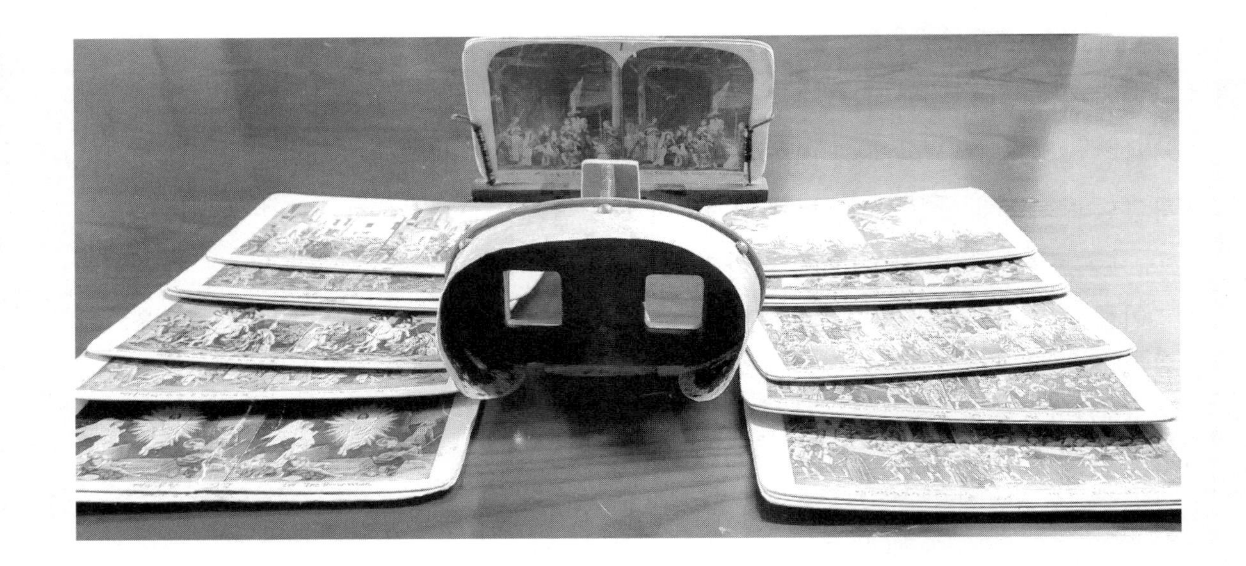

할머니의 믿음의 근원지를 찾아

좌추선 할머니의 교적부를 찾아보기 위해 손자인 나(박중기)는 2022년 6월 20일 제주도 모슬포교회 역사관과 한경교회(옛, 두모리교회)를 찾았다.

전주에서 많은 자료를 얻은 임희모 박사님(서서평 연구회장, 한일장신대 명예교수)의 말하신 것을 참고로 모슬포교회를 찾아갔다. 방문 전에 미리 모슬포교회 담임목사님에게 편지와 전화를 드리고 찾아갔다.

모슬포교회 100주년 사료전시관이 있어서 너무 반가웠다. 제주는 6·25전쟁의 피해가 없어서 교회의 모든 자료들이 잘 보관되어 있었다.

손재운 담임목사님과 함께 제주선교100주년기념교회를 담임하시는 이형우 목사님을 만났다. 그 당일에는 시간이 많지 않아 할머니의 교적부를 찾지 못했다. 이형우 목사님이 제주 선교 역사에 대하여 잘 아시는 분이라고 소개를 받고, 혹, 좌추선과 박병근의 기록을 찾으시면 연락을 주시라는 부탁을 드리고 돌아왔다.

한 달 후인 2022년 7월 19일 이형우 목사님이 모슬포교회 교인명패들 중에서 기적적으로 '좌추선'의 교인명패를 찾았다는 연락이 왔다.

더욱이, 모슬포교회 당회록에서(이 책 63, 64페이지에서 게재) '최홍종 목사 위임례식'에 박병근 장로가 지방시찰위원으로 순서를 맡았다는 기록과 함께 할머니 좌추선의 교인명패를 휴대폰으로 촬영하여 보내 주셨다. 약 1백여 년 전의 교회의 당회록(1929년이나 1930년도)을 한 페이지씩 조심스럽게 넘겨 가며 조부모님의 기록을 찾아 주신 두 분 목사님들께 이 지면을 통해 감사의 인사를 드립니다.

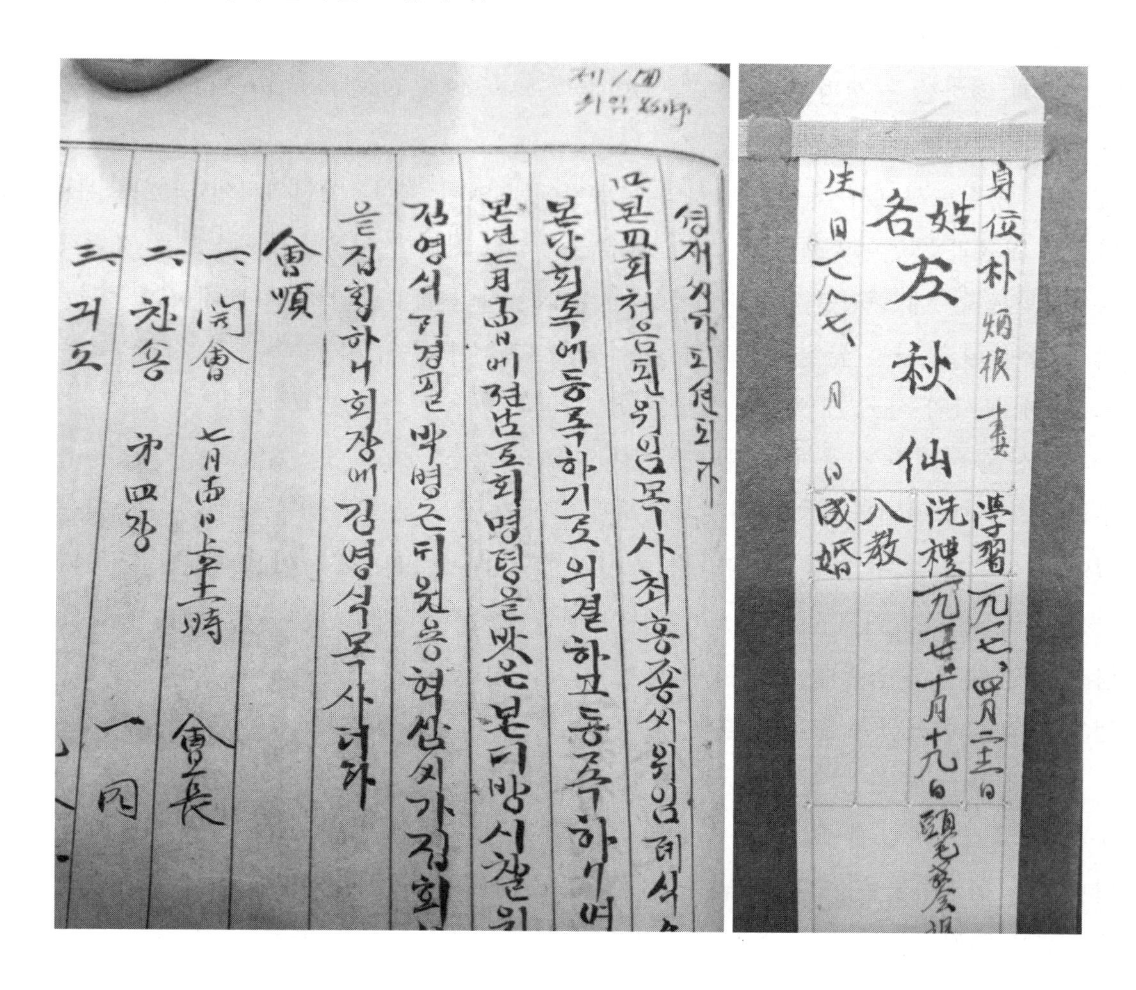
본당회록에 등록하기로 의결하고 등록하게 하여

을 집회하니 회장에 김영식 목사 더라

會順

一. 開會

二. 찬송 第四장

三. 긔도

身位 朴炳根 妻

姓名 左秋仙

生日

學習

洗禮

入教

成婚

모슬포교회 역사관 자료 보는 곳 :
https://tinyurl.com/2bhey29k

모슬포교회 교인명패를 살펴보자.

『신위 : 박병근 처, 성명 : 좌추선, 생일 : 1887년　월　일』

『학습 : 1917년 4월 22일, 세례 : 1917년 10월 19일, 입교, 성혼, 두모교회 이주』라고 기록됨.

이 교인명패와 가족교적부에 기록된 것을 보아, 27세인 1916년 이전에 원입(예수를 믿기 시작)하여, 1917년 4월 22일 학습을 받고, 1917년 10월 19일 당시 윤식명 목사에게 세례를 받은 것이 확실해 보인다. 그 후에 박병근의 처가 되어 두모리교회 남편 박병근이 전도사로 시무를 할 때 이명 되었음을 볼 수 있다.

기록에 의하면 서서평은 제주도를 6번(1917, 1919, 1920, 1925, 1928, 1933년)을 왕래하면서 제주도에서도 성경을 가르쳤다.[36)]

또한, 평신도선교사 서서평의 사역은 초기에는 언어 훈련, 병원에서의 간호사 사역과 간호사 교육과 훈련이었으나, 1920년 이후 불우하고 가난한 여성들을 대상으로 자립적 교육을 실시하는 데 중점을 두었다. 과부와 버려진 여인들의 삶의 처지에 대하여 동조하면서 더불어 살고 나눔을 실천하였다. 서서평은 4가지 범주의 사역 즉 간호 사역, 복음 전도, 구제 봉사와 사회 개혁에 투신하였다.[37)]

좌추선은 서서평 선교사와 기거를 같이 하면서 성경 공부를 한 것으로 생각된다. 언제부터 입학하여 언제까지 이일성경학교에서 얼마 동안 공부를 하였는지는 기록을 찾을 수 없어서 정확히 알 수 없다. 추정하기는 1919~1920년경 그녀의 나이 30대 초반에 선교사들을 따라 광주에 나오지 않았을까하는 추정을 해 본다. 좌추선은 광주에서 선교사들과 함께 살면서 성경 공부를 하고 교육을 받았고, 그들을 돕는 조사(助事)로 선교사들의 순회 전도 사역을 함께하는 일을 하였다.

또한 간호사 출신인 서서평 선교사에게 좌추선은 산모들의 신생아 출산 시 조산하는 훈련 등도 받았다. 후에, 영암 신흥리 정착하여 살 때 온 동네 아이 낳는 집마다 불려 다니면서 신생아들은 거의 다 받아 주었다고 한다. 광주에서 선교사들에게 교육을 받은 좌추선은 여자 선교사들과 함께 지내면서 그들을 돕는 조사로, 때로는 전도인으로 여러 지방으로 순회전도를 다녔다고 한다.

생전에 자부 문례순에게 무등산 인근을 지날 때면 이런 말을 했다고 한다.

좌추선 전도부인 : "저 무등산, 참 많이도 넘어 다녔다."
며느리(문례순) : "뭐 하러 무등산을 그리 많이 넘어 다니셨다요?"
좌추선 전도부인 : "아, 젊었을 때 선교사들 따라 화순, 능주, 보성 쪽으로 전도하러 다녔지."

라는 말을 하셨단다.

이 대화 속에서 좌추선 전도부인은 선교사들의 지방 순회에 함께 동행하였다는 것을 알 수 있다.

그는 또한 주일학교확장운동에 앞장서서 활동하였다. 이일성경학교 재학 중에나, 또는 전도부인으로 사역을 할 때 자기에게 주어진 시골 지역으로 찾아가 아이들을 불러 모아 주일학교도 하고, 어른들이 모이면 복음을 전하고 마을기도회를 열어 개척교회가 생기는 기틀을 다졌던 것이다.

> 기록에 의하면 "서서평은 영혼 구원뿐만 아니라 복음 전도와 교회 개척 사역에도 헌신하였다. 서서평은 1921년 두 번째 순회 사역을 하였다. 광주에서 출발하여 조랑말을 타고 16개 교회를 찾아 나선 길에 말굽이 좋지 않아 일행이 걸어서 272km를 걸어야 했고, 1921년 한 해 동안 103일에 걸쳐 지방 순회를 하였다. 이러한 지방전도여행과 순회 사역은 제주도와 추자도까지 확장되었다. 순회 사역은 두 가지로 이해된다. 하나는 선교 목적의 여행이다. 복음 전도는 필수적 사항이고 이외에 현장을 살피고 환자를 살피고 사회 구제를 실시하는 등 복음이 지닌 통전적 선교를 실시하는 것이다. 또 하나는 교통이 미발달하고 주거 등 삶의 조건이 극도로 열악한 상황에서 이루어지는 개척 선교이다.
>
> 서서평은 이일학교 학생들을 통한 주일학교확장운동을 실시했다. 이일학교 등록 학생은 1932년 93명이었는데, 이들 중 40명 이상이 27개 마을에서 44,482명의 주일학교 학생을 가르쳤고, 26명의 학생들은 13개 마을에서 매주 목요일마다 마을 기도회를 인도하여 총 2,550명의 주민이 참석하였다. 이들 운동의 결과로 개교회가 생기고 활성화된다."[38]고 적고 있다.

공산교회 개척 사역

그의 전도부인 사역 중의 하나가 나주시 공산면 공산교회 100주년 기념예배를 기하여 발행한『은혜의 발자취(1921~2021년) 공산교회 100년사』책에서 살펴볼 수 있다. 나주 공산교회를 좌추선 전도부인이 개척을 했다는 기록[39]이 있다.

◎ 2. 본 교회 설립자 좌추선 전도부인

2.1. 전도부인

본 교회를 설립한 좌추선의 교회 신분은 전도부인이었다. 한국 교회의 전도부인 제도는 1885년 미감리회 첫 여선교사 메리 스크랜턴(Mary F. Scranton)의 내한으로 시작되었다. 그녀가 한국을 방문했던 당시의 조선 사회의 분위기는 언어와 문화의 장벽 때문에 선교사들이 직접 현지인 여성들을 만나 복음을 전하는 일이 쉽지 않았다. 이때 선교사들과 조선 여성들 사이의 가교 역할을 한 교회 직분이 바로 전도부인이었다. 선교사들은 전도부인에게 사례금을 지불했고, 사례금은 그들의 본국에서 보내준 기금으로 가능했다. 한 명의 여성 선교사와 함께 활동했던 전도부인의 수는 보통 2~5명이었다.

전도부인은 자신을 고용한 선교사의 지시에 따라 관할 지역에 파송되어 전도 사업을 수행하였고, 선교사의 통제를 받았다. 전도부인의 초기 사역은 여선교사들의 사업을 돕는 경우가

61) 한글학회,『한국지명총람 14』(전남편) Ⅱ (서울: 한국학회, 2004), 12.
62) 나주시청, "마을유래",『나주시청 홈피』, 2020년 12월 20일 검색.

130 공산교회 100년사

공산교회 100년 사진자료실 :
https://tinyurl.com/22duevyf

많았으나 점차 사역의 범위가 확대되어 갔다. 전도부인은 여전도인, 여조사(助事), 여전도사, 부인전도사 등으로도 불렸다. 선교 초기에는 전도부인 양성을 위한 체계적인 교육이 미비한 상황에서 선교사가 한글을 깨친 여성들에게 개별적으로 성경과 단순한 교리를 가르쳐 전도 사업에 종사하게 했다. 이후 전도부인을 체계적으로 양성하기 위해 여자 사경회가 시작된 것은 장로교회의 경우는 1897년, 감리교회는 1898년경으로 추정된다. 사경회(査經會)는 일 년에 두 차례 농한기 때에 2~4주 동안 진행되었다. 한국 교회의 성장과 함께 전도부인 양성을 위한 전문적인 교육이 더욱 필요해짐에 따라 전도부인 양성을 위한 상설 교육기관으로 여자 성경 학원이 설립, 운영되었다. 성경학원은 1년 3학기제, 3년 과정의 교육체계를 갖추고 성경, 교리, 교회사, 일반 학문, 전도 실습 등으로 교과목을 구성하여 사경회 보다 훨씬 다양하고 폭넓게 전도부인들의 역량을 키워나갔다.[63]

전도부인은 선교사들을 조력하면서 복음을 전했을 뿐만 아니라 여성들에게 성경과 찬송가를 파는 권서인(勸書人) 역할을 겸했으며, 한글을 가르쳐 여성 문맹퇴치 운동에도 앞장섰다. 전도부인들은 시간이 흐르면서 그 역할이 변하기도 했다. 초기 권서인의 역할에서 벗어나 여러 지방을 순회하면서 성경 공부반을 개최하기도 하였고, 교회를 설립하기도 했으며, 약한 교회의 성장을 위해 헌신하기도 하였다. 어떤 전도부인들은 교단별 선교부가 설립한 학교와 병원에 근무하면서 복음을 전하기도 했다.

이렇게 한국 교회 성장에 지대한 역할을 감당했던 전도부인의 위상이 확립된 것은 1930년대 이르러서였다. 남성 사역자에 비해 교회 법규로 제정된 것이 늦은 감이 있지만, 전도부인의 제도화는 기독교를 통한 여성 권익 신장의 하나의 표본이 된다. 한국 교회의 초기 사료에는 남성 조사와 함께 전도부인의 역할을 정리한 사료가 매우 부족하여 그들을 연구하는데 한계가 있다. 이러한 한계를 조금이나 극복할 수 있는 사료를 매티 노블(Mattie W. Noble) 선교사가 남긴 것은 고무적인 일이다:

63) 다음, "전도부인", 『백과사전』 2020년 12월 12일 검색. 조사(Helper)의 한자를 助事라고 쓰기도 하지만조선예수교장로회 총회는 助師로 표기하였다.

여기에서 메티 노블(Mattie W. Noble) 선교사가 편집하여 1927년 펴낸『승리의 생활』은 전도부인에 관련한 독보적인 저술이다.

『승리의 생활』에는 전도부인들의 인생 역정, 선교의 여정과 사역의 성과 등이 약력이나 자전의 형태로 담겨 있어 전도부인 연구에 귀중한 사료가 되고 있다. 이를 이용하여 기록된『공산교회 100년사』책을 보면서 전도부인의 삶을 살펴보고자 한다.

> "전도부인(Bible Woman)의 초기 사역은 여선교사들의 사업을 돕는 경우가 많았으나 점차 사역의 범위가 확대되어 갔다. 전도부인은 여전도인, 여조사(女助事), 여전도사, 부인전도사 등으로도 불렀다. 선교 초기에는 전도부인 양성을 위한 체계적인 교육이 미비한 상황에서 선교사가 한글을 깨친 여성들에게 개별적으로 성경과 단순한 교리를 가르쳐 전도 사업에 종사하게 했다. 이후 전도부인을 체계적으로 양성하기 위해 여자사경회가 시작된 것은 장로교회의 경우 1897년, 감리교회는 1898년경으로 추정된다. 사경회(査經會)는 일 년에 두 차례 농한기 때에 2~4주 동안 진행되었다. 한국교회의 성장과 함께 전도부인 양성을 위한 전문적인 교육이 더욱 필요해짐에 따라 전도부인 양성을 위한 상설교육기관으로 여자성경학원이 설립, 운영되었다. 성경학원은 1년에 3학기제, 3년 과정의 교육체계를 갖추고 성경, 교리, 교회사, 일반 학문, 전도 실습 등으로 교과목을 구성하여 사경회보다 훨씬 다양하고 폭넓게 전도부인들의 역량을 키워나갔다.
>
> 전도부인은 선교사들을 조력하면서 복음을 전했을 뿐만 아니라 여성들에게 성경과 찬송을 파는 권서인(勸書人) 역할을 겸했으며, 한글을 가르쳐 여성 문맹퇴치 운동에도 앞장섰다. 전도부인들은 시간이 흐름면서 그 역할이 변하기도 했다. 초기 권서인의 역할에서 벗어나 여러 지방을 순회하면서 성경 공부반을 개최하기도 하였고, 교회를 설립하기도 했으며, 약한 교회의 성장을 위해 헌신하기도 하였다."[40]

나의 할머니 좌추선도 이와 같이 서서평 선교사를 따라 광주로 나와서 교육을 받고 전도부인으로 파송되어 지역을 순회하며 전도 사업을 수행하였던 것이다. 그녀의 성이 특이하여 부친이 이웃 면 반남 대안교회 시무할 때 공산교회 사역했던 것이 알려지게 된 것이다.

2021년 5월 23일 박남규[41] 목사님(1931년생, 당시 91세)은 '나주 공산교회(담임 김권배 목사) 100주년기념예배'에서 설교하시었다.

공산교회, "다시 시작하겠습니다. 처음 그 셀레임을 품고!" 예장합동 공산교회(김권배 목사, 원내사진)는 5월23일(주일) 오전11시 본교회당서 공산교회 100주년 기념감사예배를 드렸다. 이날 예배는 김권배 목사(담임)의 인도로, 기도, 인도자의 성경봉독(행1:8-11), 박남규 목사(개척자 좌추선 권사의 3남)가 '예수 복음의 증인' 제하의 말씀선포, 인도자의 봉헌기도, 나정현 장로의 교회소식 순으로 진행됐다. 김권배 목사는 "한 주간 동안 부흥사경회를 가진 후 22일에 초청하여 기념예배를 드릴려고 하였으나 상황이 여의치 않았다"며, "기도해주신 모든 분들에게 감사의 말을 전한다"고 했다. 이날 공산교회는 백주년 기념으로 '가나/보로고 아제카 마을 우물파기' 선교비를 기아대책에 전달했다.

4면- 선교의발자취 김호욱 목사 6면- 신앙가이드 강신유 목사 10면- 문학산책 시 임종준 목사

이와 같은 좌추선 전도부인은 사역을 하면서 선교사에게 받은 사례비를 아끼고 모아, 결혼 전에 고향집 제주를 방문하여 부모들에게 모은 돈을 내어 놓았다고 한다. 얼마인지는 모르지만 그때 당시의 금액으로는 상당히 큰 금액으로 부모님이 깜짝 놀랐다고 한다. 그 돈으로 밭을 샀다고 하니 상당한 액수였나 보다. 이는 3남 박남규 목사의 공산교회 100주년감사예배 설교 중에 나오는 이야기이다.

은혜의 발자취(1921년-2021년)
공산교회
100년사
꿈과비전
Dream & Vision Books

좌추선의 결혼과 가정생활

그녀의 사역하는 모습과 신앙을 유심히 살펴보던 미국 남장로교 선교사들이 박병근 전도사와 결혼하도록 중매하여 좌추선 전도부인은, 1922년 8월 10일 그녀의 나이 33살에 박병근 전도사와 결혼을 하였다.

박 전도사와 결혼하여 담양 창평을 시작으로 고향인 제주도 구우면 두모리교회와, 장흥 관산교회, 장흥읍교회와 영암읍교회 등에서의 사역에 좋은 내조를 했다.

그러던 중 박병근 전도사는 장강영사경회–장흥, 강진, 영암 지방 교회연합사경회에 참석하여 요한계시록을 강해하고, 신사참배 반대를 주장하는 강의를 하였다. 그로 인해 1940년 9월 20일 강진경찰서 고등계 형사들에게 체포되어 강진경찰서에 수감된다. 다시 관내 영암경찰서로 이송되어 13개월간의 긴 옥고를 치렀다. 심한 박해와 회유책이 그를 괴롭혔지만 그는 조금도 흔들리지 않고 끝까지 신앙의 절개를 지켰다. 다시 일본 경찰은 광주경찰서로 옮겨 6개월간 계시면서 조사를 받고, 광주지방법원으로 이관하여 재판을 받게 한다. 국가기록원 기록에 의하면 1942년 9월 7일 광주지방법원 형사부의 재판을 받아 '치안유지법 위반' 징역 1년 6개월(미결 구류일수 100일 본형에 산입)의 형을 받고 수감되어 1943년 11월19일 출소할 때까지 교도소에서 생활을 하였다. 1940년 9월 20일 경찰에 체포돼서 광주교도소를 출소하는 1943년 11월 9일까지 약 3년 2개월 동안 옥살이를 하셨다. 좌추선 부인은 남편이 옥에 갇혀 있는 동안 눈물의 기도로 예배당 마루를 적셨다고 한다.

남편이 잡혀가고 며칠 후, 일본 경찰서는 영암경찰서 신축을 이유로 영암읍 교회당과 전도사의 사택, 그리고 인근의 30여호나 되는 집들을 허물기로 하였다고 일방적으로 통보하고 교회당과 사택을 훼파해 버렸다.

이에 좌추선 부인은 3남 1녀를 데리고 영암교회 사택에서 쫓겨나서 영암군 군서면 해창리 신흥 부락에 거처를 정하고 생활 전선에 나섰다.

딸 유순은 16세, 장남 환규는 15세로 초등학교를 막 졸업하였고, 13세 2남 금규와, 10세된 3남 남규는 초등학교 재학 중으로 5학년과 2학년 정도 된 3남 1녀의 4자녀를 데리고 얼마나 앞길이 막막했을까?

그러나, 제주도 출신 좌추선 부인의 태생적인 부지런함은 가만히 앉아 있을 수 없었다. 가정생활에 위험을 느낀 좌추선 부인은 고향인 제주도를 다니면서 보따리 장사를 했다. 농번기에는 남의 집 논과 밭일도 하면서 4자녀와 함께 삶을 유지하기 위해 열심히 살았다. 새벽에는 눈물의 무릎으로 하나님 앞에 엎드리고, 낮에는 끝없이 흐르는 땀과 함께 많은 고생을 하였다.

『영암읍교회 80년사』(이 책 80페이지 사진으로 게재됨)에 "그런 수난의 생활 가운데 일본인 모리다(森田) 여자 전도사가 이 가정의 뒷바라지를 잘 해 주어서 박 전도사가 없는 동안에도 가족들이 잘 지낼 수 있었다고 한다."는 글이 있다. 한국에 들어와 있는 일본인들 중에도 믿는 이들이 있었던 것 같다.

박환규 목사의 글(부록에 수록)에 의하면 "아버지가 감옥에 계시는 동안에 어머니는 신흥으로 이사하여 그때 과부 되신 조업례(고 지한홍 목사의 모친으로 추정함) 씨 채수원 씨와 함께 신흥에 사셨다."고 적고 있다.

그때 하나님의 크신 도움으로 집 주위와 담 위에 박이 주렁주렁 열려 부잣집에 다니시면서 박을 파셨는데 보리로 약 두 가마니를 바꾸어 식량을 하였다고 한다. 좌추선 부인은 생계 문제를 해결하기 위해 고향인 제주도까지 다니면서 보따리 장사를 시작하셨다. 제주로 갈 때는 삼베와 미영베(무명베) 등을 가져다 팔고, 제주에서는 꿀과 건어물 등을 갖고 와서 그것을 팔아 이득을 많이 남기셨다.

그 시절 영암 군서면 해창리 지역은 일본 사람들에 의해 바다와 강이 연결되는 곳을 막아 논을 만드는 간척 사업이 한창이었다고 한다. "그때 간척회사 신흥주임(지역 현장 책임자인 일본인)의 부인이 믿는 이였다. 그래서 간척지 6마지기를 그냥 주셨다. 소작권 논밭은 신정 사람이 빼앗아 갔고 대신 간척지 9마지기 밭 5마지기를 주었는데(일본인 소작) 해방이 되니 논 15마지기 밭 5마지기가 되었다. 해방 후 국가에서 샀고 부자가 되었다. 현재 논은 다 팔았고 밭은 경지 정리가 되어 254평인데 산소로 도로변에 있는 좋은 장소이다. 일년 중 추석 때면 동생과 함께 온 가족이 가서 순교 정신을 이어받자고 다짐하면서 예배를 드린다."[42]고 박환규 목사는 글을 남겼다.

보이지 않는 하나님의 축복 속에 당시 돈 700원으로 집도 한 채 구입하고, 전답도 마련했다고 한다. 그 논에서 농사를 열심히 짓고 그 소득으로 식구들의 생계와 아이들의 학업을 계속할 수 있었다.

다음 이야기는 할머니가 들려주신 신흥 부락 정착 시기의 일화이다. 이상하게도 그때 가뭄이 극심했지만 좌추선 부인의 집 지붕 위에는 수많은 박이 열려 그 박을 팔아서 생활에 큰 보탬이 되었다고 한다.

살아 계실 때 손자인 나(朴重起)에게 해 주시던 그때의 이야기－기도 응답을 받았다는 이야기가 생각이 난다.

어느 해 논에 모내기를 할 즈음 가뭄이 심했다. 모내기를 위해 논을 살피러 가 보니, 논 바닥은 거북이 등처럼 갈라졌고, 이웃들은 자기 논에 물고를 대거나 자기 논에 남아 있는 물을 누가 빼 갈까 봐 지키고 있었다. 그녀는 타들어 가는 대지를 바라보며 앉아 한숨만 쉬고 있었다. 뜨거운 태양은 머리 위에서 내리쪼이고 땅에서는 뜨거운 지열이 올라오고 있었다. 하늘만 쳐다보던 좌추선은 “하나님! 남편은 예수를 잘 믿겠다고 신사참배를 거부하다, 광주형무소로 잡혀가 옥살이를 하고, 나는 어린아이들과 살아 보겠다고 발버둥을 치고 있는데, 이렇게 심한 가뭄으로 논이 쩍쩍 갈라지고 아직 모내기도 못 했으니 이를 어찌합니까? 하나님! 비 좀 내려 주세요!” 하고 논두렁에 앉아 푸념인지 기도인지 모를 넋두리를 하며, 찬송을 흥얼거리고 있었단다. 그러기를 얼마쯤, 온통 다 태워 버릴 것만 같은 이글거리는 태양과 뜨거운 하늘 아래 저 멀리 지평선 위로 손바닥만 한 구름 한 점이 올라온다. “주님! 저 구름이 소낙비가 되어 한바탕 쏟아 주시면 안 되나요?”하는 한숨 섞인 말을 했다. 그러고 조금 있으니 가까이 다가온 구름은 마침내 새까만 구름이 되더니, 할머니네 논에 소나기를 퍼붓기 시작했다. 비에 옷이 젖는 것도 잊은 채 삽을 들고 뛰어다니며 논두렁의 물고를 트고 막기를 시작했다. 그러기를 얼마쯤, 논에 물이 가득 차고 고개를 들어 보니 이제 막 구름이 지나가고 있었다. 그로 인해 그해 모내기를 할 수 있었고, 벼를 풍족하게 수확했다고 하셨다.

당시 15~16세였던 장남 환규는 영암 초등학교를 졸업하였으나 어려워진 가정 형편으로 진학을 포기하고 新聞(신문) 배달, 목탄버스 차장, 양복점, 사진관 등의 일로 가정을 돌보았다고 한다. 그뿐 아니라 그 당시 대중교통 수단이었던 목탄차[43] 조수로 취업 일선에 나서기도 했다. 그때 목탄차 조수 일을 할 때 차와 차 사이에 끼어 죽을 고비도 넘겼다고 한다.

3년 2개월 동안, 남편 박병근 전도사의 감옥 생활 수발과, 4남매와 함께 자녀 교육과 생활 등에 고생이 얼마나 많았을까? 이 또한 하나님의 동행하심의 섭리요, 그에 따른 또 다른 축복은 아닐까?

1943년 11월 19일 3년 2개월의 옥살이를 마치고 나온 박병근 전도사는 부인이 구입해 놓은 신흥 집에서 하나님께 감사예배를 드리셨다고 한다.

1943년 감옥에서 출소한 그해, 12월 2일 영암군 미암면 채지리 출신으로 영암군 순회 전도사 김인봉과 장녀 유순이 결혼을 하였다. 아들 김영기를 얻고 영암군 내 담임 사역자가 없는 교회를 순회하는 전도사의 일을 하였다. 김인봉 전도사에 대한 기록은 『영암읍교회 80년사』 62페이지 「영암읍교회 순교자 24명」 명단에 기록 되어 있다. 또한 같은 책 제4장 '신앙의 선진들을 기리며' 신춘범 장로님이 쓴 글 「질박한 농촌에 믿음의 씨앗 뿌리고－어머니 문홍덕 전도사를 회고하며」 140페이지에 이렇게 기록되어 있는 것을 볼 수 있다. "…광복을 맞이했는데 그 기쁨도 잠시 1948년 여순 반란 사건이 일어난다. 그 반란군은 영보교회당까지 쳐들어와서 설교 중이던 김인봉 전도사님을 강대상에서 밀쳐내었다. 그들은 경찰 타도, 인민 해방 등의 기치를 내걸고 같이 동참해 달라고 했다."는 기록을 볼 수 있다.

이런 기록을 보면 좌추선의 사위 김인봉은 영암 순회 전도사였음을 확인할 수 있다. 6·25한국전쟁을 겪으면서 남편과 아들 그리고 사위인 김인봉 전도사는 순교자로 딸 유순은 질병으로 천국으로 먼저 보내고 외손자 김영기만 남아, 그를 기르며 살게 되었다. 후에 외손자 김영기는 할머니와 외삼촌에게서 성장하여 광주고등성경학교와 광주신학과 총신을 거쳐, 목사가 되어 광주 포도나무교회에서 시무했다.

광주형무소를 출소한 박 전도사와 부인 좌추선은 해창리 신흥 부락에서 신흥교회를 섬기기 시작한다. 이제는 영암 신흥 부락에 부인이 구입해 놓은 집이 있어 이곳이 박병근 전도사 일가의 정착지가 되었다. 남편 박병근 전도사는 출소 후 일본 경찰들의 끊임없는 감시의 눈총 속에서도 조금도 두려움 없이 목회 활동이 더욱 활발해졌다.

1944년 영암 장암교회 개척 시무를 비롯하여,

1945년에는 영암 구림교회까지 겸임 시무를 하였다.

1947년 광주 광산교회를 거쳐,

1948년 9월 무안군 현경교회로 전임한다. 그해 성탄절을 지내고,

1948년 12월 27일 이웃 무안면 매곡리에 소재한 매곡교회에서 장남 환규와 문례순은 전정현 목사의 주례로 결혼식을 한다.

매곡리교회 전도부인인 박소님 전도사의 유복자 딸 문례순(당시 19세)을 며느리로 맞아들였다. 장남 환규(23세)는 광주고등성경학교 졸업반이었고, 결혼 후 장남 환규는 성경학교를 졸업하고, 1949년 장흥 관산교회 전도사로 부임한다.

남편 박병근 전도사가 무안 현경교회 시무하고 있던 어느 날, 함평군 나산교회의 장로님 두 분이 박병근 전도사를 청빙하기 위하여 방문하였다. 그들의 이야기는 좌익 사상으로 심하게 어려움을 겪고 있던 나산교회 박장환 목사님이 어느 날 밤 갑자기 들이닥친 빨치산들과 격투를 하였고, 이에 그들의 표적이 되어 더 이상 교회를 담임할 수 없게 되어 떠났다는 것이다. 이에 박 전도사는 순교를 각오하고 함평 나산교회로 부임하기로 결심한다. 청빙을 받아 나산교회에 부임한 박 전도사 부부는 밤마다 교인들을 괴롭히고, 면 주민들을 어지럽히던 공산당원들에게 시달렸다. 그 지방은 유난히 공산당이 강한 지방이었다. 6·25전쟁이 터지자 교인들의 피난 권유를 거부하고 끝까지 교회를 지키던 박병근 전도사는 곧바로 체포되어 함평내무서로 수감되었다. 특별관리대상으로 분류된 박 전도사는 한 달간의 독방 생활을 하였다.

몇 달 후 전세가 불안해지고 후퇴하게 되자, 공산군들은 철수하기 직전 음력 추석 무렵 우익 인사 46명과 함께 박병근 전도사를 줄줄이 포박한 채로 끌어내 함평 향교 뒷산으로 향했다.

며칠 후, 박 전도사의 시신은 두 손은 앞으로 묶이고 기도하는 모습으로 발견되었는데, 등에 대고 쏜 총탄이 몸을 찢고 관통한 처참한 모습이었다. 그곳에서 사후에 소식을 듣고 시신을 수습한 좌추선 부인과 가족들은 목관도 없어 대나무를 엮어 시신을 수습하여 갖고, 영암으로 와서 신흥 부락 입구에 있는 밭에 묘지를 마련하여 안장을 하였다. 그곳이 지금의 영암읍 송평리에 있는 선영이다.

1951년 10월 1일 사망 후 1년 만에 남편 박병근 전도사와, 둘째 아들 금규의 묘비를 제막하였다.

남편 박병근 전도사 순교 약 1년 후, 1951년 10월 14일 장남 박환규의 첫 아들인 내가 태어났다. 1949년부터 1950년까지 첫 손녀와 큰딸과 사위, 남편과 둘째 아들까지 사망의 소식으로 이어지던 두 해가 지나갔다. 그리고 이제 집안에 다시 손자가 출생한 것이다. 그때가 1951년 음력 9월 9일 절기상 중양절(重陽節)－중구(重九) 날이라고도 함－무렵이었다고 한다. 그래서 그의 이름을 重(거듭 중) 起(일어날 기)라고 지어, 가장과 둘째 아들, 그리고 딸과 사위를 먼저 하늘나라로 보낸 이 가정을 다시 한번 거듭 일으켜 세워 주기를 바라는 마음을 담았다고 한다.

혼자 남은 좌추선은 외손자 김영기를 키우면서, 남은 두 아들의 성경학교와 신학교 학업을 뒷바라지하면서 영암 신흥에서 농사일을 계속했다. 신학을 마치고 1953년 전쟁의 막바지에 군대에 간 장남 환규는 군목으로 제대하고, 1955년 5월 13일 목포노회에서 목사 안수를 받았다. 곧이어 해남 원진교회에서 목회를 시작하였고, 곧이어 3남 박남규의 신학공부가 시작되었다. 혼자의 몸으로 농사일과 함께 두 아들의 신학공부와 뒷바라지에 외손자 돌보기까지 많은 수고의 나날들이었다.

그러던 중 이제는 고향처럼 정착하게 된 영암 해창리 신흥교회에서 1957년 목포노회 영암 신흥교회 권사로 임직을 받았다.

1959년 1월 8일 막내아들 박남규가 영암읍교회에서 김해희와 결혼하고,

1961년 총회신학을 졸업하였다.

1963년 1월 막내아들 박남규가 전남노회에서 목사 안수를 받았다. 이렇게 하여 전쟁에서 살아남은 남은 두 아들 모두 목사 안수를 받았다.

한편, 남편과 딸과 사위 그리고 둘째 아들을 먼저 하늘나라로 보내고, 이제야 막내아들의 목사 안수 받는 모습 속에 지나온 날들에 대한 많은 감정의 교차가 있었을 것이다. 그녀는 지난 세월 동안의 많은 생각 속에서 하나님께 감사의 기도를 드렸을 것이다.

그 후로도 좌추선 권사는 목사가 된 아들들의 목회 활동에 부담을 덜기 위해 영암 신흥부락에서 외손자와 함께 살면서 농사일과 신흥교회를 섬기었다. 그녀는 날마다 새벽 재단에 아들들의 목회를 위한 기도의 무릎을 더하기를 쉬지 않았다.

나의 어린 시절 초등학교 재학 중, 방학이 되면 할머니 댁에 가곤 하였다. 때로는 동네 아이들과 놀다가 싸우고, 울면서 집에 들어올 때가 있었다. 그때 할머니께서 나에게 아이들과 다투거나 싸움을 걸어오면 너는 맞서서 싸우지 말고 이렇게 큰소리로 외치고 집으로 들어오라고 하셨다.

"에라이! 늙어 죽고 천당 갈 놈아!" 이것은 할머니가 욕 대신 싸울 때 쓰는 '예수쟁이들의 욕'이라고 가르쳐 주셨다. 이것은 부친이신 박환규 목사의 어린 시절 장흥에서도 쓰게 했던 말이라는 것을 이 글을 쓰면서 찾아내게 되었다.

1963년 좌추선 권사의 막내아들 박남규가 목사 안수를 받고, 목회를 시작하고, 1964년

12월 큰아들 박환규가 영암에서 가까운 나주군 반남면 대안교회로 목회지를 옮겨 왔다. 1965년 좌추선 권사는 1940년부터 시작한 농사의 일을 그만두고 장남의 집으로 와서 함께 살았다.

두 아들의 목회와 자라나는 손자 손녀들을 위한 새벽기도를 하루도 쉬지 않으시고, 교회를 다녀오시면, 늘 손자들의 머리에 손을 대고 축복기도를 해 주셨다.

▲ 나주 반남면 대안교회 사택 앞에서 두 아들네 식구가 모여서 찍은 가족사진(1968년)

좌추선 권사는 생전에 장남 박환규 목사에게 5남 1녀, 차남 박남규 목사에게 2남 3녀의 다복한 후손의 축복을 받았다.

▲ 농성 어린이집과 광송교회를 시작한 작은아들 박남규 목사 댁에서 맞이한 90회 생신 기념

▲ 좌추선 권사 90회 생신 축하 1977.11.18.

좌추선 권사 자료 사진 쉽게 볼 수 있는 곳 :
https://tinyurl.com/27kukppb

신앙의 2대 좌추선(左秋仙) 권사의 약력

출생년월일 : 단기 4222년(서기 1889년) 10월 8일 부 좌안복(左安福), 모 이신희(李辛姬)의 장녀로 출생(모슬포교회 교인명패에는 1887년생으로 기록됨)

출 생 지 : 제주도 대정면 영락리 1247번지

1916년(27세)	원입(願入) – 예수 그리스도를 구주로 맞이함
1917년 4월 25일	모슬포교회에서 윤식명[44] 목사에게 학습 받음
1917년 10월 19일	모슬포교회에서 윤식명 목사에게 세례 받음
1918~1920년경	서서평 선교사를 따라 광주로 와서 성경 공부를 본격적으로 시작함. "1920년 서서평은 침실에서 여성 성경 공부를 시작하여 이일성경학교로 발전시켰다."는 기록이 있다. 미남장로교 여자 선교사와 다년간 전남 지역 순회전도사로 시무
1921년	나주 공산교회 개척(설립) (나주 공산교회에서 설립 100주년 준비하던 중 좌추선 전도사가 개척했다는 기록이 나왔다는 연락을 2014년에 직접 받은 바 있음)
1922년 8월 10일(33세)	박병근 전도사와 결혼하여 담양, 제주, 장흥, 영암 등 농촌 지역 교회에서 남편의 사역에 좋은 내조를 함
1934년 10월 21일	장흥읍교회 제1회 정기당회에서 서리집사 임명[45]
1938년~1940년 9월 20일	영암읍교회에서 사역 중, 남편 박 전도사는 구속, 3남 1녀의 자식과 함께 교회 사택에서 쫓겨남.
1940~1943년	영암군 군서면 해창리 신흥 부락에 정착
1943년 11월 19일	남편 박 전도사 만기 출소
1943년	장녀 유순과 영암군 순회전도사 김인봉 결혼함
1948년	장남 환규 무안 매곡교회에서 문례순과 결혼함

1947년~1950년　9월까지 광주, 무안, 함평 등에서 남편의 사역에 함께하던 중 6·25 전쟁을 맞음

1950년 9월 28일(음력 8월 17일-추석 이틀 후)　박병근 전도사 순교할 때까지 복음 전도와 사역에 동참함

1957년　목포노회 산하 영암 신흥교회에서 권사 취임

1959년 1월 8일　막내 남규 영암읍 교회에서 김해희와 결혼함

1965년　영암의 농사일을 내려놓고 나주 대안교회에서 큰아들과 함께 사심

1981년 9월 21일　오후 3시 20분에 97세로 소천

1981년 9월 23일　전남 영암군 영암읍 송평리 신정 선영에 안장

고 좌추선권사약력

1. 1885. 10.8 부 좌안복 모 이신회씨의 장녀로 출생
2. 1899년 13세시 예수그리스도를 구주로 맞이함.
3. 1903년 18세시 초대 제주도 선교사 이기풍목사에게 세례받음
4. 하나님의 일군이 되기위해 광주 이일고등성경학교에 입학 수학하고 졸업
5. 유아례 미 여선교사와 다년간 전남지역 순회전도사로 시무
6. 1922. 8.10 부 박문택 모 김노동씨의 2남 박병근씨와 결혼
7. 1929년부터 1951. 6.25까지 30여년간 박병근전도사(장로)와 광산, 제주도. 담양. 보성. 장흥. 영암. 무안 지방에서 복음을 증거하셨고 6.25시 함평 나산교회에서 교회를 사수하다가 박병근전도사(부군)와 2남 박금규의 순교를 지켜봄.
8. 박병근전도사는 일제시에 신사참배 반대의 신앙을 고수하다가 4년간의 옥고를 치루기도 했음.
9. 1957년 목포노회 영암 신흥교회에서 권사로 취임
10. 1981. 9.21 오후 3시20분에 97세로 하나님의 부르심을 받음.
11. 슬하에 2남과 손자7 손녀4 외손자1 진손녀1이 있으며 장남 박환규(광주은석교회) 3남 박남규(광주광송교회) 외손자 김영기(나주남부교회)는 현역 목회자이시다.

고 좌 추 선권사

장 례 식 예 배

일 시 : 1981. 9.23. 10:00

장 소 : 광주시 북구 임동427(자택)

장 지 : 전남 영암군 군서면 송평리 신정선영

장례식예배순서

10:00

사회 : 김경룡목사
설교 : 김방원목사

묵 도		다 같 이
기 원		사 회 자
찬 송	529장	다 같 이
기 도		박문제목사
성경봉독	딤후 4 : 7 — 8	사 회 자
찬 양		광송교회성가대
설 교	최후의 개선가	김방원목사
기 도		〃
조 가		국옥희집사
약력보고		박명규집사
조 사		내 빈 중
광 고		박인규집사
찬 송	638장	다 같 이
축 도		장대송목사

찬 송 가

529장

1. 후일에 생명그칠때 여전히 찬송못하나
   성부의 집에깰때에 내기쁨 한량없겠네.
2. 후일에 장막같은몸 무너질때는 모르나
   정녕히 내가알기는 주예비하신 집있네.
3. 후일에 석양가까와 서산에 해가질때에
   주께서 쉬라하리니 영원한 안식얻겠네.
4. 그날을 늘기다리고 내등불 밝게켰다가
   주께서 문을열때에 이영혼 들어가겠네.

(후렴) 내주예수 뵈올때에 그은혜 찬송하겠네.
내주예수 뵈올때에 그은혜 찬송하겠네아멘

638장

1. 천국에서 만나보자 아침해가 뜰때에
   순례자여 예비하라 늦어지지 않도록
2. 내등불을 밝게하라 기다린다 신랑이
   천국에서 만날때에 맞아주시리로다.
3. 기다리면 성도들과 기쁨으로 만나서
   천국문에 같이설때 기쁨한량 없겠네.

(후렴) 만나보자 만나보자 저너머는 저천국문에서
만나보자 만나보자 아침될때 거기에서만나자.

신앙의 3대 – 1남(男)

박환규(朴煥圭) 목사

(아버지와 동생을 먼저 보내다)

출생과 성장

음력 1926년 12월 23일 부친 박병근 전도사의 첫 사역지인 담양군 창평면 삼천리 창평교회 사택에서 출생하였다.

부친 박병근 전도사의 사역지를 따라 제주도와 장흥에서 유소년기를 보냈다. 그의 유년기의 기억은 "내가 안 것은 장흥으로 이사 갈 때부터다. 비 오는 날 호로형 버스를 타고 장흥 관산으로 가, 부평 가는 정자나무 밑에서 내렸다."[46)]라고 적고 있다.

1930년 7월 제주도에서 나와 장흥군 관산면 부평교회를 개척하던 때인 것으로 생각된다. 그는 1934년 장흥읍에서 국민(초등)학교에 입학했다. 1938년 4학년 2학기에 영암국민(초등)학교에 전학, 학업을 계속하였다. 1940년에 영암국민학교 28회로 졸업하였다.

그해 가을(9월 20일) 영암읍교회 시무 중이던 부친 박병근 전도사는 창씨개명과 신사참배 거부로 영암경찰서에 구금되어 13개월간의 유치장 생활과 조사를 받은 후, 광주경찰서로 이송되어, 광주법원에서 재판을 받고, 광주교도소에서 형을 살게 되었다.

당시 15~16세인 장남 환규는 이때부터 신문 배달, 사진관, 양복점 등에서 일하며 가정을 돕기 시작했다. 그 당시 대중교통 수단이었던 목탄차 버스의 조수로 취업하기도 했다. 목탄차 조수로 근무할 때 차 사이에 끼어 죽을 고비를 맞기도 했다고 한다. 그 사이 모친은 고향인 제주를 오가며, 보따리 장사를 하여, 영암군 군서면 해창리 신흥 부락에 자리를 잡았다. 그 당시 해창 부락 일대는 바다를 막아 논을 만드는 간척지 개발 사업이 한창이었다. 이것은 일본인들이 식량을 수탈하기 위한 전략 중 하나였다. 그 지역 간척지 개발 공사 현장소장(일본인)의 부인이 기독교 신자였다. 그 현장소장의 부인이, 영암읍교회 박 전도사는 감옥에 잡혀가고 그 부인이 어린 4남매를 데리고 교회에서 쫓겨났다는 소문을 듣고 자기 남편에게 이야기하여, 바다를 막아 새로 조성된 논을 무상으로 임대하여 주었다. 간척지 땅이란 소금기가 남아 있어, 몇 년은 물로 씻어 내어 소금기를 제거하여야 농사를 지을 수 있는 논을 말한다. 그래도 이 가족들은 이 땅을 무상 임대를 받아, 감사하며 열심히 농사를 지었고, 그로 인해 작은 집도 마련하게 되었다.

1943년 11월 19일, 3년 2개월 만에 부친이 출소하여 돌아오셨다. 이곳 신흥 부락 신흥교회에서 다시 사역을 시작하고, 예배를 드리기 시작한다. 일본 경찰의 끊임없는 감시의 눈총 속에서도 부친 박병근 전도사는 조금의 두려움도 없이 목회에 정진하였다. 영암군 내 장암교회와 구림교회도 겸임하여 시무하던 중 1945년 8·15해방을 맞게 된다.

박환규는 부친의 광주형무소 구속 수감으로 학업을 계속할 수 없어 취업 일선으로 나가 3년간을 가사를 도왔다. 부친이 출소하자, 가사를 도우면서 틈틈이 우편을 이용한 통신 과정으로 중학 과정을 공부하였다. 박병근 전도사는 장남 환규를 광주고등성경학교에 보내기로 결정한다.

그리하여 장남 환규는 해방 다음 해인 1946년에 광주고등성경학교에 입학했다. 이때 2남 박금규도 광주 숭일중학교에 입학했을 것으로 생각된다. 부친인 박병근 전도사도 1947년에 광주 광산교회에서 시무를 하게 되었고, 1948년에는 무안군으로 옮겨 현경면 현경교회에서 시무를 하시었다. 현경교회에서 시무 중일 때 박병근 전도사는 고등성경학교 졸업반인 장남 환규를 당시 이웃 교회인 무안면 매곡교회 전도부인 박소님의 유복자 딸인 문례순과 결혼을 시켰다.

1948년 12월 27일 성경학교 졸업을 앞두고, 그해 성탄절을 지나 무안면 매곡리 매곡교회에서 전정현 목사의 주례로 문례순과 결혼한다. 광주고등성경학교 졸업하자 바로 전도사로 사역을 시작한다.

1949년에는 장흥 관산교회 전도사로 부임한다. 1950년에 서울 남산 장로교 신학교에 입학을 한다. 1949년 광주고등성경학교를 졸업하고 전도사로 첫 부임지인 장흥군 관산교회를 섬기고 있었는데, 부인이 갓난 딸을 데리고 호로형 버스를 타고 이사하면서 찬바람을 맞은 것이 병의 원인이 되어 어린 첫딸(은희)이 세상을 떠났다. 누나 유순은 또한 조카 김영기만을 남기고 질병으로 세상을 떠났다.

1950년 6·25전쟁이 터지고, 함평 나산교회에 시무 중이던 부친 박병근 전도사는, 전세가 불리해진 공산군과 빨치산들에게 끌려간다. 함평내무서(현 경찰서 같은 곳)에 수감되고, 음력 8월 17일(양력 9월 28일) 마침내 함평읍 향교 뒷산에서 공산당원들의 총에 맞아 순교하게 된다.

3남 금규는 당시 광주 숭일중학교 5학년에 재학 중, 6·25전쟁으로 인하여 형수인 문례순의 친정 무안의 한 동네에 피신 중이었다. 부친의 피살 소식을 전해 들은 금규는 한걸음에 나산으로 달려갔다. 거기서 좌익들에게 붙들려 동생 금규도 살해를 당했다. 부친 박병근 전도사가 세상을 떠난 지 며칠 후의 일이었다.

박환규 전도사에게는 딸을 보낸 슬픔이 채 가시기도 전에 6·25전쟁이 일어나고, 그 전쟁 속에서 아버지와 아우를 졸지에 잃는 마음을 도려내는 또 다른 아픔이 이어졌다. 누나와 매형마저 먼저 하늘나라로 가 버렸다.

전도사로 첫발을 내딛은 목회자가 겪어야만 하는 모진 시련과 연단이었을까? 한 영혼의 귀중함을 일깨워 주시는 감당하기 어려운 시험이었을까? 그에게는 밀물처럼 닥아오는 시련 속에, 신학교 또한 입학하고 첫 학기가 끝나기도 전에, 전쟁으로 문을 닦고, 부산진교회로 이전을 하였다. 다음 해인 1951년 가을에는 첫 아들인 내가 출생했다. 전쟁의 혼란 속에서도, 1953년 대구로 옮긴 신학교에서 총회신학교 2회로 졸업하였다. 졸업 15일 전 군에 입대를 한다.

총신 2회 졸업 앨범 사진 등 자료 쉽게 볼 수 있는 곳 :
https://tinyurl.com/25jf644l

목회 사역의 여정

1949년 광주고등성경학교를 졸업하고 전도사로 첫 부임한 장흥 관산교회에서 전도사로 시무 중, 첫 딸을 홍역으로 먼저 보낸 슬픔을 뒤로하고, 1950년에 서울 남산 장로교 신학교에 입학을 한다. 1950년 6·25전쟁으로 인하여 8월에 장흥 관산교회 전도사를 사면하였다.

신학교는 부산으로 피난하여 부산진교회에서 장로교 신학을 계속한다. 1953년 대구로 옮긴 신학교에서 총회신학교로 개편이 되어, 대한예수교 장로회 총회신학교 2회로 졸업을 하였다.

(신학교에 대한 자료는 부록에 게재한 국민일보 기사를 참고 바람)

甘富烈 校長(교장)
REV.ARCHIBALD CAMPBELL D.D
PRESIDENT

權世烈教長署理
REV. FRANCIS KINSLER TH.M
ACTING-PRESIDENT

螢雪(형설)의 벗들
ALUMNI OF 1953

신학교 졸업 15일 전에 국가의 부름을 받고, 군대에 입대하였다. 제주도 모슬포에 있는 훈련소에서 훈련을 받았다. 1953년 7월 27일 10시를 기해 정전협정이 체결된다. 제주 훈련소에서 6·25전쟁이 휴전이 되었다.

마침 군대에 군목제도가 도입이 되어 일병으로 제대를 하고, 군목을 자원하여 복무를 계속하였다. 마산육군병원과 9사단 29연대에서 군목으로 복무를 하고, 1년후 1954년에 제대한다.

1955년 5월 13일 목포노회에서 목사 안수를 받았다.

1955년 6월 해남군 삼산면 원진교회에서 목사로 첫 목회를 시작했다.

1956년 1월 12일 해남 원진교회 사택에서 2남 성기가 출생한다.

1956년 4월에는 부친 박병근 전도사가 전도사로 처음 사역을 시작했고, 본인의 출생지이기도 한 담양군 창평교회에서 청빙을 받아 목회를 시작하였다.

그는 이곳에 중학교가 없는 것을 보고, 교회 청년들과 함께 중학교 과정의 '성중학교'를 창평면 장터 앞 창고 건물을 빌려 시작하였다.

1958년 2월 11일 3남 창기가 창평교회 사택에서 태어났다.

우연하게도 3남 창기의 출생일인 1958년 2월 11일은 음력으로는 1957년 12월 23일로 아버지와 아들의 음력 생일이 같다.

1959년 12월에는 구례중앙교회의 청빙으로 구례에서 시무를 시작했다. 구례에서는 교회 안에 유치원과 구례성중학교(후에 구례고등공민학교로 개편) 사역을 목회하면서 함께 하셨다. 교회 본당과 교회 옆 땅에 교육관을 건축하고 그곳을 이용하여 평일에는 학교로, 주일에는 교육관으로 활용하였다. 구례에서는 6년 동안 사역을 하셨다.

4남 동기(1960년 6월 15일생)와, 5남 은기(1961년 11월 12일생), 그리고 막내 외동딸 은희(1964년 8월 24일생)까지 구례에서 출생하였다.

구례중앙교회에서 시무 할 때 광의면 지천리(구례 천은사 입구 동네)에 매주 목요일 밤마다 걸어 가거나, 후에는 자전거를 이용하여 예배를 드리러 갔다. 약 10리 길(약 4km 정도) 되는

구례중앙교회 홈페이지(http://gurye0691.onmam.com/bbs/viewPage/46)에서 가져와 편집한 사진임.
자료 쉽게 볼 수 있는 곳 : https://tinyurl.com/28j34l6d

거리이다. 매 주일마다 읍내로 예배를 보러 오시던 이오덕 집사님 집에서 예배를 시작하였다. 마침내 1963년에 지금의 구례군 광의면 지천리 지천리교회를 개척 설립하셨다.

구례중앙교회에서 6년여를 사역하시고 1964년 12월 사임하였다. 내가 초등학교 3학년 12월 겨울방학 하기 전에 구례중앙초등학교로 전학을 갔다가, 중학교 2학년 겨울방학 시작할 때 떠났다. 겨울방학이 끝나고 2월 한 달 동안, 나는 구례의 친구(집사님 아들) 집에서 생활하며 남은 중학교 2학년 과정의 학기를 모두 마쳤다. 그래서 나의 유년시절의 추억은 산수가 좋은 구례가 많이 남아 있다. 그리고 1965년 3월 초 광주 숭일중학교 3학년으로 전학을 하였다. 미션스쿨인 광주 숭일 중·고등학교는 목회자의 자녀들에게는 수업료를 면제해 주는 특혜가 있었다. 이때부터 나는 부모를 떠나 광주에서 자취 생활을 시작한다. 처음에는 부모님이 아시는 분들의 자녀들에게 의탁하여 함께 하는 자취 생활의 시작이었다.

나의 처음 광주 생활은 하숙이 아닌 자취로 시작하였다. 중학교 3학년의 남자아이가 처음으로 쌀을 씻고 밥을 지어먹는 생활은 재미있기도 하고 한편으로 너무 어색하고 낯설기도 했다. 형들의 지도로 많이 배우기도 했다. 처음에는 부친을 주례하셨고, 구례중앙교회 후임으로 오신 전정현 목사님의 아들인 주석(당시 숭일고 3학년) 형과 봉석(숭일중 1학년)이네 자취방에 함께 살았다. 그렇게 5개월 정도 살고 여름방학을 마치고, 2학기에는 새로 부임해 간 나주군 반남면 대안교회 장로님의 아들이 자취하는 곳에서 함께 살았다. 그렇게 나는 처음 경험하는 자취 생활로 중학교 3학년 과정을 졸업하였다. 나는 이렇게 중3 때부터 자취 생활을 시작하여 고등학교와 대학을 졸업할 때까지 약 10여 년 동안 하였다.

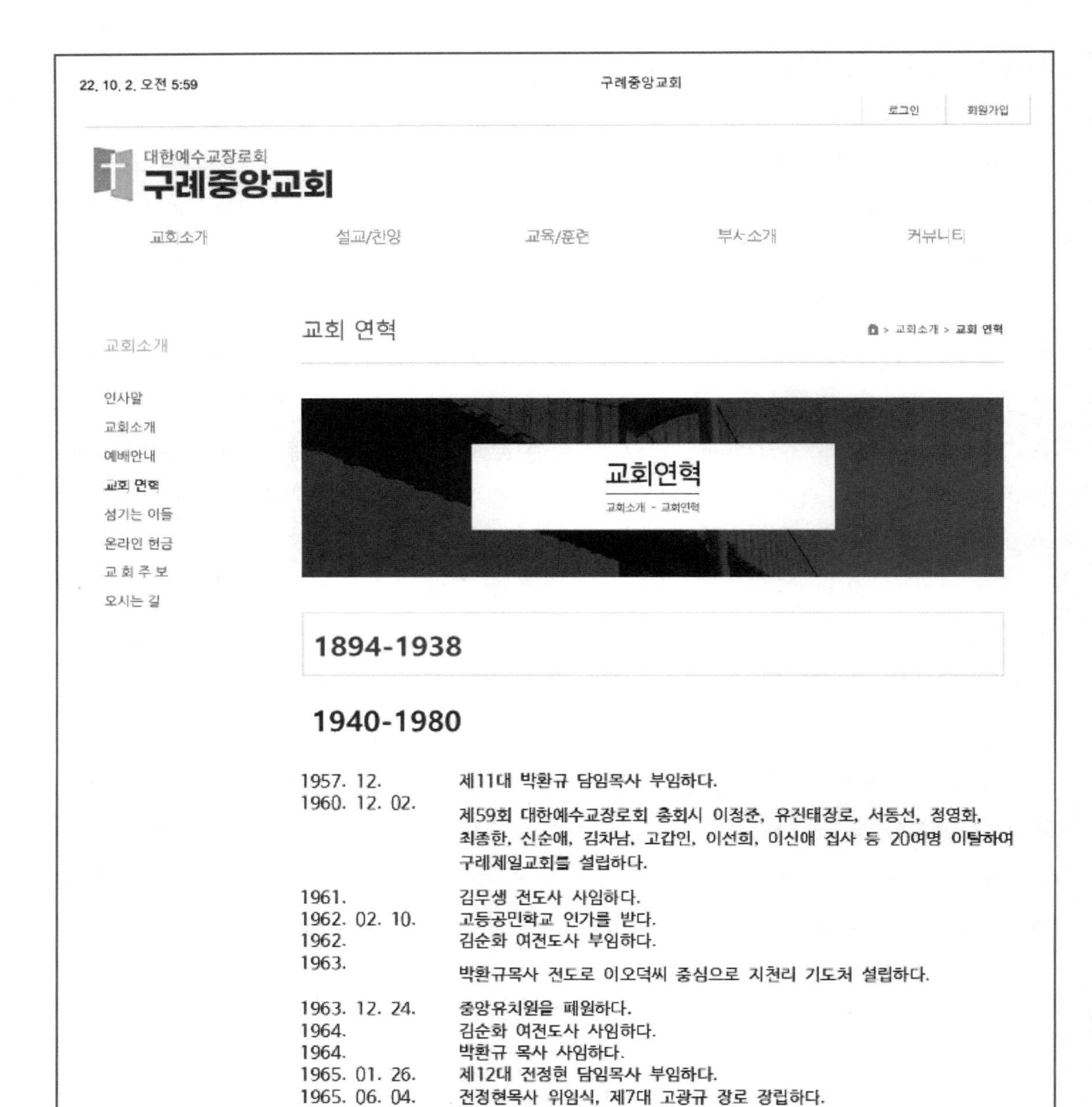

22. 10. 2. 오전 5:59 구례중앙교회

로그인 회원가입

대한예수교장로회
구례중앙교회

교회소개 설교/찬양 교육/훈련 부서소개 커뮤니티

교회소개

인사말
교회소개
예배안내
교회 연혁
섬기는 이들
온라인 헌금
교 회 주 보
오시는 길

교회 연혁

> 교회소개 > 교회 연혁

교회연혁

교회소개 - 교회연혁

1894-1938

1940-1980

1957. 12. 제11대 박환규 담임목사 부임하다.
1960. 12. 02. 제59회 대한예수교장로회 총회시 이정준, 유진태장로, 서동선, 정영화, 최종한, 신순애, 김차남, 고갑인, 이선희, 이신애 집사 등 20여명 이탈하여 구례제일교회를 설립하다.
1961. 김무생 전도사 사임하다.
1962. 02. 10. 고등공민학교 인가를 받다.
1962. 김순화 여전도사 부임하다.
1963. 박환규목사 전도로 이오덕씨 중심으로 지천리 기도처 설립하다.
1963. 12. 24. 중앙유치원을 폐원하다.
1964. 김순화 여전도사 사임하다.
1964. 박환규 목사 사임하다.
1965. 01. 26. 제12대 전정현 담임목사 부임하다.
1965. 06. 04. 전정현목사 위임식, 제7대 고광규 장로 장립하다.
1965. 문태훈장로 협동장로
1965. 봉동리 473번지 87평을 매입하다.

1964년 12월 15일 나주군 반남면 대안교회로 사역지를 옮기셨다. 대안교회에서도 부임하시자, 교회 헛간(창고)을 개조하여 야간 중학교 과정을 시작하여, 교회 옆 동산의 밭을 매입하고 교사를 신축하셨다. 나주군 교육청에서 '반남고등공민학교'로 등록을 하고 학생들을 모집하니 이웃 영암군 시종면에서도 학생들이 왔다. 그때는 반남면 소재지에 중학교가 없어서, 반남면 초등학교 졸업생들은 이웃 공산면 공산중학교나 영암군 신북면 신북중학교로 약 십 리 길을 걸어서 다녔다. 조금 넉넉한 집 아이들은 부모가 자전거를 사 주어 타고 다녔다. 중학교 진학율도 매우 낮았다. 중학교 과정의 수업료와 등록금이 많이 들 것을 걱정하는 부모들이 많았다. 그래서 교회에서 최소한의 등록금으로 교재비와 경비만 받는 수준으로 야간 중학 과정을 시작하여, 후에는 고등공민학교를 개교하였다. 학부모들이 잘 몰라서 학비에 대한 부담이 많았다. 동네마다 부락을 돌아다니며 학비는 조금이면 된다고 설득하며 학생 모집을 하러 다니기도 하였다.

면 소재지와 교회에서 약 4km 정도 떨어진 반남면 청송리에서 출석하는 교인과 고등공민학교 학생들과 함께 그곳에 '청송교회'를 개척하셨다. 그리고, 이웃 영암군 시종면 금월리에서 오는 학생들과 교인들을 위해 '금월교회'도 개척하셨다.

그렇게 14~15년을 사역하시다 1978년 12월 31일부로 대안교회를 사임하셨다. 그때 교단이 합동과 개혁으로 나뉘어 교계가 혼란한 시절이었다.

1979년 1월 나주군 봉황면 봉황교회로 부임하셨다. 1년여 시무하고, 1979년 12월 9일에는 광주시 북구 운암동 479-2번지 상가(금호고등학교 앞) 2층에서 '은석교회'를 설립하고 개척예배를 드렸다.

그때 여자전도사 사역을 내려놓고 1971년부터 광주시 충효동에서 어린이집 원장을 하고 계시던 나의 외조모 박소님 전도사도 은석교회에서 무보수로 사역을 함께 하게 되었다. 50대 중반에 광주 시내에서 교회를 개척하시고 열심히 목회를 하시었다.

1983년 6월 1일 광주시 북구 운암동 439-8번지(운암 주공아파트 뒤편, 철길 옆)의 땅 93.4평을 1,872만 원에 교회 부지로 구입하였다.

1983년 6월 29일 북구청으로부터 지하 53평, 1층 53평, 2층 23평의 건축 허가를 받고 7월 12일 기공예배를 드리고 건축을 시작했다.

1983년 12월 10일 1차 공사를 준공하였다.

건축 과정에서 재정이 부족하자 모친이 남겨 준 영암의 전답을 팔아 5남 1녀의 자녀

교육을 위해 어렵게 준비한 광주시 임동의 자택을 팔아 교회건축헌금으로 드렸다. 광주시 북구 임동 427번지에 있던 자택은 할머니의 유산으로 5남 1녀의 자녀 교육을 위해 어렵게 준비했던 유일한 집(부동산)이었다. 그렇게 값나가는 집은 아니었다. 마당에는 고압선 전기의 철탑이 세워져 있었다. 1981년 9월 자택에서 모친 좌추선 권사의 장례를 치르기도 했던 곳이다. 교회 건축이 시작되고 박 목사와 자녀들은 교회의 지하실을 사택으로 생활을 하기 시작했다. 열심히 심방하고 교인들을 돌보며 사역을 하여 교회가 부흥하기 시작했다.

광주 은석교회는

1987년 4월 4일 장로 1분(이학제)의 장립과 권사 2분(박일심, 정용순)의 취임식을 했다.

1988년 4월 12일에는 박환규 목사의 위임예식을 거행하기도 했다.

1989년 차남 성기가 경기노회에서 목사 안수를 받았다.

1992년 6월 31일 2차 교회당 증축공사 기공예배를 드렸다.

1992년 10월 18일 2차 교회당 증축공사 완공하여 입당예배를 드렸다.

1993년 1월에 3남인 박창기가 전도사로 부임한다.

1994년 3월 26일 성전 봉헌식과 더불어 안수집사 1명(황의수)의 안수, 권사 5분(최순례, 강현숙, 기성순, 김순자, 박희자)의 취임식을 가졌다.

2남인 박성기 목사는 1994년 GMS 선교사로 전남노회 파송을 받고 아프리카 케냐로 떠났다. 그 후, 박환규 목사는 파송 교회도 없이 개인 후원자들만 의지하고 떠난 둘째 아들 박성기 목사의 후원금을 모금하기 위해, 시간이 허락하는 대로 여러 교회를 방문하고 계셨다.

1995년 2월 5일 주일 저녁예배를 드리고 지하 사택으로 내려와 옷을 벗으려는 순간 갑자기 머리가 배~앵 돌아 정신을 잃고 쓰러지셨다. 앰블런스로 즉시 광주기독병원으로 이송했다. 고혈압으로 인한 뇌출혈이었다. 이때부터 기독병원에서 뇌출혈 수술을 받고 3개월여를 입원, 재활 치료를 하였다. 결국에는 오른쪽 손과 발의 마비를 가진 2급지체 장애자로 퇴원을 하셨다.

1995년 10월 10일 박창기는 전남노회에서 강도사 인허를 받았다.

1996년 10월 18일 박창기는 전남노회에서 목사 안수를 받았다.

1997년 11월 22일에 박환규 목사 은퇴식과 박창기 목사 위임식 및 황의수 장로 장립식을 거행했다. 3남 창기가 전남노회에서 목사 안수를 받고 은석교회 부목사로 부임하여 부친을 보좌하며 목회를 하다 담임목사로 위임을 받았다.

2000년 8월에 3남 창기는 은석교회 담임목사를 사임하고 광주 중흥교회 부목사로 부임한다. 부목사 부임 후, 중흥교회 담임목사님과 당회에서 선교사 파송의 허락을 받아, 총신대학교 선교대학원에서 선교사 파송을 위한 공부를 하였다.

2004년 7월 3남 창기목사는 광주중흥교회에서 파송을 받고 캄보디아 GMS 선교사로 파송을 받았다.

1949년 장흥에서 관산교회 전도사로 시작한 박환규 목사의 목회 생활은 1997년 11월 22일 은석교회 담임목사 은퇴식으로 49년의 목회 생활을 마무리하였다. 뇌출혈 후유증으로 지체의 장애를 지닌 박환규 목사는 은퇴 후 광주시 북구 운암동 주공 3단지 아파트에 살다, 후에는 광산구 운남동 주공 5단지 아파트로 옮겨 살았다. 그 후 문례순 사모는 남편 박환규 목사와 함께 회복과 재활을 위해 운남 주공 5단지에서 많은 노력을 하였다.

2003년 2월 막내아들(5남) 은기도 총신대학원에서 목회학 석사(M. Div) 과정을 수료하고 목사가 되어, 경기도 고양시 신일교회 부목사로 있다가, 광주로 내려와 광산구 신가동 신가병원 근처에서 아름다운 교회를 개척하였다. 현재는 나주시 왕곡면 양산교회를 담임하고 있다.

2014년 4월 5~6일까지 구례중앙교회에서 창립 110주년 기념행사로 전임 목회자 초청행사에 초대를 받으셨다. 30대의 한창 나이에 시무했던 교회의 초청을 받고 불편한 몸이지만 부인과 함께 참석하시었고 그날 예배의 축도를 하셨다. 그가 구례에서 시무할 때 청년이나 학생이었던 분들이 장로가 되었고, 그와 함께 고등공민학교 교사로 일하시던 집사님은 장로가 되시었으나 일찍 소천하신 분들도 있었다.

자료 쉽게 볼 수 있는 곳 :
https://tinyurl.com/24ob9zjl

다음은 박환규 목사가 뇌출혈 후 목회를 은퇴하시고, 불편한 몸이지만 인내와 많은 노력으로 손가락 타법으로 컴퓨터를 이용하여 남기신 직접 기록한 글이다. 박환규 목사께서 「나의 약력」, 「우리 가정의 신앙」과, 「신앙의 계보」를 2004년 12월 6일에 완성하여 남겨 놓으셨다. 나는 이 글을 기준으로 참고하여 기록들의 사실과 출처를 찾아 밝히는 서류와 글들을 소개하고자 한다.

하여, 우리의 후대들에게 보여 주고자 이 글을 편집하게 되었다.

다음 페이지에 자료와 사진으로, 다른 자료는 부록에 게재한다.

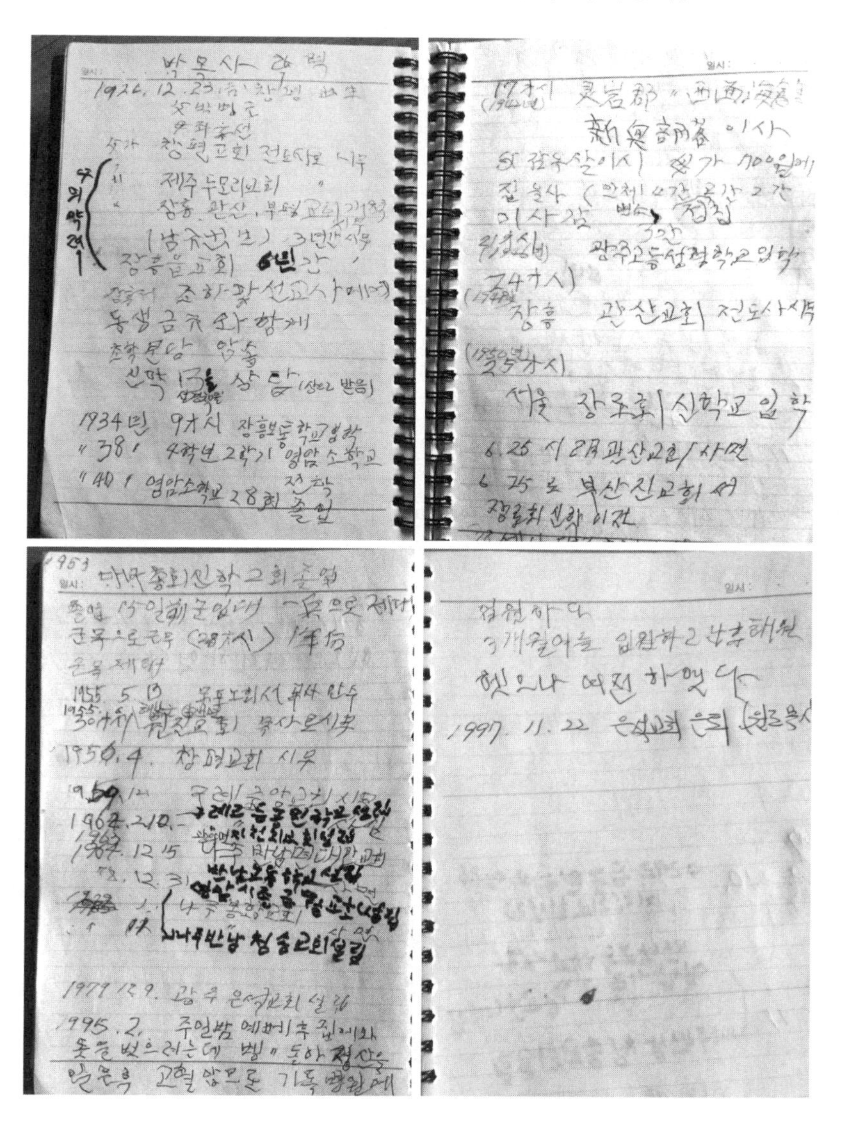
박목사 약력

서울 장로회신학교 입학

1997. 11. 22 은석교회 은퇴

박환규(朴煥圭) 목사의 약력

1926년 12월 23일(음)	담양군 창평면 창평교회 시무 중에 출생 부친을 따라 제주를 거쳐, 장흥에서 유년시절을 보냈다.
1934년(9세)	장흥소학교(현 초등학교) 입학
1936년 4월 22일	장흥에서 조하파[47] 선교사에게 동생 금규와 함께 초학문답을 암송하여 신약성경을 상으로 받았음[48]
1938년(13세)	4학년 2학기 영암소학교(현 초등학교)로 전학
1940년(15세)	영암소학교(현 초등학교) 28회 졸업
1942년(17세) 10월	부친 박병근 전도사가 창씨개명과 신사참배 거부로 일본 경찰에게 붙잡혀 영암경찰서와 광주형무소에서 감옥살이를 시작. 모친이 영암군 군서면 해창리 신흥 부락으로 집을 얻어 이사함
1946년(21세)	광주고등성경학교 입학(동생 금규 숭일중학교 입학)
1948년 12월 27일	무안 매곡교회에서 문례순과 결혼
1949년(24세)	장흥 관산교회 전도사로 시무
1950년(25세) 6월	서울 남산 장로회신학교 입학
1950년 6월 25일	전쟁으로 8월 관산교회 전도사 사면함 부산진교회서 장로회신학(이전)으로 다시 입학
1951년 10월 14일	장남 중기 영암에서 출생
1953년(28세)	대구총회신학교 개편 대한예수교장로회 총회신학교 2회 졸업 졸업하기 15일 전 소집장을 받아 군에 입대함
1953년 7월 27일	휴전협정으로 제주 모슬포 훈련소에서 휴전을 맞아 일병으로 제대하고 군목으로 복무를 시작함
1954년	마산육군병원, 9사단 29연대 군목으로 1년 시무 후 제대
1955년 5월 13일	목포노회에서 목사 안수
1955년 6월	해남군 삼산면 원진교회 목사로 첫 시무(11개월)

1956년 4월	담양군 창평교회 시무(4년 시무)
1957년 12월	구례군 구례중앙교회 11대 담임목사 부임
1962년 2월 10일	구례중앙교회 내에 구례고등공민학교 설립
1963년	구례군 광의면 지천리에 이오덕 성도 중심으로 지천리교회 설립
1964년 12월	구례중앙교회 담임목사 사임
1964년 12월 15일	나주군 반남면 대안교회 부임
	반남고등공민학교 설립
	반남면 청송리 청송교회 설립
	영암군 시종면 금월리 금월교회 설립
1978년 12월 31일	대안교회 사임
1979년 1월	나주군 봉황면 봉황교회 부임
1979년 12월 9일	광주시 북구 운암동 479-2번지 은석교회 설립
1994년	2남 성기 전남노회에서 케냐로 선교사 파송
1995년 2월 5일	주일 밤 예배 후 사택에서 뇌출혈로 쓰러져, 광주기독병원에서 수술 치료 받음(약 3개월)
1997년 11월 22일	은석교회 담임목사를 은퇴, 원로목사 추대
2004년 7월	3남 창기 광주 중흥교회에서 캄보디아 선교사 파송
2014년 4월 5~6일	구례중앙교회 창립 110주년 기념식 전임 교역자 초청 행사 참석 예배 축도하심
2015년 7월 17일	광주 광산구 삼거동 제1시립요양병원 입원
2016년 9월 20일	광주 광산구 삼거동 제1시립요양병원 퇴원
2016년 9월 20일	남평 나사렛요양병원에 입원
2017년 5월 20일	남평 나사렛요양병원에서 소천
2017년 5월 22일	발인예배, 화장 후 영암 선영에 안장함

▲ 생전의 부모님과 5형제가 함께한 사진(왼쪽부터 순서대로). 두 명이 해외선교사로 모든 식구들이 만나기가 참으로 어려웠다.

다음 글은 같은 노회에서 사역하신 황영준 목사님이 박환규 목사 돌아가시던 그해 2017년 8월부터 9월까지 교갱뉴스에 연재해 주신 귀한 글을 여기에 옮겼다.

HOME > 오피니언 > 남도편지

아들의 십자가 영광을 바라보며

황영준 목사 | 승인 2017.08.31 15:52

손종일 장로 이야기

가문의 대를 이어 신앙생활을 하며 교회를 섬기는 이들의 간증을 들으면 좋은 교훈이 되고 큰 은혜가 된다.

손양원 목사가 신사참배를 거부하고 경찰에 체포되어 갈 때 부친 손종일 장로가 하셨다는 말씀이 잊히지 않는다. "손 목사야, 누가복음 9장 62절과 마태복음 10장 37절로 39절을 기억해라." 했단다. "손에 쟁기를 잡고 뒤를 돌아보는 자는 하나님의 나라에 합당치 아니하니라."는 말씀과 "아비나 어미를 나보다 더 사랑하는 자는 내게 합당치 아니하고 아들이나 딸을 나보다 더 사랑하는 자도 내게 합당치 아니하고 또 자기 십자가를 지고 나를 좇지 않는 자도 내게 합당치 아니하니라"이다.

사명자가 믿음을 지키고 십자가의 길을 가는데, 가족 염려로 흔들리지 말고 일사각오를 결심하라는 말씀이었을 것이다. 손 목사가 8·15 해방으로 출옥했을 때 그 부친은 이미 세상을 떠나고 만날 볼 수 없었다.

다시 순교자 박병근 전도사의 가문도 그렇게 십자가 영광을 감당했었다.
박병근 전도사의 부친 박문택(朴文澤)은 미국 남장로교회 초기 선교사들에게 복음을 듣고 신자가 되었고, 선교사들과 함께 전남지역 복음 전파자로 살았다. 전남지역을 맡은 배유지(유진 벨, 1868-1925) 선교사의 전도로 1899년에 설립된 구소리교회(광산구 대촌동) 교인이었다.

박문택은 선교사들에게 신실한 믿음을 인정받아 여러 지역을 순회하며 성경을 배포하고 전도하는 매서인으로 활동했었다. 그는 의료선교사 오웬(한국명 오기원, Owen)을 도와 매서인賣書人으로 직접 활동 했으니 오웬이 다녔던 지역인 남평, 나주, 영암, 장흥, 보성, 능주, 동복, 화순, 옥과, 낙안, 순천, 광양, 구례 등의 어느 곳을 다녔을 것이다. 손자 박환규 목사는 할아버지가 마을 사랑방을 찾아가서 찬송을 부르고, 사람들이 모여들면 복음을 전했었다고 말했다.

박문택의 부인도 전도자로 살았다. 나주군 덕림 마을을 다니며 전도했었는데 그곳에는 1904년에 덕림교회가 설립되었다. 박환규 목사의 증언이다.

아들 박병근도 아버지 따라 복음 전도자의 길로 나섰다.
오웬 선교사 추천으로 광주숭일학교 고등과에 입학하였고, 학업을 마치자 전남노회 전도사가 되어(1924년) 농촌지역에 있는 교회들을 맡아 사역했다. '나는 목사 될만한 자격이 없다.'며 총회 신학교에 가지 않고 평생을 전도사로 사역한 것이다.

그의 아들 박환규(은석교회 은퇴목사)는 부친의 목회를 보면서 성장했다. 그것이 신앙훈련이었다. 강진읍교회에서 열린 연합사경회에 참석했던 일을 잊지 못한다. 교인들과 함께 읍내까지 걸어 다녔다. 그때는 부흥회가 귀한 때라서 군내 여러 교회가 식량을 짊어지고 모였고, 교인들이 나서서 식사를 준비하고 함께 나누니 사경회는 그야말로 천국 잔치 같았던 것이다.

박환규는 부친이 신사참배를 거부하고 감옥에 갇혔을 때는 신문배달, 버스 차장, 양복점 일, 사진관 일을 하며 가족 생계를 챙겼다. 그렇게 훈련받은 두 아들(박환규 박남규)은 목사가 되어 농촌교회와 광주지역에서 목회를 했다.

예수님께서 삼 년이나 훈련한 제자들로 '예수 그리스도의 증인'이 되게 하시더니 바로 박문택 성도의 가문도 이런 믿음의 대를 이어 국내와 해외에 복음 사역자로 세움을 받았다.

필자가 목회 초년부터 전남노회를 함께 섬겼던 박환규 목사는 교회사를 연구하는 내게 가문의 이야기를 구체적으로 말씀해주셨다.

'너희가 십 일 동안 환난을 받으리라 네가 죽도록 충성하라
그리하면 내가 생명의관을 네게 주리라'

믿음의 꽃을 피우고 예수 향기를 날리신 분들이라 생각한다.

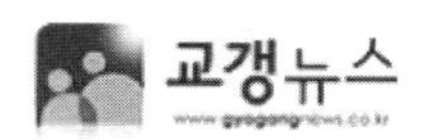

HOME > 오피니언 > 남도편지

박환규 목사, 세 아들 목사로 세우고

황영준 목사 | 승인 2017.08.31 15:54

| 6·25 순교자 박병근 전도사 이야기(1)

목사님들이 모이면 자녀들이 목회하는 분들을 만난다.
그럴 때면 "목사님은 목회 기도를 못 쉬시지요. 아들이 교회를 섬기고 있으니..." 하며 인사를 나눈다. 목회자의 길이 십자가의 길임을 알고도 아버지를 이어 목회를 지망하는 자녀들이 대단하는 생각을 한다. 근래에 돌아가신 박환규 목사님 장례식장에서 목회하는 세 아들을 만났다. 케냐에서, 캄보디아에서 선교활동을 하고, 광주에서 개척교회를 하는 분들이었다.

그 때 그 가문의 아름다운 믿음과 헌신 이야기를 신문에 올리기로 마음 먹었다.
그들의 역사가 바로 광주전남 선교 역사와 맞물려 있어서 의미가 있다고 생각했기 때문이다.

그 첫 이야기는 이런 것이었다.

박환규 목사(광주 은석교회, 현재 단비교회 은퇴목사)가 지난 5월 20일 당년 91세(1926년 생)로 육신의 생명을 거두었다. 6·25 때 순교한 박병근 전도사의 아들로 목회자 대물림으로 평생을 살았고 아들 셋을 선교사와 목회자로 두었다. 전남노회 역사를 오래도록 이어온 전남지역 교회사 증인이었다.
장례식장에서 케냐에서 달려온 아들 박성기 선교사를 만났다.
20년 전, 의료봉사팀을 이끌고 갔던 일을 추억하며 그곳 나무밑 교회(이야니교회)의 안부도 물었다. 그에게 "당신의 아들 5대까지 가문이 광주 전남 선교 역사의 맥"이라며 이야기를 나누었다.

광주에 은석교회를 개척해서(1979년) 시무하다 은퇴하신 박환규 목사에게 들은 이야기다.

그는 내 앞에 부친 박병근(朴炳根) 전도사가 공산당 흉탄에 순교할 때 입고 있었던 옷, 총탄 흔적 뚜렷한 핏빛 바랜 옷 조각을 내놓았다. 어찌 끔찍한 옷 조각을 갖고 계실까. 부친의 순교신앙, 절대 믿음을 유산으로 간직하고 싶었던 것 같다. 본인의 생각이 그렇지만 선교사와 목사 된 세 아들과 후손들에게도 순교자 가문의 자존감을 유산으로 물려주고자 하는 가보였을 것이다.

박환규 목사의 조부되신 박문택(朴文澤)은 미국 남장로교 선교사 유진벨(배유지)이 전라도에 처음 들어왔던 시기에 광산구에 세운(1899년) 구소교회 교인이 되었다. 말하자면 전라도 선교 초기 교인으로 금보다 더 귀한 신자였던 것이다.

박문택의 아들 박병근이 순교한 날이 1950년 9월 30일이다.
나산교회(함평군)를 시무할 때이다. 지방 유지 30여 명과 함께 공산당에 붙잡혀서 향교 뒷산으로 끌려가 그들의 흉탄에 죽은 것이다. 일제 때는 신사참배를 거부했고, 8·15 해방 후에 반공교육에 앞장섰던 것이 그들의 눈에 가시였을 것이다. 만행이었다. 얼마나 많은 사람들이 억울하게, 무참하게 죽어갔던가.

아버지와 아우를 잃은 박환규 전도사는 어린 딸도 잃었다.
장흥 관산교회로 부임하면서 찬바람에 병을 얻어 숨을 거둔 것이다. 목회자가 건너야 할 강이요 불같은 연단이었을까? 감당하기 어려운, 빠져나올 수 없는 슬픔의 늪 같았다.

목회자로 5-60년. 지상 교회에서의 사역이 어찌 순탄했겠는가.
교회의 어려움과 함께 교단 분열로 인한 노회의 갈등까지 겪으며 전남노회를 지켜왔다. 농촌 교회를 섬기다 마지막에는 광주에 개척하여 지내다 중병으로 쓰러지더니 다시 일어서지 못했다. 하나님께서 '세상 수고를 그치라'며 부르신 것이리라.

황영준 목사

153 페이지 교갱뉴스의 황영준 목사 글 「박환규 목사, 세 아들 목사로 세우고」의 Shorten URL이나, QR Code입니다.
휴대폰에서도 볼 수 있습니다. 자료 출처 : http://www.churchr.or.kr/news/articleView.html?idxno=5578
자료 쉽게 볼 수 있는 곳 : https://tinyurl.com/2ca2srah

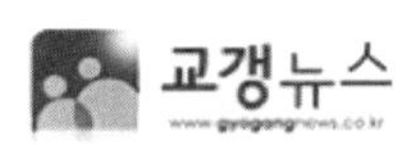

HOME > 오피니언 > 남도편지

매서인 박문택과 아들 박병근 전도사

황영준 목사 | 승인 2017.08.19 15:59

6·25 순교자 박병근 전도사 이야기(2)

《죽으면 죽으리라》를 쓴 안이숙은
1948년에 미국으로 떠나면서 어머니에게 '제가 없는 동안에 먼저 천당 가시지 마시고 기다려야 합니다. 석 달 후면 꼭 돌아오겠습니다.' 다짐했으나 그렇게 헤어져 미국으로 간 것이 마지막 이별이었다. 이젠 천국에서 반갑게 만나지 않았을까.

지난 5월 20일 91세로 소천하신 박환규 목사도
매서인이었던 조부(박문택)와 6·25 순교자인 부친(박병근)을 천국에서 만나 뵙고 선교사와 목사 세 아들을 응원하고 계실 것 같다.

박병근(朴炳根)전도사(박환규 목사의 부친)는 1950년 6·25 때 나산교회(함평군 나산면)를 맡고 있었다. 그 해 9·28 서울 수복이 이루어지면서 잠시 물러섰던 국군과 경찰이 다시 치안을 회복하자 그동안 지방에서 일어났던 좌익세력이 도망하면서 공직자와 유력인사 그리고 기독교인들을 학살했다. 박 전도사도 그렇게 9월 30일쯤에 순교했다.

그는 광주숭일학교를 나와 평생을 전도사로 사역했다. '나 같이 부족한 죄인이 어찌 목사가 되겠느냐'며 평양신학교 진학을 사양했던 것이다. 그래서 평생을 전도사로 사역했다.

부친 박문택은 유진벨 선교사가 1899년에 개척했던
구소리교회(현재 광산구) 초기 교인이다. 배유지(유진벨) 선교사는 광주 전남지역 선교를 책임 맡아 자주 전남지역을 답사했다. 전주를 출발하면 영광과 나주를 거쳐 목포로 다녔고, 그 길목인 구소리 주민들에게 복음을 전하여 구소리교회가 세워졌다.

박문택은 의료선교사 오웬(오기원)에게서 세례를 받았다. 그리고 전도자로 나섰다. 선교사에게 전도지와 성경을 받아 마을마다 다니며 배포하는 매서인으로 나선 것이다. 매서인 박문택은 아들을 선교부에서 설립한 광주숭일학교에 보냈다.

아들도 부친을 따라 복음 전도자로 나섰다.
숭일학교를 다니며 구소리교회가 운영하는 학교와 보성군 운림학교, 광산군 조산학교를 다니며 기독교 진리를 선포했다.
한 편으로는 선교부 성경학원을 거쳐 평양신학교가 주관하는 통신과정 신학을 마치고 1924년에 전남노회 전도사가 되었다. 담양창평교회를 맡았다가 제주도 신창교회로 들어갔다. 그 때는 제주도가 전남노회 소속이었다. 민속신앙과 미신이 극심한 곳에서 복음전파에 진력했다. 1930년에 육지로 나와 장흥군 부평교회를 개척했고, 삭금리교회와 진목교회까지 겸임했다.

1934년에는 장흥읍교회로 옮겨 예배당을 건축하고,
1937년에는 영암읍교회를 시무하면서 영보교회, 구림교회, 장사리교회, 도장교회까지 담당했다. 이어서 신흥교회와 장암교회도 개척했다. 한국 교회의 개척기에 가는 곳마다 복음을 전하고 교회를 설립하며 예배당을 건축했다. 전남지역 교회의 기초석을 든든히 놓은 것이다.

조선예수교장로회가 1938년에 신사참배를 결의했지만
박 전도사는 이를 거부하고 일경에 체포되었다. 강진읍교회에서 모인 장강영시찰회(장흥, 강진, 영암) 연합사경회 강사로 나섰다가 붙잡힌 것이다. 교역자들과 교인들 수십 명을 끌려갔다. 영암경찰서에 13개월 갇혀있으면서 고문과 회유를 받았지만 단호하게 거절했다. 광주형무소에 3년을 복역하고 1943년에 석방되어 신흥교회를 섬기다 8·15 해방을 맞았다.

무안현경교회를 시무할 때 나산교회로부터 청빙을 받았다.
지방의 좌익세력이 교회를 극단적으로 핍박하자 못 견딘 교역자가 떠났다. 그 후임으로 가게된 것이다. 박 전도사는 '내가 짊어져야 할 십자가'라 생각했고, 나산교회에 부임하자 반공운동에 앞장섰다. '일사각오'로 신사참배를 거부했던 믿음을 지키기로 한 것이다. 어떤 사람들에게는 눈엣가시가 된 것이다.

6·25에 공산군이 내려오자 지방의 좌익들이 합세하고 나섰다.
공무원이나 교회 지도자들도 끌려갔다. 교인들이 전도사에게 피난을 권했지만 '교회를 지키겠다.'며 거절했다. 하나님의 뜻이면 순교의 제물로 드리기로 작정한 것이다.

믿음의 선진들을 기리는 복음성가처럼
'그러므로 나는 사나 죽으나 주님의 것이요 날 위해 피 흘리신 내 주님의 것이요'

HOME > 오피니언 > 남도편지

사나 죽으나 주님의 것이요

황영준 목사 | 승인 2017.08.27 16:01

6·25 순교자 박병근 전도사 이야기(3)

초등학생으로 바닷가 마을 초가지붕 예배당(녹동제일교회)에 다니던 때는
6·25 전쟁이 휴전으로 잠잠해진 시기였다. 어린이 예배시간이면 청년 교사가 '총칼 위협 앞에서도 나는 예수 믿는다고 말해야 한다. 죽더라도 믿음을 지켜야 천국 간다.'고 설교했다. 그때 교회들이 순교 믿음을 강조했던 것이다.

박병근 전도사가(함평 나산교회) 6·25 때 공산군에 붙잡혀
함평내무서 유치장 갇혔다. 이웃 교회 목사와 장로 그리고 집사들도 끌려왔고 지방 유지들도 있었다. 박 전도사는 일제 때도 신사참배를 거부해서 감옥생활을 했다. 8.15 해방 후, 좌우익 갈등으로 혼란스러울 때도 청년들에게 무신론 공산주의를 비판하는 교육에 앞장섰다. 그러니 좌익들에게나 공산군에게는 공산주의 혁명의 반동으로 지목되었을 것이다.

1950년. 여름이 지나면서 공산군의 전세가 불리해지고
9·28 수복으로 좌익 폭도들과 공산군은 다급하게 후퇴를 서둘렀다. 주민들을 살상한 폭도들은 마지막으로 유치장에 가두었던 분들을 끌어내어 총살했다. 박병근 전도사도 여러 사람과 함께 묶여 향교 뒷산으로 끌려갔다. 모두 공산당의 총탄에 무참하게 죽었다. 국군과 경찰이 들어오면서 지옥 같았던 공포에 걷히고 가족 잃은 사람들의 슬픔과 원한과 통곡이 하늘을 찔렀다.

아들 박환규가 기억하는 부친 박 전도사의 죽은 모습이다.
'두 손이 앞으로 묶였고, 죽으면서도 기도했던 모습이었다. 등에 총을 맞아 그 총탄이 몸을 관통한 처참한 모습이었다.' 숨을 거두는 순간에 무슨 기도를 드렸을까. 일제의 압제와 조국 광복, 6·25 전쟁과 민족상잔 그리고 교회의 수난을 겪으면서 이 예수님처럼 '아버지여 저희를 사하여 주옵소서 자기의 하는 것을 알지 못함이니다.' 하셨을까? 스데반처럼 '주 예수여 내 영혼을 받으시옵소서... 주여 이 죄를 저들에게 돌리지 마옵소서.' 하였을까?

그의 부친 박문택은 광주 선교 초기 교인이었다.
부친을 따라 믿음의 대를 잇더니 이렇게 순교의 열매가 되었다. 9월 30일, 추석 때지만 끔찍한 살육으로 모두 통곡과 슬픔에 빠졌다.

한편,
그때 함평내무서에서 기적적으로 살아난 한 분이 박요한 목사(함평 궁산교회)이다. 그의 간증이다. 감옥에서 끌려 나간 사람들이 돌아오지 않자 다 피살된 것으로 알았다. '이제 내 차례가 되었구나' 생각하며 죽음을 기도로 준비했다. 함께 갇힌 장로에게 "찬송하고 기도한 후에 전도하고 죽읍시다." 이렇게 다짐했다. 죽는 순간에도 전도하자고 다짐했던 것이다.

그런데 웬일인가. 마지막으로 철수하던 공산당이 유치장 문을 열어주면서 "당신들, 하나님이 살려준 줄 아시오." 하고 풀어주었다. 순교 역사의 증인으로 남겨주셨을까. 그는 훗날 장로교회 총회장이 되었다.(대한예수교장로회 제58회 총회장)

박 전도사의 피에 젖은 옷은 아내가 손수 지어 감옥에 넣어주었던 그 옷이었다.
난리 통에 목관을 구할 수 없어서 대나무 발에 시신을 싸서 장례를 치렀다. 주님의 교회를 위해 피란도 마다했던 그 시대의 목회자의 무거운 십자가를 순교로 감당한 것이다. 하나님은 천사들을 보내 그를 영접하고 '착하고 충성된 종, 내 생명을 조금도 귀한 것으로 여기지 않은 순교 제물이었다' 위로하고 칭찬하셨을 것 같다.

아들 박환규(목사)는 부친이 입고 있었던 그 옷,
총구멍이 뻥 뚫리고 핏빛 바랜 유품을 간직하고 있다. 선교사와 목사가 된 세 아들과 함께 믿음의 가문, 전도자의 가문 그리고 헌신을 다짐한단다. 박환규 목사의 글이다. "나, 부친 뒤를 잇기 위하여 이곳에 왔으니..., 우리 식구들 천국 가면 기쁜 얼굴로 대할 것이니 슬픔을 기쁨으로 바꾸어 주시는 주님의 위로가 영원히 떠나지 않을 줄 압니다. 내 할 일 다 하고 주님 뜻 준행하다가 부친 가신 그 길을 가길 원합니다. 부친의 최후 교훈입니다."

그 소망이 대단한 감동이다.

광주 선교 초기 교인이었던 박문택은 매서인,
아들 박병근 전도사는 순교의 열매,
3대째는 두 분 목사(박환규, 박남규) 그리고
4대째는 셋이 선교사와 목사로 '복음 전파자'의 길 '십자가 길'을 걷고 있다. 할렐루야!

HOME > 오피니언 > 남도편지

아버지의 믿음 나의 믿음

황영준 목사 | 승인 2017.09.03 16:04

6·25 순교자 박병근 전도사 이야기(4)

가문의 대를 이어 신앙생활을 하며 교회를 섬기는 이들의 간증을 들으면 좋은 교훈이 되고 큰 은혜가 된다.

손양원 목사가 신사참배를 거부하고 경찰에 체포되어 갈 때 부친 손종일 장로가 하셨다는 말씀이 잊히지 않는다.

"손 목사야, 누가복음 9장 62절과 마태복음 10장 37절로 39절을 기억해라." 했단다. "손에 쟁기를 잡고 뒤를 돌아보는 자는 하나님의 나라에 합당치 아니하니라."는 말씀과 "아비나 어미를 나보다 더 사랑하는 자는 내게 합당치 아니하고 아들이나 딸을 나보다 더 사랑하는 자도 내게 합당치 아니하고 또 자기 십자가를 지고 나를 쫓지 않는 자도 내게 합당치 아니하니라." 이다.

사명자가 믿음을 지키고 십자가의 길을 가는데, 가족 염려로 흔들리지 말고 일사각오를 결심하라는 말씀이었을 것이다. 손 목사가 8·15 해방으로 출옥했을 때 그 부친은 이미 세상을 떠나고 만날 볼 수 없었다.

다시 순교자 박병근 이야기이다.

박병근 전도사의 부친 박문택(朴文澤)은 미국 남장로교회 초기 선교사들에게 복음을 듣고 신자가 되었고, 선교사들과 함께 전남지역 복음 전파자로 살았다. 전남지역을 맡은 배유지(유진 벨, 1868-1925) 선교사의 전도로 1899년에 설립된 구소리교회(광산구 대촌동) 교인이었다.

구소리 교회 역사는 다음과 같다.

배유지 선교사가 1896년에 우산리(광주 광산구) 주민들에게 전도하여 1897년부터 예배를 드렸다. 나주에 선교부를 세우기 위해 군산에서 나주로 여행하는 길에 들렀던 마을이다. 그렇지만 일부 주민들의 반발과 교회에 대한 심한 반대로 1899년에 삼도리교회와 구소리교회로 나누어 모이게 되었다.

박문택은 선교사들에게 신실한 믿음을 인정받아 여러 지역을 순회하며 성경을 배포하고 전도하는 매서인으로 활동했었다. 그는 의료선교사 오웬(한국명 오기원, Owen)을 도와 매서인賣書人으로 직접 활동 했으니 오웬이 다녔던 지역인 남평, 나주, 영암, 장흥, 보성, 능주, 동복, 화순, 옥과, 낙안, 순천, 광양, 구례 등의 어느 곳을 다녔을 것이다. 손자 박환규 목사는 할아버지가 마을 사랑방을 찾아가서 찬송을 부르고, 사람들이 모여들면 복음을 전했었다고 말했다.

박문택의 부인도 전도자로 살았다. 나주군 덕림 마을을 다니며 전도했었는데 그곳에는 1904년에 덕림교회가 설립되었다. 박환규 목사의 증언이다.

아들 박병근도 아버지 따라 복음 전도자의 길로 나섰다.

오웬 선교사 추천으로 광주숭일학교 고등과에 입학하였고, 학업을 마치자 전남노회 전도사가 되어(1924년) 농촌지역에 있는 교회들을 맡아 사역했다. '나는 목사 될만한 자격이 없다.'며 총회 신학교에 가지 않고 평생을 전도사로 사역한 것이다.

그의 아들 박환규(은석교회 은퇴목사)는 부친의 목회를 보면서 성장했다. 그것이 신앙훈련이었다. 강진읍교회에서 열린 연합사경회에 참석했던 일을 잊지 못한다. 교인들과 함께 읍내까지 걸어 다녔다. 그때는 부흥회가 귀한 때라서 군내 여러 교회가 식량을 짊어지고 모였고, 교인들이 나서서 식사를 준비하고 함께 나누니 사경회는 그야말로 천국 잔치 같았던 것이다.

박환규는 부친이 신사참배를 거부하고 감옥에 갇혔을 때는 신문배달, 버스 차장, 양복점 일, 사진관 일을 하며 가족 생계를 챙겼다. 그렇게 훈련받은 두 아들(박환규 박남규)은 목사가 되어 농촌교회와 광주지역에서 목회를 했다.

예수님께서 삼 년이나 훈련한 제자들로
'예수 그리스도의 증인'이 되게 하시더니 바로 박문택 성도의 가문도 이런 믿음의 대를 이어 국내와 해외에 복음 사역자로 세움을 받았다.

필자가 목회 초년부터 전남노회를 함께 섬겼던 박환규 목사는 교회사를 연구하는 내게 가문의 이야기를 구체적으로 말씀해주셨다.

'너희가 십 일 동안 환난을 받으리라 네가 죽도록 충성하라
그리하면 내가 생명의관을 네게 주리라'

믿음의 꽃을 피우고 예수 향기를 날리신 분들이라 생각한다.

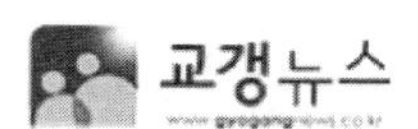

HOME > 오피니언 > 남도편지

십자가의 길 순교자의 삶으로

황영준 목사 | 승인 2017.09.15 15:38

6·25 순교자 박병근 전도사 이야기(5)

어느 부모가 자식에게 고달픈 삶을, 비천한 가문을 물려주고 싶겠는가.
비록 고생을 하더라도 자식에게는 더 나은 삶을 살 수 있도록 하는 것이 부모 심정 아닌가. 그러나 십자가의 길을 가는 목회자는 세상 것을 자녀들에게 물려주기 어렵다. 그런데도 믿음의 자녀들은 부모의 헌신과 십자가 삶을 자랑스러워한다. 그리고 그 길을 따라나서는 역설적인 삶을 살기도 한다.

박환규 목사님은 50년, 반 백 년을 목회자로 헌신하고 은퇴했다.
전라도에 처음 들어온 선교사들을 도와 남도 땅 여러 지방을 순회하며 성경을 배포하고 복음을 전하던 조부(박문택), 평생 전도사 신분으로 전남지방만 아니라 제주도까지 오가며 교회를 섬기다 6·25 때 순교한 부친(박병근 전도사)을 이어 3대째 목회자였다. 그 가문은 광주.전남지역 교회 역사의 큰 산맥(영맥)인 것이다.

박환규는 18세 때부터 교회 강단에서 공예배 설교를 했다.
신사참배를 거부한 목사들이 감옥에 갇힐 때는 어쩔 수 없이 교인들이 강단을 지켜야 했다. 그러니 교인들에게 떠밀려 강단에 섰었다. 무척 떨리는 마음으로 예배를 인도했다. 그런데도 은혜가 넘치는 것은 환란과 핍박의 시대에 목자 잃은 양들이 부르짖는 눈물 기도에 주님이 은혜를 부어주셨기 때문이다.

그는 목회자의 길로 들어섰다. 광주고등성경학교를 졸업하고 관산교회(장흥군) 전도사로 첫 목회를 시작한 때가 24세였다. 총회신학교(남산장로교신학교)에 진학했다. 피란 시절에는 학교를 따라 부산과 대구로 옮겨 다니며 공부했다. 목사 안수를 받고는 원진교회(해남), 창평교회(담양), 구례중앙교회, 대안교회(나주), 봉황교회(나주)를 섬겼다. 가난하고 배고팠던 시절에 농촌교회 목회자로 살았다.

봉황교회를 섬길 때는 교단 분열로 부득이 교회를 나왔다. 대한예수교장로회총회에 소속된 목사로서 새로운 총회를 조직하는 측에서 떠나 지금껏 몸담았던 총회를 지켰던 것이다(1979년. 53세).

맨손으로 교회를 나와 광주의 신개발지역이었던 운암동에 은석교회 간판을 달고 교회를 개척했다(1979년). 주공아파트 지역에 자리를 잡은 것이다. 교인도 거의 없는 형편에 힘겹게 예배당을 건축했다. "가족이 살던 집을 팔았다. 자녀들 가운데 누구 하나 원망하지 않았다. 지금도 아이들에게 고마움을 느낀다. 그때는 교인 수가 적었고, 땅을 구입할 돈이 없어서 가족이 살던 집을 팔아 예배당 부지를 구했다. 가족 몇은 셋집에서 살고 나는 예배당 작은방에서 지냈다. 그때 고생을 지금 교인들은 모른다...." 그의 회고이다.

마음을 다하고 힘을 다해 교회를 섬기던 그는 1995년 2월, 밤 예배를 마치고 고혈압으로 쓰러졌다. 밤새워 수술을 하고 3개월이나 치료를 받았지만 오른쪽 수족이 마비되었다. 언어도 어눌했다. 오직 예수 십자가를 바라보며 달려왔던 목회자의 삶을 접어야 했다.

개척 시절의 어려움, 여기까지 달려온 십자가의 길, 목회자의 수고와 눈물 그리고 가족의 희생과 헌신을 교인들이 어찌 알랴. 그렇지만 주님이 아시고, 주님이 위로였으며, 주님이 소망이 아니었던가.

박은기 목사(광주아름다운교회. 박환규 목사 아들)는 교회 개척예배를 드리면서 인사말에 "믿음의 대를 이어간다는 것은 축복입니다. 순교하신 할아버님과 일관성 있게 한 길을 달려오신 아버님을 존경해 왔습니다. 농촌 목회와 개척 목회를 하면서도 한 길을 걸어오신 아버님입니다. 아버님이 저희 형제들 앞에 내놓으셨던 총알구멍이 난 옷(할아버지가 순교할 때 입었던 옷)을 떠올립니다. 조상들의 일사각오 신앙 그리고 교회를 위해 죽도록 충성하는 목회자의 모습이 저의 자존감이 됩니다. 그런 자세로 사역하겠습니다. 자녀들에게도 그런 믿음의 유산을 남겨주는 목사가 되겠습니다." 참으로 가슴 울리는 말이었다. 증조할아버지를 이어 4대 목회자로 예수 그리스도와 그의 교회를 위하여 십자가의 길을 가겠다는 그의 결단이었다.

'내 마음에 주를 향한 사랑이 나의 말엔 주가 주신 진리로-
하나님의 사랑이 영원히 함께 하리 십자가의 길을 걷는 자에게 순교자의 삶을 사는 자에게 조롱하는 소리와 세상 유혹 속에도 주의 순결한 신부가 되리라 내 생명 주님께 드리리'

십자가의 길, 순교자의 삶을 살았고 또 살아가는 기문.
진정 하나님의 사람들이다. 할렐루야!

(박환규 목사님께서 생전에 저자에게 글 자료를 주시고 또 좋은 말씀을 많이 들려주셨다. 지금은 사모님(문례순)도 몸이 많이 불편하신 형편이다. 좋은 역사 자료를 남겨주신 목사님께 감사할 뿐이다. 6 25 순교자 박병근 전도사 끝)

 **황영준 목사**

신앙의 3대-1남(男)의 부인
문례순 사모
(박환규 목사의 부인)

출생과 성장

나의 어머니 문례순은 1930년 1월 17일 무안에서 출생하였다.

그녀의 모친 박소님(1911년생)은 18살의 나이에 영암군 시종면에 사는 문제삼의 후처로 결혼했다. 그때 당시에는 양가 어른들의 결정으로 얼굴도 못 보고 집에서 시키는 대로 결혼하는 경우가 많았다. 박소님은 결혼 후 곧바로 임신을 하였다. 그러나 그녀의 남편(문제삼)은 결혼 후 얼마 되지 않아 질병으로 사망한다. 친정 식구들, 특히 그녀의 남동생(박구화)은 시댁에서 장례를 치르자마자, 곧바로 누나인 박소님을 임신한 채로 친정에 데려왔다. 그래서 문례순은 외가인 무안 매곡리 신촌 부락에서 유복자로 태어났다.

1933년에 예수를 영접하고 믿음 생활을 시작한 그녀의 모친 박소님은 1938년 전주에 있는 한예정여자성경학교에 입학하여 공부를 시작하였다. 1940년 신사참배 거부로 성경학교가 폐교되어 모친 박소님이 집으로 돌아왔다. 박소님은 해방 후 1948년 9월 미국인 선교사들이 돌아와 다시 시작한 광주이일성경학교가 다시 문을 열자, 중단했던 성경학교 과정을 광주이일학교로 복교하여 수료를 하였다. 졸업 후 전도부인이 되어 선교사들의 배정을 받아 김제 죽산교회를 첫 부임지로 사역을 시작을 하였다. 그리고 후에는 무안 매곡교회에서 전도부인으로 사역을 열심히 한다.

이러한 이유로 문례순은 어려서부터 어머니와 떨어져 무안의 외가에서 외할머니와 외숙모 손에서 자라났다. 외가의 사촌들과 함께 학교도 다니며 어린 시절을 보냈다. 그녀의 모친이 전주와 광주로 성경학교를 가고, 김제 죽산교회에서 전도사 생활을 하였기 때문이다. 나의 어머니의 말에 의하면 어릴 때 어머니가 사역하시던 김제 죽산교회를 딱 한 번 찾아간 적이 있다고 했다.

결혼과 가정생활

그러던 중, 현경교회 시무 중이던 박병근 전도사의 아들 박환규와 1948년 12월 27일 매곡교회에서 전정현 목사의 주례로 결혼을 하였다.

결혼 후 몇 달이 지나 이듬해인 1949년 초, 곧바로 장흥 관산교회 전도사로 부임한 남편 박환규를 따라 장흥으로 간다. 이때 첫딸 은희가 이사하는 중 걸린 감기로 시작된 질병으로 하늘나라로 갔다.

이듬해인 1950년 남편은 서울장로회신학교에 입학한다. 그해 6·25전쟁으로 8월 관산교회를 사임하고, 영암 군서면 해창리 신흥 부락에 있는 시댁에서 시모님과 함께 살기를 시작한다.

1950년 한국전쟁으로 전 국민들에게 모두 아픈 기억들이 많았듯이 시아버지 박병근 전도사의 순교와 시동생 박금규의 죽음과, 시누이 박유순과 그녀의 남편 김인봉 전도사 부부의 사망에 이어 유산 후 어렵게 얻은 첫딸인 은희의 죽음까지……. 1950년 한 해 동안은 줄줄이 이어지는 사건과 사고 등으로 슬픔과 눈물이 마를 날이 없었다.

다음 해 서울 장로회신학교 입학한 남편 박환규 전도사는 전쟁으로 인하여 부산으로 이전하여 개학한 부산진교회 장로회신학으로 학교를 갔다.

1951년 10월 14일(음 9월 9일) 장남 중기를 영암 신흥 부락 시댁에서 출산했다. 1년 전 시부인 가장(박병근 전도사)의 순교와 시동생, 시누이와, 시누의 남편까지, 그리고 첫아이 은희마저 천국으로 가 버렸으니, 세상적으로나 볼 때 쓰러져 가는 집안을 다시 한번 잘 일으키라고 시어머니인 좌추선 전도사께서 아이의 이름을 重(거듭 중)起(일어날 기)로 했다.

1953년 대구총회신학교 2회로 졸업 예정인 남편은, 졸업 15일 전 군대소집장을 받아 군에 입대를 한다. 제주훈련소에서 6·25전쟁이 휴전이 되어, 일병으로 제대하고, 군목으로 임관한다. 이때는 남편을 따라 마산에서 아들 중기를 데리고 3식구가 함께 신혼 같은 생활을 하게 되었다.

군목으로 마산육군병원과 9사단 29연대에서 시무하고 제대를 한다.

제대 후, 1955년 5월 13일 남편이 목포노회에서 목사 안수를 받고, 해남군 삼산면 원진교회에서 첫 목회를 시작했다. 원진교회 시무하던 1956년 1월 12일 2남 성기를 출산했다. 1956년 남편의 사역지가 담양군 창평교회로 옮겨 갔다. 1958년 2월 11일(양력) 3남 창기가 창평교회 사택에서 출생했고, 그 이듬해인 1959년 12월에는 구례중앙교회로 다시 이사를 한다.

구례에서 6년간 사역하는 동안 2남 1녀(3자녀)를 더하는 축복으로 5남 1녀의 어머니가 된다. 1960년 6월 15일 4남 동기를 출산하고, 다음 해인 1961년 11월 12일 5남 은기가 출생, 1964년 8월 24일 막내로 딸이 태어났다. 그 아이의 이름을 은희로 하여 처음 태어나 정만 주고 떠난 딸아이의 이름을 다시 막내에게 불러 주었단다.

그해 1964년 12월 15일 백일이 막 지난 어린 딸은 안고, 나주군 반남면 대안리 대안교회로 또 다시 이삿짐을 꾸렸다. 목회자의 사모로, 5남 1녀의 어머니로 넉넉치 못한 목회자의 사례로 생활과 교육에 많은 고생이 있었을 것이다. 가장 활발하게 활동하던 30대의 시절, 구례에서는 극장에 한번 가 보고 싶어도 교인들 눈에 드러날까 봐 맘 놓고 가 보지 못했다고 한다. 그녀는 아이들 키우기에 정신없이 젊음의 날들을 보내었다.

나주 반남면 대안교회로 이사를 한 뒤에는, 광주에서 자취를 하며 중·고등학교를 다니기 시작한 아들의 뒷받침과 교육비로 생활이 조금 어려웠다. 넓은 교회 텃밭이 있어서 거기에 채소 농사를 지어, 어느 때는 장날 장터로 가지고 가서 팔기도 했다고 한다. 남편인 박환규 목사는 교회에서 고등공민학교를 세우고 교회 옆 땅을 사서 학교 교사를 짓기 시작하여, 예산이 부족하자 시어머니가 주신 영암에 있는 논을 팔아 보태기도 하였다.

남편 박환규 목사는 그렇게 15년간 시무하던 대안교회를 교단의 분열로 인해, 부득이 1978년 12월 3일자로 사임을 한다.

그리고 나주 봉황면 봉황교회에서 1년간 시무하시었다.

1979년 12월 9일 광주시 북구 운암동에서 개척교회를 시작했다. 이것이 은석교회의 시작이다. 시어머니의 피와 땀과 눈물로 일구어 자식들에게 나누어 주신 영암의 논밭을 정리하여 자식들의 교육을 위해 광주 북구 임동에 집 한 채를 마련했었다. 집 마당에 고압선 철탑도 있는 그런 집이었다. 그것마저도 팔아서 은석교회 건축 시 재정이 부족하여 헌금하고 교회 지하에서 살림을 시작했다.

광주 북구 운암동 439-8번지에 은석교회를 지하 1층, 지상 2층으로 신축하고, 집을 팔아 전액 헌금하고 살 사택이 없어 지하에서 살기 시작했다. 그러던 중 어느 해 여름날, 갑자기 쏟아지는 폭우로 인해 지하실이 물에 잠기고, 정화조까지 넘처서 그 물과 오물들이 지하로 들어와 많은 고생을 했다. 이때 할아버지(박병근) 할머니(좌추선)의 기록과 사진들이 거의 다 못쓰게 되었다고 한다.

부친의 병 수발과 노후의 삶

1989년 서울 경기노회에서 목사 안수를 받은 2남 박성기 목사는, 1994년 전남노회에서 GMS(총회선교부) 선교사로 케냐에 파송 받고 떠나게 되었다. 남편 박환규 목사는 아들 성기 선교사의 선교후원금을 모으기 위해 여러 교회들을 방문한다. 그러던 중, 1995년 2월 5일 주일 저녁 예배를 마치고 교회 사택에서 자리에 들려는 순간, 남편 박 목사는 뇌출혈로 쓰러져 광주기독병원 응급실로 실려 갔다. 기독병원에서 수술하고, 3개월 동안 재활과 치료를 계속하였다. 완치는 아니지만 우측 손과 발의 마비를 동반한 2급 지체장애를 가진 채 퇴원을 하였다.

1997년 11월 22일 남편 박 목사님이 은석교회 담임목사를 은퇴한다.

광주광역시 북구 운암동 주공 3단지에 살다, 광산구 운남동 5단지 주공아파트에 남편 박 목사 은퇴 후 삶의 터전을 마련하였다. 그 후부터 문례순 사모는 남편 박 목사의 재활과 치료를 위해, 사방을 누비고 다니며, 약재를 구하고, 남편의 재활을 위해 수고와 고생이 계속되었다.

오리의 피가 뇌출혈 환자에게 좋다고 하면 오리 농장을 찾아 담양, 장성 등으로 찾아다니면서, 오리 잡아 출하하는 날을 묻고, 그 날짜와 시간에 맞춰서 박카스를 사들고 오리의 피를 병에 받으러 다녔다. 그의 열심을 보던 오리농장 주인이 “당신의 정성을 보니, 당신의 남편은 꼭 회복될 겁니다.”라고 했다.

어눌해진 언어와 2급 지체장애(우측편마비) 갖고 사는 남편의 건강 회복을 위해 갖은 노력과 수고를 마다 않고, 재활 운동을 위해 등산과 동네 공원을 날마다 함께 다니시기도 했다. 우측 손과 발에 마비는 있지만 그래도 생활하는 데 다소의 불편을 갖고 두 분이 함께 약 20년 이상을 잘 지내 오셨다.

그러나, 남편의 나이가 90세가 되자 점점 식욕이 떨어지고 기력이 약해져, 자기의 몸을 마음대로 움직일 수 없게 되고, 자신의 힘으로는 남편의 몸을 부축하기가 너무 어려워졌다. 한편 남편의 기억력은 점점 멀어져 갔다.

결국에는 집에서 혼자서 남편의 몸을 들어 씻어 주거나 움직일 수 없게 되어, 자녀들과 상의 끝에 남편 박환규 목사를 광주 삼거동 제1시립요양병원으로 2015년 7월 17일 입원

시켰다. 그러던 중, 입원비의 부담을 줄이기 위해 2016년 9월 20일 시립요양병원에서 퇴원, 은퇴목회자에게 입원비를 할인해 주는 남평 나사렛요양병원으로 옮겨 입원을 하였다.

2017년 5월 20일 남편 박환규 목사는 하늘의 부름을 받고 소천하셨다. 사모 문례순은 1948년 12월 17일 결혼하여 69년 7개월을 함께하며 슬하에 5남 1녀와 손자 4명, 손녀 9명, 외손자 1명, 외손녀 1명 등 15명의 손을 두었다.

문례순 사모는 남편 박환규 목사의 천국환송예배의 모든 절차를 마친 후, 그해 겨울에 막내 딸 은희가 모시고 안산으로 갔다. 외동의 막내딸 은희에게 4년간 보호를 받으며 치매와 파킨슨 투약과 병원 치료를 받으시다, 음식을 자신의 의식으로 스스로 삼키지 못하시어, 집에서 보호할 수 없게 되었다. 결국에는 코에 호스를 꽂고, 그 호스로 음식을 투여하게 되었다. 이제는 더 이상 집에서 간병하기가 어려워졌다.

그리하여, 2021년 7월 광주시 광산구 일등요양병원으로 내려와 현재까지 입원 중이다.

신앙의 3대-2남(男)
박금규(朴金圭)
(아버지의 시신을 찾으러 갔다가 순교하다)

호적을 살펴보니, 금규 삼촌은 단기 4261년(1929년) 10월 16일생으로 신고 기록되어 있다. 조부가 직접 기록한 가족교적부에는 1928년 9월 3일생으로, 그리고 1929년 4월 20일 리경필 목사에게 젖세례(유아세례)를 받았다고 기록되어 있다. 이런 기록들을 종합해 보면 1927년 조부께서 제주도로 파송되어 두모리교회(현 제주 한경교회)에서 시무하시면서 리경필 목사님과 함께 제주 산남 지방 조사로 활동하시던 시기에 금규 삼촌은 제주에서 태어난 것이다. 아마도 호적 신고가 늦게 되기도 했을 것으로 보아 조부의 기록대로 1928년생이 맞을 것으로 생각된다.

나의 할아버지 박병근 전도사가 1930년 장흥 지역으로 사역지를 옮겼다. 장흥에서 국민(현 초등)학교에 입학했다. 1936년 4월 22일 오후 3시 장흥읍교회 제5회 당회록(이 책 71페이지 사진으로 게재됨) 기록을 보면 "임시당회장 김아열 목사, 당회원 원용혁 장로, 박병근 장로에게 초학문답을 받은 자 박환귀(11세), 박금귀(9세)"라는 기록을 볼 수 있다. 1938년부터는 영암읍교회로 옮긴 부친을 따라 영암국민학교로 전학을 했다. 5학년에 재학 중인

1940년 9월, 부친이 경찰에 의해 구속이 되고 온 가족들은 교회 사택에서도 쫓겨났다. 모친과 온 가족들은 영안 군서면 해창 부락에 자리를 잡았고 거기서 십 리 길을 걸어 동생 남규와 함께 초등학교를 마쳤다. 초등학교를 졸업한 형 환규는 이미 생활 전선으로 뛰어들어 양복점, 이발소, 사진관, 목탄버스의 조수 등으로 일을 하고 있었다.

1943년 부친이 석방되어 집으로 돌아오고, 2년 후인 1945년 해방이 되었다. 해방 이듬해인 1946년 광주 숭일중학교에 입학을 한다. 형 환규는 동생과 함께 광주에서 광주고등성경학교를 다녔다.

그리고 1950년 중학교 5학년 때, 우리 민족의 아픔인 6·25한국전쟁이 일어난다. 해방 후, 혼란스러운 사회 속에 만연된 사상의 갈등—민주주의와 공산주의의 이념의 갈등은 결국 남북 간의 전쟁을 일으켰다.

박병근 전도사의 2남 금규는 당시 숭일중학교 5학년에 재학 중이었고 학교생활에 적극적이고 열심히 공부했다고 한다. 특히, 음악을 좋아하여 학교 기악부에서 클라리넷도 연주하며 활동하였다고 한다. 전쟁으로 학교가 휴교에 들어가게 되었다. 그는 전쟁과 휴교로 무안에 있는 형수의 친정 집에 피신해 있었다. 함평 나산교회 전도사로 시무하시던 그의 부친 박병근 전도사는 공상당원들에 의해 함평 내무서에 구금되어 있었다. 그는 어쩔 수 없이 형수인 문례순의 친정 무안의 한 동네에 피신 중이었다.

1950년 추석 이틀 후(음 8월 17일, 양력으로 9월 28일) 부친이 공산당원들에게 피살(순교)되었다는 소식을 전해 들은 금규는 한걸음에 함평 나산으로 달려갔다. 거기서 좌익(공산당원)들에게 붙들려 살해당했다. 정확한 사망 일자는 알 수가 없다. 부친 박병근 전도사가 세상을 떠난 지 며칠 후의 일이었다. 남은 식구들은 이 소식에 하늘이 무너지는 충격으로 울고 또 울었다.

다음 글은 동생을 보낸 형의 심정을 그의 형인 나의 부친(박환규 목사)이 적어 놓은 글이다.

그 날이
최후일 줄이야
누가 알았단 말이냐.

슬픔에 잠긴 가슴 움켜 안고
울며 헤어진 그때가
영~ 이별일 줄이야 누가 알았단 말이냐.

아~,
그 연못가 갈림길.
짝 잃은 오리 한 마리가 헤엄쳐 다니던 것이
나의 마음에 다시 새롭구나.

이제는 내가
그 외로운 오리가 되고 보니 말이다.

나, 어떻게 하란 말이냐?
동생아 그리웁다.

너만 있었다면
내 마음 얼마나 기뻤겠느냐.

모두가 허사라.
모두가 허사라.

저 허공에 대고
또 내 마음속 깊이서
금규야! 하고 외치노라.

그 모든 희망 어디다 두고,
그 모든 재주 어디다 두고,
지금은 어디 가

안 보이느냐.

너 지금
하늘나라에서
부친 누님 조카들과
하나님 품속에 있으리라.

나도 빨리
그 나라에 가고자 하노라.
나도 그 나라 가고자 하노라.

— 동생 금규를 보내고, 박환규 씀

결국 그의 시신은 1년 후인 1951년 10월 1일 부친의 시신과 함께 영암 군서면 신흥리 (현 영암읍 송평리) 길가에 있는 밭에 안장하였다.

그곳은 지금 우리 가정의 선영이 되었다.

박금규(朴金圭)의 연혁

1928년 9월 6일 제주 구우면 신창리 두모리교회 사택에서 출생

1929년 4월 20일 제주에서 리경필 목사에게 젖세례(유아세례) 받음

1936년 장흥에서 소학교(국민학교, 현 초등학교)를 입학하였다.

1936년 4월 22일 장흥읍교회에서 조하파 선교사에게 초학문답

1938년 영암소학교로 전학

1942년 소학교를 졸업. 부친의 구속과 감옥 생활로 가사를 돕다.

1946년 해방 후 광주 숭일중학교 입학

1950년 7월 광주 숭일중학교 5학년 재학 중 학교가 휴교됨

1950년 10월 부친의 순교 소식을 듣고 시신을 찾으러 갔다가, 함평 나산에서 공산군들에게 붙잡혀 사망(순교)

1951년 10월 1일 영암군 군서면 해창리(현 영암읍 송평리) 신흥 선영에 안장, 순교자 묘비를 세움

▲ 영암 송평리 박금규 묘비

신앙의 3대-3남(男)
박남규(朴南圭) 목사
(샘물교회 원로목사)

출생과 성장

순교자 박병근 전도사는 제주 지역 사역을 하던 중, 노회 선교사들의 요청에 의해, 1930년에 육지로 나와 장흥군 관산면 부평교회를 개척했고, 삭금리교회와 진목교회까지 겸임했다.

1931년 9월 21일(음력 7월 7일) 장흥군 부평면 관산교회 사택에서 3남 박남규 목사는 출생하였다. 1934년 장흥읍교회를 거쳐 1938년 9월부터 영암읍교회에서 시무를 시작한 부모님을 따라 영암에서 영암국민학교(현 초등학교)를 다녔다. 초등학교 4학년 재학 시절인 1940년 9월에 부친이 경찰에 체포되어 가고, 가족들은 모두 교회 사택에서 쫓겨나 모친과 누나, 두 형들과 함께 고난의 세월을 보냈다. 고난 중에도 학업을 계속하였다. 10살의 어린 나이에 십 리(4km 정도) 길을 걸어서 초등학교를 다녔다. 요즈음 아이들에게는 상상조차 할 수 없는 통학 거리이다.

1943년 3월 25일 영암초등학교 33회로 졸업을 하였다. 그해 11월 부친 박병근 전도사가 광주형무소에서 만기 출소하였다. 1940년 9월 20일 경찰에 붙잡혀 간 지 3년 2개월 만에 돌아온 것이다. 영암 군서면 신흥 부락에 작은 집을 마련하고 온 가족이 다시 모였다. 일본 경찰의 감시 속에서도 출소한 부친 박병근 전도사는 신흥교회와 장암교회, 구림교회, 광주 광산교회와 무안 현경교회 등에서 사역을 계속하였다. 3남인 남규는 중학교 진학도 못하고 집에서 집안일을 도우며, 통신 과정으로 중학 과정을 공부했다.

해방이 된 다음 해인 1946년, 부친은 막내 아들인 남규를 목포성경학교에 입학을 시켰다. 목포성경학교에서 중 · 고등학교 과정과 성경 공부를 하러 집을 떠나 목포에서는 기숙사 생활을 하였다.

1949년 6월 5일에 목포성경학교를 졸업했다. 그리고는 바로, 광주 숭일중학교에 편입하여, 1951년 7월 21일 광주 숭일중학교 23회로 졸업하였다.

1950년 한 해는 부친의 순교, 형 금규, 누나와 매형을 먼저 하늘나라에 보내고 온 가족들이 모두 슬픔 속에서 보냈다.

그 후에, 그는 광주신학교와 대구 대신대학교를 거쳐, 서울 총회신학교에서 신학을 공부를 하였다.

1961년 3월 3일 10회로 총회신학원을 졸업한다.

1963년 1월 22일 전남노회에서 목사 안수를 받고 목회를 시작했다.

국가에서 군목을 모집하자, 박남규 목사는 중년시대 대한민국 국민으로 국가와 민족을 위해 충성 봉사 헌신 선교하기로 결심하고, 1963년 육군 군목 간부후보생을 지원하였다. 육군 군종 간부후보시험에 합격하여 광주 상무대에서 육군 군목 간부후보생 15기로 훈련을 받았다.

1963년 9월 28일 군목으로 육군 중위 임관을 받았다. 임관과 동시에 첫 부임지는 논산훈련소에서 군목 활동을 시작하여, 1965년에 21사단에서 근무하고, 1967년에는 77육군병원에서 군목으로 근무하였다.

박남규 목사의 사진 자료를 쉽게 볼 수 있는 곳 :
https://tinyurl.com/2aly79us

1969년 9월에는 파월부대인 100군수사 십자성부대 군목으로 지원하여 근무를 하였다. 파월부대 근무 시 군수지원단장을 비롯하여, 주월사령관 및 국방부장관 등의 많은 표창을 받았다. 국내와 베트남에서 국군 장병과 함께 충성 봉사하였기에 국가유공자로 명예와 훈장을 받았고, 그 공로를 크게 자랑할 수 있다.

1971년 10월 귀국하여 3공병여단 군목을 거쳐, 광주 전남 지방의 향토사단인 31사단 군목으로 근무하였다.

1974년 10월 31사단 군종참모(소령)를 마지막으로 예편을 하였다.

1974년 10월 1일 전역과 동시에 광주시 서구 농성동 670-14에 있는 부인 김해희 사모가 운영 중이던 농성어린이집 가정집에서 광송교회를 설립 개척하였다. 주야로 열심히 목회 활동을 하였고, 그 결과 교회는 부흥하고, 교인들의 수가 많아져 예배 장소가 좁아졌다. 1981년에는 광주시 서구 농성2동 670-9번지에 교회를 신축했다.

교단과 지역 노회의 활동도 많이 하여, 광주노회와 남광주노회장을 역임하고. 호남지역 목회자협의회장과 총회군목부장, 총회선교부장 등을 역임하셨다.

1986년 광주숭일학교 이사, 1990년 광주신학대학교 이사와, 1992년 총회신학교 이사 등을 역임하시고, 2000년 광주 경찰선교회장 등을 담당하였다.

2002년 5월 4일(土) 11시, 28년의 광송교회 사역을 마무리하고, 원로목사추대예배를 드리고 목회를 은퇴하였다.

2002년 5월 4일 개척하고 28년간 시무하시던 광송교회 목회를 마무리하고 은퇴하는 감사예배와 함께, 원로목사로 추대를 받았다. 가정집에서 시작하여 교회당을 건축, 예배당 헌당 및 목사 위임, 장로, 권사 집사 임직하고 교회를 부흥시킨 후 28년간 시무하고 원로목사로 추대를 받았다.

축

박남규목사 원로목사 추대예배

원로목사 박 남 규　사모 김 해 회

가족사항
장녀:박신애　사위:윤이현　손:윤혜성
차녀:박순애　사위:주숙일　손:주수신·주대신
장남:박용기　자부:신혜정　손:박문수·박지혜
차남:박봉기　자부:주선희　손:박하은·박범수
삼녀:박정애

박남규목사 약력

출생　1931. 7. 7 순교자 박병근 전도사의 3남으로
전남장흥부평교회에서 출생 영암에서 성장

학력　광주숭일학교 23회 졸업
대구신학교본과 3회 졸업
광주신학교 3회 졸업
총회신학교 10회 졸업

목사안수　전남노회에서 63년도 목사 안수

교회목회시무　나주 상촌교회 전도사 시무
나주 영광교회 전도사 강도사 목사 시무
광주농성교회 목사 시무

군대목회시무　육군군목 중위 63년도 임관
논산훈련소 군인교회 시무
21사단 군인교회 시무
77육군병원 군인교회 시무
베트남파월 십자성부대 아리랑교회 시무
공병여단 군인교회 시무
31사단 삼일군인교회 시무
31사단 육군소령으로 군목 74년도 전역

광송교회창립　광송교회를 74. 10. 1 개척하여 창설
광송교회당을 건축하여 28년간 시무
광송교회 시무중 1295명을 전도 교육
양육하시고 원로목사로 추대

노회및기관봉사　광주노회장 제3회 역임
남광주노회장 제7회 역임
호남협의회장 제15회 역임
총회군목부장 및 경찰 선교회장 역임
광주목회연구회 회장 역임
광주숭일학교 이사 역임
광신대학교 이사 역임
총회신학교 이사 역임
국제대회 선교지시찰 성지순례방문인솔
군인민간목회 성역 40년과 광송교회
28년 시무하시고 원로목사로 추대하였습니다.

일시 : 2002. 5. 4(토) 오전 11:00
장소 : 광 주 광 송 교 회 당
광주광역시 서구 농성2동 670-9
TEL. (062)369-1420, 365-7272
FAX. (062)369-3966

후임 2대 김판정 목사는 부임 후, 광송교회를 이전과 동시에 샘물교회로 이름을 변경하고, 광주시 서구 운천길 101번지에 새 교회당을 건축하고 입당감사예배를 드리고 날로 부흥하고 있다.

2020년 8월 30일 주일 샘물교회에서는 특별히 박남규 원로목사의 90회 생신을 맞아

'원로목사초청 신앙간증집회'를 가졌다. 여기서 박남규 목사는 「나는 복된 사람」이라는 제목의 말씀을 함께 나누었다.

샘물교회(당회장 김판정 목사)에서는 원로목사 구순 생일을 맞아 남광주노회(예장 합동) 목회자들과 은퇴목회자들의 모임인 은목회 회원들을 초청해 축하의 자리를 마련하려고 했으나, 코로나19 확진자들의 증가 추세로 인해 모이지 못하고, 식사비로 금일봉을 전달하기도 했다.

KGBTV 한국복음방송

KGBTV 정치·경... 사회·문화·교... 한국복음신문

HOME > 한국복음신문 > 교계

샘물교회 박남규 원로목사 구순 생신 '나는 복된 사람' 신앙간증

당회장 김판정 목사 코로나19로 축하자리 대신 금일봉만 전달

한국복음신문 승인 2020.08.25 11:58 댓글 0

샘물교회 박남규 원로목사(1931년 8월 25일생)의 구순 생신을 맞아 샘물교회 당회장 김판정 목사는 남광주노회(예장합동) 목회자들과 광주은목회 회원들을 초청해 생신 축하 자리를 마련하려고 했지만 최근 전국적으로 코로나19 감염병 확진자가 급증함에 따라 모이지 못하고 식사비로 금일봉을 전달했다.

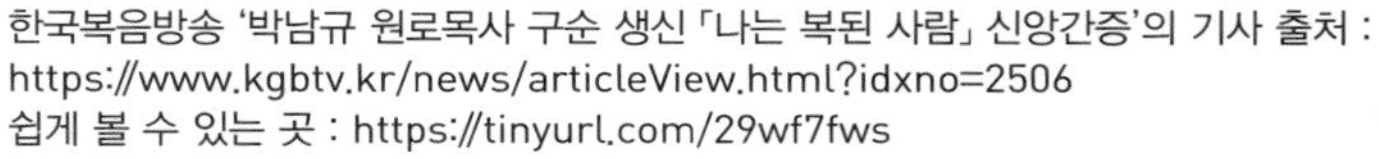

한국복음방송 '박남규 원로목사 구순 생신 「나는 복된 사람」 신앙간증'의 기사 출처 :
https://www.kgbtv.kr/news/articleView.html?idxno=2506
쉽게 볼 수 있는 곳 : https://tinyurl.com/29wf7fws

KGBTV 한국복음방송 **샘물교회 박남규 원로목사 구순 생신 '나는 복된 사람' 신앙간증**

또한 8월 30일(주일) 박남규 원로목사를 초청해 시편 1:1~6절을 본문으로 '나는 복된 사람'이란 제목으로 신앙 간증을 듣는 자리를 갖는다.

박남규 원로목사

박남규 목사는 "하나님이 나를 목회자로 선택하셔서 복된 자가 되었고, 예수 믿고 구원받아 모두가 함께 천국 백성이 된 것이 복된 것이다"면서 "지금까지 건강주셔서 목회를 잘하고 은퇴 후에도 구순까지 받은 복을 나눌 수 있게 되어 감사하다"고 말했다.

박남규 원로목사는 1963년 육군 군목으로 입대하여 중위에서 소령으로 제대할 때까지 육계 부대에서 군 장병 2105명을 전도 목회하였고, 1974년 10월 1일 전역과 동시에 광송교회를 개척해 1295명을 전도목회 했다. 또 28년 시무하고 은퇴했으며 후임으로 김판정 목사가 부임해 샘물교회로 개명하고 교회당을 건축하여 날로 부흥 발전하고 있다.

김판정 목사는 "박남규 원로목사님이 살아오면서 큰 자랑거리가 있는데 첫째, 초년시대 순교자의 유가족이라는 것이다"면서 "아버님 고 박병근 전도사님이 함평 나산교회 시무 중 6.25때 신앙을 사수하시면서 순교하셨고, 일제 강점기 신사참배 거부로 3년간 광주 형무소에서 옥중생활까지 하신 순교자의 유가족이라는 명예를 자랑 할 수 있다"고 말했다.

김판정 샘물교회 담임목사

이어 "중년시대 군목으로 11년간 전방과 후방, 월남전에서 나라를 위해 충성 봉사하여 국가유공자로서 명예를 자랑할 수 있다. 말년에 광송교회를 개척해 28년간 시무하여 원로목사로 추대되었고, 광송교회가 이전하여 교회명칭을 샘물교회로 변경해 샘물교회 원로목사로서 하나님께 영광 돌린 명예를 자랑할 수 있다"고 말했다.

복 있는 사람

성경: 시편 1:1~6

박남규 원로목사 90회 생신 설교

오늘 본문이 말하는 것은 복이 있는 사람과 복 없는 사람의 조건과 내용을 말씀하시고 복이 있는 사람은 적극적으로 하나님의 말씀을 즐거워하고 그 말씀을 주야로 묵상하며 그 말씀 순종하고 경외하는 사람이 복이 있다고 말하고 있습니다.

구순을 맞이한 박남규 원로목사는 복이 없는 악한 사람이 아니었다고 자신 있게 자랑하고 신앙 간증을 할 수 있습니다. 하나님이 부르시어 천국에 갈 때까지 계속해서 복된 삶을 살아가야겠다는 믿음 소망 사랑 확신을 하고 오늘 나의 신앙 간증을 말씀드립니다.

어떤 사람이 복이 있는 복된 자입니까? 하나님은 창조자이시오. 복을 주시는 자로 바로 알고 바로 믿을 때 세상에서 가장 지혜로운 사람이오. 복된 자요. 행복한 사람입니다. 아브라함, 이삭, 야곱, 욥, 다윗, 솔로몬이 복을 받은 이유는 창조주를 바로 알고 믿고 순종할 때 전무후무한 복을 받은 것입니다. 어떤 사람이 복된 사람인가? 내가 하나님으로부터 선택받고 구원받은 것이 복된 것입니다. 예배에 참석하고 봉사하고 사랑할 수 있고 내가 성도, 집사, 권사, 장로 일하고, 헌금할 수 있는 것이 복되고, 전도와 선교로 생명을 구원하는 것이 큰 복입니다. 당회당 김판정 목사님께서 목회를 잘하시니 샘물교회가 큰 복입니다.

샘물교회 장로님, 권사님, 집사님, 성도들이 사랑하고 화목하고 순종을 잘하므로 큰 복입니다. 1963년 육군 군목으로 입대하여 중위에서 소령으로 제대할 때까지 6개 부대에서 군 장병 2105명을 전도 목회 봉사하였고 1974년 10월 1일 전역과 동시에 광주 서구 농성동에 광송교회를 개척하여 1295명을 전도 목회봉사였으며, 28년 시무하고 원로목사로 은퇴하였습니다. 박남규 원로목사가 90 평생 살아오면서 큰 자랑거리 3가지 명예가 있습니다.

초년 시대, 중년 시대, 말년 시대 3기로 구분하여 명예를 말씀드리겠습니다.

1. 초년 시대 순교자의 유가족이라는 명예입니다.
아버님 (고) 박병근 전도사님이 광주 전남 제주도에서 목회하시고 마지막 함평 나산 교회 시무 중 1950. 6·25 맞아 공산당 치하에서 순교하시고 일제 신사참배 거부로 3년간 광주교도소에서 옥중생활하신 순교자의 자녀 중에 목사가 7명 나와서 선교사로 현직 목사로서 봉사하고 있어 큰 자랑거리입니다.
2. 중년 시대 대한민국 국가와 교회를 위해 군목으로 월남전에서 장병과 함께 평화를 위해 봉사 헌신으로 국가유공자 전공 표창과 명예를 자랑할 수 있습니다.
3. 말년에 광송교회를 개척하여 28년간 시무하여 광송교회 원로목사로 추대되고 성도들로부터 지금까지 사랑과 은혜를 넘치게 받고 있어 항상 미안하고 감사한 마음뿐입니다.
후임 김판정 목사님께서 오시면서 목회를 너무나도 잘하시고 원로목사님을 잘 대접해주시고 광송교회를 열방교회와 합병하고 이전하여 샘물교회로 개명하여 건축해서 날로 부흥 발전하고 있습니다. 샘물교회 원로목사로서 하나님께 영광 돌리며 말년에 명예를 크게 자랑할 수 있어서 나는 복된 자가 되어 항상 기쁘고, 감사한다고 나의 일생을 통해 신앙 간증을 할 수 있습니다.
나는 앞으로 꽃과 같이 살고, 물과 같이 살기로 작정했습니다.
나는 앞으로 예수님 닮아가는 삶을 살기로 작정했습니다.

지난 2021년 5월 23일 주일은 나주 공산교회 좌추선 전도사가 교회를 개척하여 설립한 지 100주년 기념행사를 하였다.

이날 '교회설립100주년 기념감사예배'에 설립자 좌추선 전도사의 3남인 박남규 목사를 초청 설교 부탁을 하고, 방문하시어 설교를 하였다.

설교

예수의 마음을 본받자

빌립보서 2:5~11

박남규 목사
광송교회

예수그리스도를 본받아서 성공적인 목회자가 되는 근본적인 방법은 예수 그리스도의 마음을 소유하는데 있습니다. 예수그리스도의 마음은 어떤 마음인가?

첫째, 예수 그리스도의 마음은 겸손한 마음입니다. 겸손한 마음은 자기 자신을 낮추는 마음이요 교만한 마음은 자기 자신을 높이는 마음입니다. 예수님은 근본이 하나님의 본체시었습니다. 예수님은 하나님과 본체 시었으나 하나님과 동등됨을 취하지 않으셨습니다. 예수님은 하늘의 영광과 보좌를 버리시고 이 땅에 내려오셨습니다. 예수님은 이 땅에 내려오시되 왕자로서 이 땅에 내려오셨습니다. 예수님은 이 땅에 내려오시되 왕자로서 궁궐에 오시지 않고 나사렛 목수의 아들로서 말구유에 탄생하셨습니다. 예수님은 가장 낮고 가장 천한 곳으로 내려오셨습니다. 예수님은 하나님으로서 사람이 되시고 종이 되시고 죄인의 멍에를 매셨습니다. 우리는 예수님의 마음에서 배울 수 있는 첫째 요소인 겸손을 배우고 실천해야겠습니다. 제자들이 서로 높고자할 때 너희 중에 누구든지 으뜸이 되고자 하는 자는 너희 종이 되어야 하리라고 말씀하시면서 하나님이 교만한 자를 물리치시고 겸손한자에게 은혜를 주신다고 말씀하셨습니다.

둘째, 예수 그리스도의 마음은 복종하신 마음입니다. 순종과 복종은 다른 점이 있습니다. 순종은 내 마음에 들어 즐거움으로 기쁜 마음으로 하는 행위요 복종은 내 마음에 들지 않지만 억지로라도 따라가는 행위입니다. 복종은 내 의견이 따로 있으나 주님이 명령하시기 때문에 복종하는 것입니다. 복종과 충성은 죽기까지 복종해야 참된 복종이요 충성인 것입니다. 내가 할 일은 오직 순종하고 복종하고 충성하는 일입니다. 교회 안에서 수고와 봉사와 충성과 헌신은 내가 할 일이요, 상주시고, 은혜주시고 복 주시는 일은 하나님이 하실 일입니다. 최후의 날까지 복종합시다.

셋째, 예수 그리스도의 마음은 희생하신 마음입니다. 나는 선한 목자라, 선한 목자는 양을 위하여 목숨을 버리노라고 말씀하시면서 도적이 오는 것은 도적질하고 죽이고 멸망시키려는 것 뿐이요 내가 온 것은 양으로 생명을 얻게 하고 더 풍성히 얻게 하려는 것이라고 말씀하셨습니다.

요컨대 예수님께서는 세 가지를 낮추어 희생하시니 세 가지를 높여 주셨습니다. 예수님께서 겸손하여 낮아주시니 하나님이 최고로 높여주셨습니다. 이러므로 하나님이 그를 지극히 높여 모든 이름 위에 뛰어난 이름을 주셨다고 말씀하셨습니다. 교회에서 학교에서 이 땅 위에서 높아지고자 원하십니까? 겸손하십시다. 그리하면 하나님께서 반드시 높여주실 것입니다. 예수님은 최후까지 순종하고 복종하시니 하나님이 높여주셨습니다. 모든 무릎을 예수의 이름에 꿇게 하셨고 그 이름을 높여 주셨습니다. 하늘에 있는 자들과 땅에 있는 자들과 따 아래 있는 자들로 모든 천한 인간이 복종하신 예수님께 "주"라 시인하여 고백케 했습니다. 최후까지 십자가위에 희생하여 죽기까지 사랑하시니 하나님 아버지께 영광을 돌리게 높여주셨습니다. 겸손하여 낮아지고 순종하여 복종하고 사랑하여 희생하고 하나님께 영광을 돌립시다.

이것이 우리 모두에게 성공하는 비결이 될 것입니다.

이 글은 현재 93세(1931년생) 되신 박남규 원로목사님이 친히 기록한 감사와 간증을 적은 신앙고백의 글이다.

축복받은 신앙 3대의 은혜

1. 어려서부터 믿음, 소망, 사랑 안에서 성장한 축복
2. 성장하면서 성경과 하나님을 알아 가는 축복
3. 성장하면서 일제의 박해 속에서도 잘 자라는 축복
4. 성장해서 좋은 아내와 자녀를 얻고 행복한 축복
5. 성장해서 목회의 길을 걸어가게 하신 축복
6. 목회 정년이 되어 원로목사가 되는 축복
7. 목회 은퇴하고 나서는 목회 회장으로 봉사하는 축복
8. 아내와 자녀 손자들이 더 강건해지는 축복
9. 모든 사업과 생활이 더 윤택해지는 축복
10. 영과 혼이 더욱 강건해지는 축복
11. 아브라함, 이삭, 야곱에게 이어지는 요셉과 같은 축복
12. 지상에서 천국으로 이어 가는 천국의 축복
13. 애국자와 국가유공자로서의 명예를 얻은 축복
14. 지혜와 계시의 영안이 열리는 영적 건강의 축복
15. 순교자의 자녀와 가족으로서 순교 신앙의 유산을 얻은 축복

그는 지금도 이와 같은 감사한 마음으로 날마다 기쁨과 찬양의 삶을 살아가면서, 자기 남은 생, 삶의 희망을 꽃과 같이 물과 같이 살고 싶다고 이런 글을 적어 보내 주셨다.

나의 삶의 희망은 꽃과 같이 물과 같이 살고 싶어요

꽃의 기능

1. 꽃은 아름다운 색이 있어 우리의 눈을 즐겁게 합니다.
2. 꽃은 향기가 있어 벌과 나비가 찾아오며 우리의 코를 즐겁게 합니다.

3. 꽃은 꿀이 있어 벌이 찾아와 꿀을 먹고 제공함으로 우리의 입을 즐겁게 합니다.
4. 꽃은 열매가 있어 씨앗을 내게 되며 우리의 몸을 건강하게 합니다.
5. 결혼, 생일, 졸업을 축하할 때 이 뜻을 담아 꽃과 같은 복을 선물합니다.

물의 속성

1. 물의 속성은 높은 데서 낮은 대로 계속 흘러가는 평등과 겸손입니다.
2. 물은 장애물이나 바위가 있으면 돌아가는 싸우지 않는 무저항입니다.
3. 물은 만나면 서로 끌어당겨서 하나가 되는 연합체입니다.
4. 물은 더러운 것을 깨끗이 씻고 청소하는 청결 치료제입니다.
5. 물은 모든 생명체를 발육, 성장, 결실케 하는 풍요제입니다.
6. 물은 높고 낮음이 없는 평면을 유지하는 평화통일 균형제입니다.

물의 기능

1. 물은 추우면 돌같이 얼어 버립니다.
2. 물은 따뜻하면 녹아서 부드러워집니다.
3. 물은 뜨거우면 수증기가 되어 하늘에 올라갑니다.
4. 물은 환경에 순응하여 모난 곳이 없어 그릇에 담깁니다.
5. 물은 폭포에서 빨리 움직이고 평야에서 천천히 흐릅니다.
6. 물은 인생에서 소리 없이 말한 자연의 교훈입니다.
7. 윗물이 맑아야 아랫물이 맑다는 속담도 있습니다.
8. 예수님의 꽃처럼 물처럼 나도 그렇게 살고 싶습니다.

박남규(朴南圭) 목사의 약력

1931년 9월 21일	장흥 부평교회 사택에서 출생
1943년 3월 25일	영암초등학교 33회 졸업
1949년 6월 5일	목포성경학교 졸업
1951년 7월 16일	광주숭일중학교 23회 졸업
1959년 1월 8일	영암읍교회에서 김해희와 결혼
1961년 3월 3일	총신대학교 졸업
1963년 1월 22일	전남노회에서 목사 안수
1963년 9월 28일	군종 15기(군목) 육군 중위 임관
1963년 10월	육군 논산훈련소 군인교회 군목으로 시무
1965년 10월	21사단 군인교회 군목으로 시무
1967년 11월	77육군병원 군인교회 군목으로 시무
1969년 9월	100군수사 십자성부대－베트남 파병부대 군목으로 시무
1970년 8월 3일	전공표창장－1군수지원단장(이창복 준장)
1970년 9월 30일	월남 참전 기장 증 수상－국방부장관, 주월사 사령관(이세호 준장)
1971년 10월	3공병여단 군인교회 군목으로 시무
1973년 10월	31사단 군인교회 군목으로 시무
1974년 10월 1일	광주시 서구 농성동에서 광송교회 개척설립
1974년 10월 30일	전군 신자화운동 공로패(31사단장 천주원준장)
	31사단 군종참모 소령으로 전역
1974년 11월 13일	국가안보 군선교사업 공로패(대한예수교 장로회 총회장)
1978년 4월	제3회 광주노회장
1980년 4월	제7회 남광주노회장
1981년 4월	광송교회신축 부흥공로패(남광주노회장 최행군 목사)
1982년 4월 14일	노회장 역임 공로패(광주노회장 강대언 목사)
1982년 10월	호남목회자협의회 회장

1983년 9월	총회 군목부장
1984년 9월	총회 선교부장
1985년 10월	광주목회자 연구회 회장
1986년 5월	광주숭일학교 이사
1986년 9월 24일	6 · 25 순교자 유가족 기념패
1990년 4월	광주신학대학교 이사
1990년 10월 1일	6 · 25 순교자 유가족 기념패(함평 나산교회)
1992년 4월	총회신학교 이사
1992년 5월 4일	광송교회 28년간 시무. 은퇴. 원로목사 추대
1992년 5월	국제 선교대회 시찰단 인솔
1995년 6월	성지순례선교대회 시찰단 인솔
1999년 7월	광주광역시 서구 농성동 자치회장
2000년 4월	광주 경찰선교회장
2002년 11월 27일	월남참전 자유민주수호 국가발전유공자 – 김대중 대통령
2006년 1월	광주은퇴(원로)목사 은목회장

신흥교회 순교자 박병근 전도사, 72주기 추도예배 기독신문
기사 출처 : http://kidok.com/news/articleView.html?idxno=216884
쉽게 볼 수 있는 곳 : https://tinyurl.com/2yn5dfkt

한국교회 대표언론
기독신문

HOME > 교단 > 일반

영암신흥교회 순교자 박병근 전도사 추모식

정재영 기자 | 승인 2022.09.27 14:51 | 호수 2358

박병근 전도사·박금규 씨 6·25전쟁 때 소천

순교자 박병근 전도사와 아들 박금규씨의 순교 72주기를 맞아 영암신흥교회 성도들과 유가족들이 추모식을 갖는 모습.

영암신흥교회(구자성 목사)는 9월 12일 순교자 박병근 전도사와 아들 박금규씨의 72주기를 맞아 추모식을 거행했다.

이 자리에는 박남규 원로목사(광주 샘물교회) 박은기 목사(나주 양산교회) 박중기 장로(전주 온누리교회) 박동기 집사(광주 성은교회) 등 고인들의 유가족 10여 명이 자리를 함께 하며, 순교자들의 희생을 기렸다.

구자성 목사 사회로 진행된 추모식에서 고인의 손자인 박은기 목사는 '세상을 이기는 믿음'이라는 제목으로 설교하며, 십자가를 지신 그리스도의 뒤를 따르는 순교신앙의 후예로 살아가자고 역설했다. 또한 박중기 장로가 고인들의 생애와 순교사적에 대해 보고하는 시간을 가졌다.

고 박병근 전도사는 1892년 광주 숭일학교 고등과 졸업 후 초등학교 교사로 재직 중 소명을 받아, 전남노회에서 전도사 임명을 받고 담양 제주 장흥 등지에서 사역했다. 특히 일제강점기에는 신사참배를 거부하다 광주교도소에서 옥고를 치렀으며, 6·25 전쟁기에는 영암지역 순회전도사로 사역하다 인민군에서 붙잡혀 순교했다.

또한 당시 숭일학교에 재학 중이던 아들 박금규씨는 부친의 별세 소식을 듣고 영암으로 달려왔다가, 마찬가지로 인민군에게 체포되며 아버지와 같은 순교의 길을 걷게 됐다. 두 사람의 시신은 영암신흥교회 인근 가족 묘지에 안장되어있다.

두 사람은 오래 전 총회 순교자 명단에 등재되었으며, 올해 7월 19일 총회 순교자기념사업부(부장:허길량 목사) 주관으로 영암지역 다른 순교자들과 함께 등재 감사예배가 열리기도 했다.

고 박병근 전도사의 후손 중에는 5명의 목사가 배출되어 목회자와 선교사 등으로 사역 중이다. 한편 박 전도사의 기일인 이날 추모식에 함께한 유족들은 영암신흥교회에 감사헌금을 하며, 고인의 유지를 이어가는 공동체가 되기를 당부했다.

정재영 기자

http://kidok.com/news/articleView.html?idxno=216884

기독신문 2022년 9월 27일자 기사 내용을 옮겨 놓았다.

신앙의 3대-3남(男)의 부인

김해희 사모

(박남규 목사의 부인)

출생과 성장

1937년 10월 6일 영암에서 출생하였다. 영암초등학교를 거쳐, 영암중학교를 1953년 3월 19일 졸업하고, 바로 고등학교에 진학하여 1957년 3월 영암고등학교를 졸업하였다. 졸업과 동시에 1957년 1월 1일부터 영암 영애원 보육교사로 일을 시작하였다.

영애원은 1950년 6·25동란이라는 어두운 역사의 산물로 가족을 잃고 거리를 헤매는 전쟁고아와 부랑아를 수용하기 위해 영암읍교회가 설립한 고아원으로 사회복지시설이다. 6월에 시작한 전쟁으로 읍내 시가지와 학교가 불타고 많은 사상자들이 발생했다. 그리고 겨울이 되자 갑자기 부모를 잃고 걸식을 하며 의지할 곳 없이 추위에 동상이 생기고 굶주리고 헤매는 전쟁고아들을 교회가 모으고, 지역 유지들이 적극 동참하여 영애원이 설립되었다. 10여 평의 가건물 2동을 교회 마당에 짓고, 40명을 수용, 교인들이 된장, 김치, 식량, 의복 등을 모아 가며 약 5년간을 돌보아 왔다. 1951년 10월 1일부터 교회 장로님이 원장으로 일하면서 1956년 선명회 가입, 한국기독교봉사회 가입하고, 재단이사회가 설립된 기관이다.

1959년 1월 8일 영암읍교회에서 당시 신학교에 재학 중인 박남규 전도사와 결혼을 하였다. 이때부터 읍(친정)에서 10리쯤 떨어진 신흥부락에서 신혼 생활을 시작하였다. 그것도 잠깐 방학이 끝나자 3월이 되어 남편은 서울로 신학교 공부를 위해 떠나가고 시어머니 좌추선 권사와 함께 사는 생활의 시작이었다. 1960년 6월 23일 맏딸 신애를 영암 해창리 신흥 부락에서 출산했다. 영암 신흥교회 주일학교 교사로 봉사하며, 농사일을 거들며 시어머니와 함께 살기를 2년 만에, 1961년 3월 3일 남편 박남규 전도사가 총회신학원을 졸업하였다.

목사 사모의 사역과 사회 활동

1961년 3월부터 남편(박남규)이 신학교를 졸업하고 목회 사역을 시작하였다. 나주군 산포면 내기리 교회에서 첫 목회를 시작하였다. 1962년 6월 2일 둘째 딸 순애가 출생하였다.

1963년 1월 22일 전남노회에서 목사 안수를 받은 남편 박남규 목사는 군종목사 모집을 지원하였다. 광주에 있는 상무대 보병학교에서 장교후보생 훈련을 받고, 1963년 9월 군목으로 임관하였다.

남편 박남규 목사의 군목으로서의 첫 부임지는 1963년 10월부터 논산 연무대 육군훈련소였다. 이와 더불어 사모와 가족들도 함께 논산 연무대에서부터 군인의 아내로 부임지를 따라다니는 삶을 시작하였다. 1964년 10월 2일 장남 용기가 출생하였다.

1965년 10월에는 다시 이삿짐을 싸서, 21사단이 있는 강원도 양구군으로 살림을 옮겼다. 그때의 강원도 양구는 교통이 참으로 불편했다. 춘천에서 배를 타고 큰 땜을 건너가서 군용 트럭을 타고 들어가기도 했다.

수시로 이삿짐을 싸고 옮겨 가며 어린아이들을 돌보며 군목인 남편의 뒷바라지와 육아에 힘썼다. 1967년 6월 6일에 2남 봉기가 출생했다. 벌써 2남 2녀의 어머니가 되었다.

1967년 11월 남편 박남규 목사는 광주 육군통합병원(77육군병원)으로 발령을 받고 5년 만에 연고지인 광주에서 근무를 시작하였다.

1968년 2월 10일 광주시 서구 농성동에 탁아소를 설립하고 원장으로 사회 활동을 하시기 시작했다. 김해희 사모는 처녀 때의 영애원 보육교사의 경험과 교회와 사회사업의 중요성을 알고 있었다. 도시 집중화와 산업사회로의 전환 시기에 맞벌이 부부의 증가에 따른 아이들의 육아 문제에 도움이 되고자 신흥 주택지가 들어서기 시작한 농성동에 탁아소를 설립하였다.

이것이 후에는 사회복지법인 신애어린이집으로 발전하게 되었다. 1969년 5월 4일 막내딸 정애를 출산하였다.

1969년 9월에는 남편 박남규 목사는 월남(베트남) 파병부대인 100군수사 십자성부대 군목으로 출국하셨다. 2년여를 베트남에서 근무하였다. 그동안 김해희 사모는 어린이집 원장으로서, 3녀 2남의 엄마로서, 파월군인의 아내로서, 새벽기도로 시작하는 하루는 잠시도 쉴 여유 없는 고단한 나날이었다.

1971년 월남(베트남)에서 무사히 임무를 마치고 귀국한 남편 박남규 목사는, 1971년 10월 강원도 인제에 있는 3공병여단 군목으로 부임하였다. 그리고 2년 후, 1973년에 31사단 군종 참모로 발령을 받아 광주로 귀향하였다. 이때부터 온 가족이 광주에서 함께하는 생활을 하게 되었다. 그리고 다음 해인 1974년, 31사단 군종 참모인 박남규 목사는 소령으로 전역을 하였다.

1974년 농성어린이집에서 가족들과 이웃 친지 몇 분이 모여서 광송교회를 개척하기 시작했다. 김해희 사모는 어린이집 원장으로, 목사의 사모로, 2남 3녀의 엄마로 참으로 바쁘게 사시었다. 평소 성격이 활발하고 활동적이신 분이지만 때론 쉬고 싶을 때도 있었을 것이다. 그러나 항상 웃으시며 적극적으로 삶을 대하시는 모습을 잃지 않으셨다.

김해희 사모는 틈틈이 공부하는 것도 게을리하지 않았다. 방송통신대학 유아교육학과에 진학하여, 1985년 3월 28일 한국방송통신대학 유아교육학과를 졸업하시고, 유치원 2급 정교사 자격증을 취득하였다. 2005년 6월 30일 어린이집 원장으로 정년 퇴임을 하셨다.

신앙의 3대–1남(男) 박환규 목사의 장모

박소님 전도사

(문례순 사모의 모친, 나의 외할머니)

무안 박씨 집안 신앙의 첫 도입자

박소님 전도사는 1911년 7월 18일 전남 무안에서 박기룡(朴淇龍) 씨의 1남 3녀의 장녀로 무안 박씨 집안에서 출생하였다.

1928년(18세) 영암군 시종면에 사는 문제삼(文済三)의 후처로 결혼하였다. 본처와 사별한 문제삼의 후처 자리로 시집을 가게 된 것이다. 그때는 본인의 의지와 상관없이, 중매쟁이와 부모들의 결정에 따라 가는 것이 그 당시 여자들의 결혼에 대한 관습이었다. 그녀는 결혼 후 곧바로 아이를 갖게 되었다. 임신 중 남편과 사별하였다고 한다. 장례의 모든 절차를 마친 후, 남동생을 비롯한 친정 식구들이 시댁에 가서 임신 중인 박소님을 데리고 친정으로 돌아왔다. 박소님에게는 해방 후, 무안, 진도, 목포와 광주시 내무과장을 역임한 남동생[박구화(朴九和)]이 있었다. 두 사람은 유난히도 남매간의 우애가 좋았다. 친정으로 돌아와서 딸 문례순을 낳았다.

친정집은 무안면 매곡리 신촌 부락에 대궐 같은 한옥집을 갖춘 부잣집이었다. 내 어릴 적 기억에도 외가집은 본채와 사랑채가 있고 출입하는 대문 옆에 문간채와 옆으로 창고와 헛간들이 붙어 있었다. 넓은 마당과 본채 우측에 큰 샘이 있었고 좌측에는 집안에 아름다운 물고기들이 사는 연못도 있었다. 집 뒤에는 대나무들이 집을 둘러싸고 있었다. 1930년 1월 6일 딸 문례순을 친정에서 출산하고 유복자인 딸을 기르며 살았다.

1934년(23세 때) 임자화 전도사(함평중앙교회 홍순호 장로의 장모, 홍정길 목사의 외조모)에게 전도를 받아 예수님을 영접하였다. 임자화 전도사는 무안 현경 사람으로 1919년 3·1만세운동 때, 장터에 갔다 독립 만세를 부르는 사람들을 따라다니다 경찰에 잡혀갔다고 한다. 그로 인해 시댁에서 어린 딸 하나를 데리고 쫓겨났다고 한다. 그는 그 후 예수를 믿고, 서서평 선교사에게 교육을 받고 전도부인이 되어 함평과 무안지역에 매곡교회 현경교회 등을 세웠다고 한다. 그런 임자화 전도사에게 전도를 받은 박소님은 고향인 무안 신촌에서 하나님을 구주로 영접하고 신앙생활을 시작했다고 한다. 그녀의 부친 박기룡 씨는 딸의 성경책을 갖다 읽어 보기도 하고, 신촌 부락에 세워진 임자화 씨가 세운 예배처에서 예배드리는 모습을 직접 참석하여 보기도 했다고 한다. 남녀가 좌우로 나뉘어 앉아 예배하고 찬송하는 것과 설교를 들어 보기도 하고 딸 소님이 예수를 믿는 것을 허락했다고 한다.

뿐만 아니라 주위의 사람들에게 예수를 잘 믿어 좋은 사람이 되라고 권하기도 했다고 한다. 그녀의 부친은 건넛마을 매곡리 수바이마을에 매곡교회를 세우는 데 적극 지원했다고 한다. 임자화 전도사는 박소님을 '믿음의 수양딸'로 삼았고, 그래서 임자화 전도사의 딸(홍정길 목사의 모친)과는 언니 동생처럼 지냈다고 한다.

예수를 영접한 박소님은 임자화 씨에게 추천을 받아 미국 남장로교 한국선교부에서 설립한 전주 여자성경학교(한예정성경학교)를 입학하였다. 성경학교에서 수학하던 중, 학교가 일제의 신사참배 문제로 폐교되어 공부를 중단하고 무안 친정으로 돌아왔다.

『한일장신대학 70년사』 117~119페이지에 "그러나 1940년 가을, 한예정이일성경학교도 학교의 문을 닫았다.", "그 10월에 전주 한예정성경학교도 문을 닫았다."[49]고 적고 있다. 그리고 1945년 해방을 맞이하였다. 일본인들에 의해 미국으로 쫓겨났던 미국인 선교사들이 해방 후 다시 한국으로 돌아왔다. 같은 책 119페이지에는 "1948년 9월, 8년이라는 긴 침묵의 강을 깨고 이일성경학교도 다시 문을 열었다. 이때 교장은 안나 맥퀸(Miss Anna McQueen)이었다. 맥퀸도 한국전쟁이 일어날 때까지 교장으로 수고했다."[50]라고 기록되어 있다.

해방 후 1948년에 광주에서 복교된 광주 이일성경학교에 복학하여 졸업하였다고 한다. 『한일장신대 70년사』 책의 부록(362~363페이지) 졸업생 명단을 찾아보니 "2. 한예정성경학교 1940년 폐교 당시 김정자 외 약 129명", "1. 이일성경학교 졸업생 명단. 15회(1949. 12.) 김무생, 박분임, 박소례, 이양옥(4명)"으로 한글로 기록되어 있다. 나는 여기서도 외할머니의 이름을 발견하지 못했다.

그녀는 성경학교를 마치고 김제 죽산교회에서 첫 사역을 시작하였다고 한다. 아직 김제 죽산교회 정확한 사역일자를 확인하지 못했다.

그 후 고향인 무안 매곡교회에서 시무하였다.

또한 무안군 현경면 수양리교회를 개척, 시무하였다.

당시 나의 외조모인 박소님 전도사는 고려 측 교단에 속하여 있었다. 전라남도 쪽에는 고려 측 교세가 약하여 광주 시내에도 서석동 광산교회와, 유문동에 유문교회 정도만 고려측 교단의 교회이었다. 그러니 시골인 무안군 현경면 수양리 수양교회는 목사가 없어 박 전도사가 홀로 교회를 맡아 주일 낮예배부터 저녁예배는 물론, 새벽예배까지 모두 인도하고 설교하고 심방까지 하는 목사 같은 목회를 여자인 박 전도사가 하였다. 방학이 되면 외할머니 계신 수양리교회 사택에 가서 지내곤 했다.

환갑의 나이를 지나자 사위인 박환규 목사는 교회 사역을 중지하시고 광주 인근 무등산 자락 안에 있는 충효동에 어린이집을 마련하고 초등학교 재학 중인 어린 손자와 손녀들과 함께 살면서 어린이집 사역을 해 보시라고 권하였다. 그리하여 1971년 전도사의 사역을 내려놓고 광주로 옮겨 왔다.

1971년부터 1976년까지 광주시 북구 충효동 충효어린이집 원장을 역임했다.

1979년 12월 9일~1990년 광주 은석교회 설립 시부터는 사위 박환규 목사와 함께 무급 심방전도사로 시무하였다,

1997년 박환규 목사 은퇴와 동시에 박소님 전도사도 교회를 사임했다.

딸 집에서 외손자들과 함께 사시다 90세의 나이를 넘어서자 몸이 약해지고, 기억력이 흐려져서 2002년에 동명원이라는 노인요양원에 입원하셨다. 당시 사위인 박환규 목사도 1995년 발병한 뇌출혈 후유증으로 좌측 편마비가 있어, 딸인 문례순 혼자서는 남편과 모친을 간병하고 부양하기에 너무 힘이 들어 요양원에 입원시키게 되었다.

2006년 8월 14일(96세)에 광주시 서구 풍암동 동명원에서 요양 중, 새벽 3시 10분경 하나님의 부르심을 받고 소천하시었다.

박소님 전도사에게는 유복자로 태어난 딸 문례순 슬하에 외손자 5명과 외손녀 1명–중기, 성기, 창기, 동기, 은기, 그리고 은희가 있다.

박소님 전도사의 사진들을 볼 수 있는 곳 :
https://tinyurl.com/2633vqhz

각주

1. 호남기독교박물관은 전주대학교(이사장 홍정길, 총장 이호인) 개교 50주년을 기념하여 2014년 6월 16일에 개관하였다. 호남 지역의 기독교 전래 과정과 초기 선교에 앞장선 '7인의 선발대'의 활동 모습을 살필 수 있으며, 복음선교, 교육선교, 의료선교 등 기독교의 역할과 업적 등을 전시 · 안내하고 있다.
2. 남선교의 개척자들인 미국남장로교선교부 파송 '7인의 선발대'의 흉상이 호남기독교박물관에 전시되어 있다. 윌리엄 레이놀즈(William Davis Reynolds 한국명 이눌서)와 부인 팻시 볼링(Patsy Bolling), 루이스 테이트(Lewis. Boyd. Tate 최의덕)와 그의 동생 매티 테이트(Miss Mattie Tate 최마태). 윌리엄 전킨(William McCleery Junckin 전위렴)과 그의 부인, 매리 레이번 (Mary Leyburn), 여성 홀몸으로 동참한 리니 데이비스(Miss Linnie Davis) 선교사.
3. 유진 벨(Eugene Bell) 선교사는 아내 로티 위더스푼(Lottie Witherspoon Bell, 1858~1932)과 함께 1895년 한국에 도착했다. 당시 미국 북 장로교에서 파송 1884년에 입국한 알렌(Horace N Allen, 1858~1932)과 1885년에 입국한 언더우드(Horace G Underwood, 1859~1916) 등이 서울 정동을 중심으로 의료교육사업을 하면서 복음 전도 활동을 펴고 있었다. 이때 선교사들은 중복을 피해 지역을 나누어 선교 활동을 벌였다. 전라도 선교는 미국의 남장로교 한국선교회에 맡겨졌다. 이에 따라 유진 벨 선교사는 광주를 비롯한 전라남도 지역에서 선교 활동을 펼쳤다. 유진 벨 선교사는 목포와 광주 여러 곳에 교회들을 세우고 당시 나라를 일본에게 빼앗긴 채 도탄에 빠진 조선 백성들에게 복음을 전하였다. 유진 벨 선교사는 교육과 의료 사역에도 중점을 두어 목포에 정명학교와 영흥학교를 세웠고, 광주에 숭일학교와 수피아학교를 세웠고, 광주에 최초의 종합병원인 광주기독병원(제중병원)을 세웠다.
4. 구소리는 지금 광주시 남구 대촌면에 속했다. 나주 산포면 경계 지석천변 동네로 남평 광리 역촌과 관련 있는 동네이다.
5. 구소리교회는 광주 지역 최초의 교회인 우산리교회에서 분리되어 설립된 교회이다. 1899년에 설립, 1939년까지 존속하다가 1940년경 폐허가 돼 철거되었다. 구소리교회를 다니던 산포와 남평 지역 7~8명의 교우들은 1900년 3월경 남평 대교리에 남평교회를 설립하였다. 이곳에는 1975년에 새로 지은 성만교회가 있다. 옛 교회 자리는 신장동과 구소동의 경계 길

도상길 10(236-1번지) 최영춘의 윗밭이라 한다.

6. 차종순 목사는 호남신학대학에서 역사신학을 강의하고 총장을 역임한 신학자이다.

7. 오웬(C.C. Owen)은 1867년 버지니아 주에서 출생. 햄프턴-시드니 대학을 1886년 졸업, 스코틀랜드뉴 대학, 유니온 신학교를 1894년 졸업, 버지니아 의과대학 등에서 수학했다(1896년). 1894년 목사 안수를 받고 1897년 미국 남장로회 선교사로 임명을 받아 1898년 11월 5일 한국에 들어왔다. 1897년 10월 1일 목포항이 개항됨에 따라 1898년 유진 벨 선교사가 목포 선교의 개척선교사로 결정되면서 그가 원대한 꿈을 안고 서울에서 목포로 이주하여 선교부를 개설하게 되었는데 이때 오웬 선교사도 여기에 합류하게 되었다. 1899년 전라남도 최초 서양 의료소인 목포진료소를 세운다. 그 이듬해 12월 12일 서울 언더우드 선교사 사택에서 미국 북장로회 의료선교사로 내한한 조지아나(Georgina W. 1869~1952)와 결혼, 부부 선교사가 되었다. 오웬과 의료 경험이 풍부하고 유능한 조지아나가 결혼함으로 목포선교부는 목포 진료소와 함께 더욱 힘을 얻어 활발해졌다. 오웬은 초기에 목포, 광주에서 의료와 선교를 병행하다가, 병원에서 자유로운 복음 전파가 가능하게 되자 유진 벨과 함께 전도 사업에 전념하게 된다. 그는 광주, 해남, 완도, 보성, 나주, 고흥, 화순, 광양 지방을 지칠 줄 모르게 순회하며 복음 전도에 전력을 다했다. 그를 통하여 광주 송정리교회(1901), 해남 선두교회(1902), 광주 양림교회(1904) 등 많은 교회가 설립되었다.

8. 이순례. 『한일신학대학 70년사』(한일장신대학 출판부, 1994) 80페이지.

9. 김수진, 『광주 · 전남 지방의 기독교 역사』(한국장로교출판사, 2013) 120~121 페이지.

10. 이 책 부록 5. 221페이지에 게재한 박환규 목사의 글 「우리 가정의 신앙」.

11. 타마자(John Van Nest Talmage) 선교사는 1884년 12월 30일 뉴저지주 뉴왁(Newark) 출생이다. 1907년 툴레인 대학(Tulane University)에서 공학사 취득하고, 1909년 사우스웨스턴 장로교 대학교 신학사 학위, 1910년 프린스턴 신학대학 1년의 대학원 과정을 마쳤다. 1910년 3월 8일 미국 장로교 해외선교부에서 한국에 파송했다. 1910년 7월 15일 뉴올리안즈 노회에서 미국장로교 목사로 안수, 3일 후 엘리사 데이 에머슨(Eliza Day Emerson)과 결혼하였다. 7월 26일 SS Asis 호를 타고 센프란시스코에서 출항, 한일합병일(1910.8.29.) 3일 전 1910년 8월 26일 조선 땅에 도착, 1910부터 1942년까지 사역했다. 그 후 3년 기간의 사역(1947-1950)과 1954년 봄부터 약 2년간 마지막으로 사역했다. 타마자 선교사는 한일합병이 된 1910년부터 1942년까지 32년 동안 광주선교부 중심으로 담양, 장성, 송정리 등 전남 지역 선교 활동을

하였다. 1912년 유진 벨 선교사가 일시 귀국하자 배유지 선교사의 당회장 구역인 24개 교회를 맡게 되었다. 1915년에는 31세 나이로 광주숭일학교 3대 교장도 맡았다.

12. 옥성삼, 『한경교회 100년사』(한들출판사, 2020), 45페이지.
「3. 한국장로교회의 제주선교」 이기풍 목사 이임 이후의 변화(1914~1922).
13. 옥성삼, 『한경교회 100년사』(한들출판사, 2020), 72페이지.
14. 옥성삼, 『한경교회 100년사』(한들출판사, 2020), 79페이지.
15. 소안론 선교사(William L. Swallen 蘇安論)는 농과대학 출신으로 미국 북장로교 소속 멕코믹 신학교를 졸업하고 선교사로 한국에 파송되었다. 안식년 차 미국에 갔다 오면서 사과나무 묘목 300그루를 부산항에 내렸다. 대구선교본부에 150그루를 전달하고 근방 교인들에게 나누어 주어 심게 하였다. 나머지 150그루는 평양에 있는 선교본부에 전달하여 평양 근처 주로 황주에 있는 신도들에게 나누어 주고 심게 했다. 이것이 오늘날 우리나라 대구 사과와 황주 사과의 유래가 되었다.
16. 『한경교회 100년사』(한들출판사, 2020. 3. 3.) 78페이지 기록.
17. 2004년 12월 6일 박환규 작성한 글 이 책의 부록 5, 221페이지 첨부한 「우리 가정의 신앙」.
18. 『영암읍교회 80년사』(1995), 111~115페이지.
19. 조하파(趙夏播 Hopper, Joseph)선교사는 1920년에서 1954년까지 목포 지역을 중심으로 활동한 선교사이다. 1892년 미국 켄터키 주 스탠퍼드에서 출생, 1914년 센트럴 대학 졸업, 1914~1917년까지 루이스 빌 신학교에서 신학을 공부하였다. 1919년 Aniss Barron과 결혼하고, 결혼하자마자 바로 한국으로 오게 된다.
20. 『장흥중앙교회 110년사』(2020. 12. 19.) 책 224~225페이지.
21. 『장흥중앙교회 110년사』(2020. 12. 19.) 책 180페이지.
22. 『장흥중앙교회 110년사』(2020. 12. 19.) 책 226페이지.
23. 『장흥중앙교회 110년사』(2020. 12. 19) 책 226페이지.
24. 박환규 목사 쓴 「순교자 박병근 전도사(장로) 약전」 이 책의 부록 2. 208~211페이지 게재.
25. 이 글은 광주 동산교회를 시무하시던 황영준 목사님이 광주에서 발행되는 주간 기독타임스에 2003년 4월부터 5월까지 5회에 걸쳐 실었던 「순교자 박병근 전도사」의 글 중 4월 15일 3회차 글 중 일부를 발췌하였다.
26. 박환규 목사가 쓴 「순교자 박병근 전도사(장로) 약전」 이 책의 부록 2. 208~211페이지 게재.

27. 『공산교회 100년사』 133페이지.
28. 백춘성, 『조선의 작은 예수 서서평』, 128페이지.
29. 서서평(徐舒平, Elisabeth Johanna Shepping, 1880. 9. 26.~1934. 6. 26.)은 독일 출신의 미국 선교사이다. 1912년 2월 20일 한국으로 파송, 32세인 1912년부터 1934년 54세로 소천하기까지 22년 동안 일제점령기에 의료 혜택을 받지 못했던 광주의 궁핍한 지역을 중심으로 제주와 추자도 등에서 간호선교사로 활동하였다. 광주 이일학교를 세우고, 조선간호부회를 세워 간호사를 양성하였다. 보리밥에 된장국을 먹고, 남자 검정 고무신에 무명으로 지은 한복을 입고, 미혼모, 고아, 한센인, 노숙인 등 가난하고 병약한 많은 사람을 보살폈다. '나환자의 어머니'라 불릴 정도였다. 임금 대부분을 빈민과 병자, 여성을 위해 사용했다. 입양하여 키운 고아가 14명, 오갈 곳 없는 과부를 가족처럼 품어 집에서 같이 지낸 사람이 38명이다.
30. 임희모, 『서서평 선교사의 통전적 영혼 구원선교』(동연, 2020), 191페이지.
31. 임희모, 『서서평 선교사의 통전적 영혼 구원선교』(동연, 2020), 87페이지.
32. 임희모, 『서서평 선교사의 통전적 영혼 구원선교』(동연, 2020), 93페이지.
33. 임희모박사는 서울대학교, 미국 루이빌 장로회신학대학원, 장로회신학대학교 신학대학원과 동 대학원을 졸업하고, 독일 에어랑엔 대학교에서 박사 학위(Dr. Theol.)를 취득하였다. 1995년부터 한일장신대학교 선교학교수로 섬기고 있다. 정년 후, 현 한일장신대학교 명예교수, 서서평연구회장.
34. 임희모, 『서서평, 예수를 살다』(케노시스, 2015), 55, 57페이지.
35. 『공산교회 100년사』(꿈과 비전, 2021), 128페이지.
36. 임희모, 『서서평, 예수를 살다』(케노시스, 2015), 125페이지.
37. 임희모, 『서서평, 예수를 살다』(케노시스, 2015), 63페이지.
38. 임희모, 『서서평, 예수를 살다』(케노시스, 2015), 89, 90페이지.
39. 『공산교회 100년사』(꿈과 비전, 2021), 128페이지.
40. 『공산교회 100년사』(꿈과 비전, 2021), 130~132페이지.
41. 박병근 좌추선의 3남 1963년 1월22일 전남노회에서 목사 안수, 1963년 9월 28일 군종 15기(군목) 육군 중위 임관, 1974년 10월 30일 31사단 군종참모 소령으로 전역하였음. 1974년 10월 1일 광송교회(현, 광주 샘물교회)를 개척하여 시무하시다 1992년 5월 4일 원로목사로 은퇴하였다.

42. 이 책 부록 5. 221페이지 게재한 박환규 목사의 글 「우리 가정의 신앙」.
43. 목탄차는 석탄이나 나무, 옥수수 속을 태울 때 발생하는 일산화탄소(CO)를 자동차 기통에 공급해 주고 거기서 나오는 폭발을 이용해 자동차 엔진을 돌리는 방식으로, 1930년대 초에 일본이 개발한 것이다.
44. 윤식명((尹植明, 1871~1956) 목포교회 양동교회 시무 중, 1914년에 제주 모슬포교회로 파송되어 사역하심, 1921년 전북노회로 임명되시었다.
45. 『장흥중앙교회 110년사』(2020. 12. 19.), 224페이지.
46. 이 책 부록 5. 221페이지 박환규 목사 기록한 「우리 가정의 신앙」 중에서
47. 조하파(Hopper, Joseph, 1892. 02.01~1971.02.20) 미국 켄터키 주 스탠퍼드 출생, 미국 남장로회 선교사로 목포선교부 소속으로 1920년부터 1954년까지 특히 영암, 해남, 강진, 장흥 등을 순회하며 농촌 선교에 주력했다. 1940년 일제에 의해 강제추방당했다가 1948년 다시 복귀한 이후에도 쉬지 않고 일했다.
48. 『장흥중앙교회 110년사』 225페이지. 「장흥읍교회 제5회 당회록」에 기록됨.
49. 『한일신학대학 70년사』, 117, 118페이지.
50. 『한일신학대학 70년사』, 119페이지.

부록(수집한 자료 첨부)

부록의 기사를 사진으로 자세히 볼 수 있는 곳 :
https://tinyurl.com/26h58jle

부록 1. 박병근 전도사가 기록한 가족 교적부-1

住所

身位

父	母	姓名	生日
朴		朴炳根	一八九二年六月七日
		左秋仙	一八九七年
朴	左	朴儒順	一九二五年一月
朴	左	朴炳圭	一九二六年

職名: 장로 / 집사

摘要: 洛水付長老 / 受洗 / 打 마자목사 / 조승명 목사

박병근 전도사가 기록한 가족 교적부-2

父				左外	左外
母					
姓名				朴南圭	朴金圭
生日				一九三三年七月七日	一九二八年九月三日
出生別				三男	二男
本					
願入 年月日					
學習 年月日					
洗禮 年月日				1938年10月23日	1929年4月20日
入教 年月日					
離世 年月日					
				조화파목사(인)	리거필목사(인)

부록 2. 박환규 목사가 쓴 「순교자 박병근 전도사(장로) 약전」

이 글은 장남 박환규 목사가 불편한 몸이지만 컴퓨터를 사용해 남겨 두신 글이다.

-1-

殉敎者 朴炳根 傳道師(長老) 略傳

순교자 박병근은 무명의 전도사였다. 그의 이름을 아는 사람은 그리 많지 않았지만, 그는 신앙을 지키기 위하여 일제의 갖은 유혹과 탄압에도 꿋꿋하게 맞선 신앙의 거목이었다. 그는 한국 교회가 신사 참배 문제로 어려움을 겪고 있을 때 순교하지 못했던 것을 아쉬워하던 나머지 1950년 6.25 동란으로 공산군이 쳐들어 왔을 때 저 남쪽 산골 마을 전남 함평군 나산면 나산리 나산교회에서 장엄하게 순교하였다.

1892년 전라남도 광산군 대촌면 구소리에서 박문택 전도인의 2남 2녀 중 2남으로 출생한 그는 어려서 모친을 잃고 아버지 손에 이끌리어 마을에 있는 한문사숙에 다니면서 학문을 접하였고, 다시 나주군 남평읍에 있는 남평 사립학교에서 3년간 수업을 받았다. 1908년에는 권서 전도인인 아버지의 도움과 오웬(Dr. C. C. Owen : 한국명 오원)선교사의 후원으로 광주 지방 최초의 미션학교인 숭일학교 고등과에 입학하여 수학하였다. 아버지 박문택은 광주지방에서는 최초의 신자였고, 오웬 선교사로부터 세례를 받고 그를 돕는 매서인(賣書人)과 전도인으로 열심히 활동하였던 사람이었다.

박병근은 광주 숭일학교를 졸업하자 기울어 가는 나라의 운명과 가난한 농촌 자녀들을 그냥 볼 수가 없어서 교회에서 경영하는 사립학교 교사로 뛰어들었다. 그는 고향에 있는 구소리 사립학교를 비롯해서 보성군에 있는 운림학교, 광산에 있는 조산학교에서 차례로 교편을 잡았다. 한일합방과 새로운 교육령이 발표되자 교회가 경영하는 수많은 사립학교가 문을 닫게 되었고, 이 여파로 박병근은 나라 잃은 설움과 함께 그가 서야 할 자리마저 잃게 되었다.

그 후로 박병근은 매년 선교부에서 농한기를 이용하여 실시했던 광주 대사경 학원에 입학하여 성경을 배우기 시작했다. 그는 성경에 대한 학습열정이 강하여 매년 실시하는 성경학원을 한번도 거르지 않고 참석했고, 이러한 그의 열심을 전남노회가 인정하여 1924년 전도사로 임명하였다. 그의 첫 부임지는 전남 담양군 창평면 창평교회였다. 그는 창평교회를 담임하면서 동시에 동일 군내의 대전면 대치교회도 겸임을 하여 눈부신 부흥을 이루어 냈다. 뿐만 아니라 바쁜 목회의 와중에서도 배우기를 그치지 않아 평양신학교의 소안론 목사에게서 통신으로 신약 공부에 열중하였다. 그의 목회로 인하여 창평교회와 대치교회가 부흥되자 3년 후인 1927년에 전남노회는 취약지인 제주도로 그를 파송하였고, 그는 제주도 구우면 신창리 신창교회를 성공적으로 담임하여 그곳에서 1929년 장로 장립까지 받게 되었다. 또한 제주도에서도 통신과정의 성경공부(구약)를 계속하여 소안론 목사로부터 통신으로 우수한 점수를 받았다.

1930년에는 다시 장흥군 관산면 부평 교회를 개척하고 3년만에 교회당을 건축할 만큼 부흥을 이루었다. 부평교회의 개척과 함께 대덕면 삭금리 교회와 진목리 교회를 겸임시무하였다. 1934년에는 장흥읍 교회로 전임하여 거기서도 허물어져 가는 교회당을 새로이 건축하였다. 1937년에는 영암읍 교회의 청빙을 받았다. 그는 영암읍 교회를 시무하면서 동시에 영암군 덕진면 영보교회, 군서면 구림교회, 군서면 장사리교회, 군서면 도장리교회 등을 매주 하루씩 순번을 정하여 순회하면서 돌보는 열정을 보였고, 또한 영암군 군서면 해창리 신흥교회와 영암면 장암리 장암교회를 개척하기도 하였다.

한국교회의 악몽의 해인 1938년 조선예수교 장로회 총회가 신사참배를 결의하자 지방의 많은 전도사들이 이 일에 대해서만은 일보의 양보도 할 수 없다고 반대하고 나섰을 때 박전도사도 순교를 각오하고 신사참배 결사반대의 대열에 합류하였다. 이미 장흥읍 교회를 부흥시킨 바 있던 박전도사는 이 때 영암읍 교회의 청빙을 받아 영암읍 교회를 담임하고 있으면서 낡은 교회당 신축공사를 성공리에 끝내고 안정된 여건 속에서 주변에 있는 여타 교회들도 돌보고 있을 때였다.

일제의 신사참배 강요가 점점 더 집요해져 가고 있던 1940년 음력 팔월 추석 즈음 장흥, 강진, 영암 지방의 사경회가 장강영 시찰회의 주최로 강진읍 교회에서 열렸고, 박병근 전도사도 이 사경회의 강사 중 한 명으로 초빙되어 하나님의 말씀선포에 열중하고 있었다. 이 때 갑자기 강진 경찰서 고등계 형사들이 들이닥쳐 그 지역 일대의 목사와 장로, 전도사 등 수십 명의 신사참배 반대자들을 체포하였다. 이 때 박병근 전도사도 함께 체포되었고, 그들은 모두 강진 경찰서로 끌려갔다. 곧 박병근 전도사는 영암 경찰서로 이송되었다. 강진경찰서 고등계에서 그 일대의 신사참배 반대자들을 거의 모두 잡아들인 것이었다. 박전도사는 이후로 영암 경찰서 유치장에서 13개월간의 긴 옥고를 치루게 되었다.

유치장에서 심한 박해와 회유책이 그를 괴롭혔지만 그는 조금도 흔들리지 않고 끝까지 신앙의 절개를 지켰다. 일본 경찰은 그를 더 이상 경찰서에 감금할 필요를 느끼지 않자 어마어마한 죄목을 붙여 재판에 회부하고 광주 형무소로 넘겨 버렸다. 또한 영암 경찰서의 신축을 이유로 영암읍 교회와 박병근 전도사의 사택을 인근의 30여호나 되는 집들과 함께 허물기로 하였다고 일방적으로 통보했다.

남편이 잡혀가고 사택 마저도 헐리게 되자 부인 좌추선은 당장 거처를 옮길 수밖에 없었다. 어쩔 수 없이 영암군 군서면 해창리 신흥부락으로 이사하게 된 부인 좌추선은 생계문제를 해결하기 위해 고향인 제주도까지 다니면서 보따리 장사를 시작하였다. 이 때의 일화가 있다. 그 당시 가뭄이 심했는데 아주 극심했던 가뭄의 와중에서도 박 전도사의 집 지붕과 담장 위에만 유독 수많은 박이 열려 마을 사람들의 부러움을 샀다. 다행히 그 박을 타서 보리쌀과 바꿀 수 있어서 생활에 큰 보탬이 되었다고 한다.

부인 좌추선은 광주 이일 성경학교를 졸업하고 서서평(Miss E.S. Shepping) 전도사를 돕는 조사 일을 보았고, 남편이 옥에 갇혀 있는 동안 어찌나 부지런하였는지 돈을 모아 군서면 해창리 신흥부락에다 작은 집을 마련하기까지 했다. 박병근 전도사가 만기로 출소하던 때인 1943년 11월 19일 3년이 넘는 기간 동안 집을 비웠다가 돌아왔지만, 박전도사는 하나님께서 오히려 자신의 가정을 지켜주심을 감사하였다. 평생 사택에서만 살던 박 전도사가 처음으로 자기 집에서 살 수 있게 된 것이었다.

박병근 전도사는 감옥에서 출감하자 일경에 붙잡히기 전에 군서면 해창리 신흥부락에 개척하여 부인 좌추선과 몇몇 성도들에 의해서 유지되던 신흥교회로 돌아와 일경의 끊임없는 감시의 눈총 속에서도 조금도 두려워하지 않고 목회에 정진하였다. 1945년 8.15 해방을 맞이하자 그의 교역 활동은 더욱 활발해졌다. 1946년에 당시 신흥부락의 이장으로 있으면서 그 마을의 청년들이 구림리를 중심으로 확산되어 가던 좌익 청년단체에 가담하지 않도록 적극 권면하여 청년들을 선도하기도 하였다. 1947년 광주 광산교회를 거쳐 무안의 현경 교회로 전임한다.

현경교회에서 시무하던 어느 날 함평군 나산 교회의 장로님 두 분이 박전도사를 청빙하기 위하여 방문하였다. 두 분 장로님의 얘기는 좌익 사상으로 심하게 어려움을 겪고 있었던 나산 교회 담임 박장환 목사님이 어느 날 밤 갑자기 들이닥친 빨치산과 격투를 하였고, 이에 그들의 표적이 되어 더 이상 나산 교회를 담임할 수 없게 되었다는 것이었다. 그 말을 들은 박전도사는 순교를 각오하고 나산 교회에 부임하기로 결심하였다. 밤마다 교인들을 괴롭히고 면민들을 어지럽히던 공산당원들은 6.25가 터지자 곧 박병근 전도사를 연행하였다. 전부터 공산당이 강한 지방이었기 때문에 교인들이 피난을 권유했지만 박전도사는 끝까지 교회를 지키다가 체포되어 함평 내무소에 수감되었다.

공산당원들에 의해 특별한 관리 대상으로 분류된 박전도사는 약 한 달간의 독방생활을 하였다. 박전도사가 감옥에 수감되어 있는 동안 점차 전세는 공산당에게 불리해졌다. 음력 팔월 추석에 이르러 공산당원들은 후퇴할 수밖에 없게 되자 공산당원들은 우익인사들을 줄줄이 포박한 채로 끌어내어 함평 향교 뒷산으로 향했다. 감옥에 갇혀 있다가 영문도 무른 채 끌려나온 우익 인사 46명과 박병근 전도사는 그곳이 그들의 순교지가 될 줄 어찌 알았으랴. 공상당원들의 무차별적인 총살에 의해 박병근 전도사는 끝내 순교의 피를 흘리며 숨을 거두고 말았다. 박전도사의 사체는 두 손이 앞으로 묶인 채 기도하는 모습으로 발견되었고, 뒤에서 쏜 총탄이 배를 관통한 흔적이 역력했다. 하나님 앞에서 신앙의 절개를 지키기 위해서 신사참배를 거부하고 옥고를 치루었던 박전도사는 끝내 일본 경찰이 아닌 좌익 사상에 물들은 동포가 쏜 총탄에 맞아 죽음을 맞이했다. 공산당원들의 체포의 위협이 눈앞에 다가와 있음을 알면서도 끝내 주의 몸된 교회를 지켰던 박전도사는 내심 순교의 길을 가는 것을 바라고 있었는지도 모른다. 그러기에 그는 죽는 순간까지도 기도하는 자세를 흐트리지 않고 순교의 피를 땅에 쏟았던 것이다.

부록 3. 광주동산교회 황영준 목사님이 광주에서 발행한 《기독타임스》에 2003년 4월부터 5월까지 5회에 걸쳐 연재해 주신 글

이 글은 2007년 5월 18일 대한예수교장로회(합동) 총회 순교자기념사업부에서 발행한 순교행전『죽으면 사는 은혜』126~136페이지에 수록되었다.

■ 순교자 박병근 전도사 일가 이야기

기독타임스

-4171, FAX 954-4170 THE KIDOKTIMES http://chris.co.kr

이 글은 대한예수교장로회 전남노회에 속한 박환규 목사(은석교회 은퇴목사) 일가의 대를 이은 목회 이야기입니다. 광주 · 전남지역 선교의 역사와 맥을 같이하는 귀한 사역자들입니다. 박환규 목사님이 제공하신 자료와 다른 자료들을 참고로 정리한 내용입니다.

박환규 목사의 조부 박문택 조사가 신앙생활을 했던 광주전남 지역의 초기교회인 구소리교회(1899년 설립 중간에 폐쇄되었고 지금 나주군 산포면에 성만교회가 세워짐)의 역사로부터 지금까지 4대 목회지로 대를 잇고 있습니다. 우리 전남노회 역사와도 관계가 깊어서 동역자들이 이런 사실을 알았으면 하는 바램이 있어 참고자료로 드립니다. 이 글은 광주에서 발행되는 주간 기독타임스에 2003년 4월부터 5월까지 5회에 걸쳐 실었습니다. 목회자로서 겪었던 핍박과 시험과 고난을 이루 다 말할 수 없습니다. 지면 관계상 많은 내용이 생략했습니다.

(광주 동산교회 황영준 목사)

1. 부친과 아우와 딸을 데려가신 하나님
2. 양무리 지키다 순교한 박병근 전도사
3. 박환규 목사, 부친의 순교신앙 따라
4. 박전도사 가문은 광주 선교 역사
5. 4대째, 삼형제 목사 해외에서 광주에서

박문택	구소리교회 교인 오웬선교사 조사로 활동
박병근	전남노회전도사 강진 장흥 영암교회 시무 신사참배 거부 투옥 6 · 25 당시 나산교회서 순교
박환규 박남규	두 형제 목사 임직 박환규 창평 대한 봉황 시무 광주은석교회 개척
박성기 박창기 박은기	성기-케나선교사 창기-중흥교회부목사 은기-아름다운교회 개척

1950년 9월 30일 공산당에 의해 순교한 박병근 전도사의 상의. 등에서 배로 관통한 총알구멍이 뻥 뚫려있다.

〈 순교자 박병근전도사 [1] 〉

부친·아우·딸을 데려가신 하나님…

박환규 목사님은(78세·광주은석교회 은퇴목사) 제가 방문했을 때 아버지 박병근(朴炳根) 전도사가 6·25때 순교하면서 입었던 총구멍이 선명한 피빛 바랜 삼의 옷 조각을 내보였습니다.

순교의 제물이 되신 부친을 생각하면서 세 아들 목사에게도(박성기-케냐선교사, 박창기-광주중흥교회, 박은기)에게 "죽도록 충성하자. 할아버지처럼 우리도 죽도록 충성하자" 이렇게 권하고 다짐한다 합니다.

광주·전남지역 초대교회의 하나인 구소리교회(1899년 설립, 광주 광산구) 교인이었던 할아버지 박문택(朴文澤)으로부터 이어지는 5대 신앙 가문의 이야기를 들려줍니다.

박병근 전도사가 나산교회(함평군)를 시무할 때 좌익에게 끌려가 순교한 것은 1950년 9월 30일경이었습니다. 추석 이틀 후에 지방 유지들 30여명과 함께 함평 향교 뒷산으로 끌려가서 죽임을 당했습니다. 순교하신 아버지를 추모하는 글을 썼습니다.

"둥근 달이 높이 떠 있고 고요하고 고적한 외로운 밤. 묵묵히 최후를 맞으려고 죽을 소와 같이 끌려가는 그 발걸음. 장엄하고 용감하고 아름답도다. 붉은 피로 땅을 적시고 쓰러진 순교자. 인간의 칭찬과 인생의 높음을 멀리한 거룩한 사도. 세상의 고초와 쓰라림을 다 마치고 죽음으로 순종한 아름다운 성도. 지금은 천국에 아름다운 한 송이 꽃이리라."

6·25의 비극은 이렇게만 끝나지 않았습니다. 아우 금규는 무안에 피신해 있다가 아버지 피살 소식을 듣고 나산으로 달려갔다가 좌익들에게 붙들려 죽었습니다.

아버지께서 세상을 떠난지 며칠 후의 일이었습니다. 하늘이 무너지는 충격으로 울고 또 울었습니다.

"그 날이 최후일 줄이야 누가 알았단 말이냐. 슬픔에 잠긴 가슴 움켜 안고 울며 헤어진 그 때가 영-이별일 줄이야 누가 알았단 말이냐. 아~, 그 연못가 갈림길. 짝 잃은 오리 한 마리가 헤엄쳐 다니던 것이 나의 마음에 다시 새롭구나. 이제는 내가 그 외로운 오리가 되고 보니 말이다. 나, 어떻게 하란 말이냐? 동생아 그리웁다. 너만 있었다면 내 마음 얼마나 기뻤겠느냐. 모두가 허사라. 모두가 허사라. 저 허공에 대고 또 내 마음속 깊이서 금규야 하고 외치노라. 그 모든 희망 어디다 두고, 그 모든 재주 어디다 두고, 지금은 어디 가 안 보이느냐. 너 지금 하늘나라에서 부친, 누님, 조카들과 하나님 품속에 있으리라. 나도 빨리 그 나라에 가고자 하노라. 나도 그 나라 가고자 하노라"

아버지와 아우를 졸지에 잃은 그 슬픔이 가시기도 전에 마음을 도려내는 아픔이 이어졌습니다.

장흥군 관산교회를 섬기고 있었는데 사모님이 갓난애 딸을 데리고 이사하면서 찬바람을 쐰 것이 병이 되어 세상을 떠났습니다.

"은희는 갔도다. 하늘나라로. 너무나도 허망하게 돌아갔도다…. 그 마른 손 눈앞에 보이고 밥 받아먹던 그 모습 그리워진다. 지난 여름 입으로 화로 불을 불어 우유를 데워 먹였는데, 보리밥이라도 먹였는데. 은희야, 세상 고생 버리고 평안한 천국 갔지만 너의 엄마 아빠는 너를 그리워한단다. 하나님이 주셨다가 데려가신 걸 내 어찌 이렇게 못 잊을까. 나에게 힘을 주소서. 나의 마음에 위로를 주소서. 육체는 비록 흙으로 갔지만 영혼은 아버지께 간줄 아나이다… 하나님이여. 나를 붙들어 주옵소서"

목회자가 겪어야만 하는 모진 시련과 연단이었을까?

한 영혼의 귀중함을 일깨워주시는 감당하기 어려운 시험이었을까?

그 때로부터 50년. 주께서 맡기신 십자가의 길을 가다가 쓰러져 버린 병든 몸. 그러나 4대째를 이어가는 아들 삼형제 목사와 자녀들을 위한 기도를 이어가고 있습니다. 예수 그리스도와 그의 교회를 위하여….

〈다음호에 계속〉

황■영■준■목■회■칼■럼　　　제361회 2003. 0

순교자 박병근 전도사(2)

양무리 지키다 순교한 박병근 전도사

박환규 목사님의 부친 박병근(朴炳根)전도사는 6·25가 나던 1950년에 나산교회(함평군)를 시무했습니다. 퇴각하는 공산당에 붙잡혀 9월 30일경 순교하였습니다.

박 전도사님은 광주숭일학교 고등과를 나온 후에 한 평생을 전도사로 교회를 섬겼습니다. 나 같이 부족한 죄인이 어찌 목사가 되겠느냐며 평양신학교 진학을 포기하고 전도사로 교회를 섬기다 순교했으니 그를 무명의 순교자라 부릅니다.

박병근의 부친 박문택은 유진벨 선교사가 1899년에 개척한 구소리교회(현재 나주군 산포면) 교인이었으며 선교사를 도와 조사로 또 매서인으로도 활동했습니다. 광주 전남 초대교회 교인이었던 그는 오웬(Owen, C. C.)선교사에게서 세례를 받았습니다. 아들 박병근은 오웬 선교사의 도움으로 광주숭일학교 고등과를 졸업하고 교회에서 운영하는 사숙에서 교사로 봉사했습니다. 구소리교회 사립학교를 비롯해서 보성군 운림학교, 광산군 조산학교에서 활동했습니다. 선교부에서 농한기에 개최하는 성경사경학원에 입학하였습니다. 여러 해를 공부하고 평양신학교에서 실시하는 통신과정 신학에 등록하여 우수한 성적으로 마쳤습니다. 1924년에 전남노회로부터 전도사로 임명받았습니다. 그 때는 광주 전남만 아니라 제주도까지 전남노회에 속했기 때문에 그의 사역은 제주까지 넓혀졌습니다. 그의 목회생활은 창평교회를 시작으로, 제주 신창교회 그리고 장흥군 관산교회로 이어집니다. 1930년에 관산으로 올라와 부평교회를 개척하고 삭금리교회와 진목교회까지 겸임했습니다.

이 때로부터 장강영(장흥 강진 영암)지역에서 활발하게 일했습니다. 1934년에 장흥읍교회로 전임하여 허물어져 가는 예배당을 건축했고, 1937년에는 영암읍교회로 옮겨 영보, 구림, 장사리, 도장교회까지 담당했습니다. 일개 군에 목사님이 한 두 분뿐이고 전도사도 많지 않아서 여러 교회를 맡았습니다. 여기서도 신흥교회와 장암교회를 개척했습니다.

1938년 조선예수교장로회가 총회가 신사참배를 결의했을 때도 신사참배를 끝까지 거부했습니다. 일본 경찰은 그를 가만두지 않았습니다. 1940년 추석 무렵 장흥 강진 영암지방 연합사경회가 강진읍교회에서 장강영시찰회 주최로 열렸습니다. 박 전도사님도 강사로 나서서 말씀을 선포했는데 그 때 체포되었습니다. 고등계 형사들이 밀려와서 사경회에 참석했던 목사 장로 전도사 수 십명을 끌어간 것입니다. 신사참배 거부 죄였습니다. 영암경찰서로 이송되어 13개월 동안 갇혀 있으면서 모진 고문과 회유를 받았지만 굽히지 않았습니다. 광주형무소로 옮겨 3년을 복역하며 갖은 고생을 하다가 1943년 11월에 석방되었습니다. 그 후로 그가 개척했던 신흥교회를 섬기다가 8·15 해방을 맞았습니다.

해방 후에는 광주 광산교회를 거쳐 무안 현경교회를 옮겨갔다가 지방 좌익과 충돌이 심했던 나산교회(함평군)로 부임했습니다. 전임 목사는 좌익과 충돌이 있어 그들의 표적이 되므로 교회를 사임했습니다. 어려운 교회를 감당하실 분은 박 전도사라면서 청빙한 것입니다. 어려운 시대에 어려운 교회에 부임했던 것입니다. 그는 청년들을 상대로 반공 운동을 했습니다. 공산당은 6 25가 터지자 눈에 가시처럼 못마땅해 했던 박병근 전도사를 끌어갔습니다. 교인들이 피난을 권했지만 양무리를 지키다가 체포된 것입니다. 일제 때 신사참배를 거부하고 옥살이를 했지만 순교하지 못한 것을 부끄러워하고 있었습니다. 이번에도 변함 없이 주님 위해 생명 바칠 일사각오로 주님의 몸 된 교회를 지켰던 것입니다.

■두려워 말라 내가 너와 함께 함이니라 놀라지 말라 나는 네 하나님이 됨이니라. 내가 너를 굳세게 하리라 사41:10■

함■영■준■목■회■칼■럼 제361회 2003. 4. 15

순교자 박병근 전도사(3)

박환규 목사, 부친 순교신앙 따라

박병근 전도사는 6·25 후에 공산당에 붙잡혀 함평내무서 유치장 독방에 갇혀 한 달을 지냈습니다. 10월이 되면서 전세가 불리해진 공산군은 후퇴를 서두르면서 추석 무렵에 많은 사람들을 학살했습니다. 우익인사들 30여명과 박병근 전도사도 포박되어 줄줄이 함평향교 뒷산으로 끌고 가서 저들의 총탄에 죽어갔습니다. 그의 시신은 두 손이 앞으로 묶이고 기도하는 모습으로 발견되었는데 등에 대고 쏜 총탄이 몸을 찢고 관통한 처참한 모습이었습니다. 그가 마지막으로 주님 앞에 어떤 기도를 드렸는지는 알 수 없습니다.

그 때 궁산교회에 시무하던(함평) 박요한 목사님(대한예수교장로회 제58회 총회장)도 함평내무서에 갇혔습니다. 감옥에서 끌려나간 사람들이 다시 들어오지 않은 것을 보고 학살당한 것을 직감하고, 이제는 내 차례가 되었구나 생각했습니다. 함께 있던 장로님이 "목사님, 어떻게 하고 죽을까요?"하고 물었습니다. "찬송하고 기도한 후에 전도하고 죽읍시다." 이렇게 다짐했답니다. 그런데 마지막으로 철수하던 공산당이 "당신들, 하나님이 살려준 줄 아시오."하고 풀어주어 죽지 않고 살았다면 그 때의 일을 간증합니다. 그 때 교회를 섬기는 목회자들과 성도들은 믿음 그것은 순교의 신앙이었습니다.

일제 때 신사참배를 거부하고 옥고를 치렀지만 해방된 조국에서 불신 좌익 동포의 총탄에 순교하니 1950년 9월 30일, 추석 2일 후였습니다. 아내가 손수 지어서 입었던 옷은 피에 젖었습니다. 두 아들 환규와 금규는 어려운 때라서 좋은 목관도 구하지 못해 대나무 발에 시신을 모셔 장례를 치렀습니다. 주님의 교회를 지키며 피난도 사양하더니 시대의 아픔을 십자가로 짊어지고 주님 앞으로 갔습니다.

일제 때 광주형무소에 수감되어서는 손양원 목사님과 함께 묶여서 재판정에 오갔답니다. 그는 신사참배만 아니라 창씨개명도 거절하고 성도들에게는 해방의 소망과 주의 강림을 선포하면서 소망을 심었습니다. 반공운동에 앞장서서 청년들을 지도했습니다.

아들 박환규 목사님은 부친이 입었던 옷, 총탄 구멍이 뚫리고 핏빛이 바랜 그 유품을 챙겨서 지금까지 간직하고 있습니다. 어려움이 있을 때마다 꺼내보고, 목사가 된 세 아들에게 내보이면서 할아버지의 신앙을 본받아 죽도록 충성하자고 다짐한답니다.

박전도사의 사모 좌추선 부인은 제주가 고향으로 광주이일성경학교를 나와서 서서평(쉐핑)선교사를 도와 전도했습니다. 박전도사와 결혼하고는 농촌교회와 고향 제주에서의 사역에 좋은 내조를 했습니다. 남편이 감옥에 갇혔을 때는 눈물 기도로 예배당 마루를 적셨습니다. 심한 기근이 들었던 어느 해에는 박을 심어 식량을 삼았는데 다른 집과 달리 유난히 박이 많이 열렸었다고 합니다. 보따리 장사에 나서기도 했습니다. 4남매를 키우면서 아이들의 잘못이 있으면 자신의 허물을 확인시켜주고 때렸답니다.

박 목사님이 부친 2주기에 쓴 글입니다. "나, 부친 뒤를 잇기 위하여 이곳에 왔으니 어머니 용서하십시오. 어머님이 슬퍼하시는 모습이 내 눈에 나타납니다. 어머님, 천국가신 부친과 금규. 우리 식구들 천국가면 기쁜 얼굴 대할 것이니 슬픔을 기쁨으로 바꾸어 주시는 주님의 위로가 우리 가정 위에 영원히 떠나지 않을 줄 압니다. 내 할 일 다 하고 주님 뜻 준행하다가 부친 가신 그 길을 나도 따라 가길 원합니다. 이것이 부친의 최후 교훈입니다…." 순교의 피는 복음의 씨가 되어 두 아들(박환규목사, 박남규 목사)과 세 손자가 목사로 대를 이어갑니다. -계속

• 두려워 말라 내가 너와 함께 함이니라 놀라지 말라 나는 네 하나님이 됨이니라. • 이사야 41:10 •

한■영■준■목■회■칼■럼 제365회 2003.

순교자 박병근 전도사(4)

박전도사 가문은 광주 선교역사

박 전도사의 아들 박환규는 어려서부터 부친으로부터 신앙훈련을 잘 받았습니다. 부평교회를 개척하여 시무할 때는 강진읍교회에서 열리는 연합사경회에 참석했습니다. 먼 시골 길을 함께 걸어 다녔습니다. 사경회가 귀한 때라서 군내의 여러 교회 성도들이 식량을 짊어지고 읍내 교회에 모여들었습니다. 토요일이면 공동우물에서 물을 갑절로 길러 주일을 준비했습니다. 부친이 감옥에 있을 때는 신문배달, 버스 차장, 양복점, 사진관 일로 가정을 돌보았습니다.

박병근 전도사의 부친 박문택(朴文澤) 성도는 전남지역에 처음 선교사로 들어온 배유지(유진 벨)의 전도로 설립된 구소교회 교인이었습니다. 선교사를 도와 매서인과 전도인으로 활동했으니 그는 광주전남지역 선교에 크게 공헌한 전도자입니다. 구소리교회는 광주지역 최초 교회인 우산리교회가 분리되어 설립된 교회입니다. 차종순 목사는 배유지 목사가 1896년 11월에 송정리와 우산리 지역을 최초로 방문하고, 1897년 가을부터 하층민들을 중심으로 예배드리기 시작하였다고 합니다. 나주에 선교부를 세우기 위해 군산에서 나주로 여행하는 길에 송정리 지역에 머물면서 전도하여 세워진 교회라는 것입니다. 최초의 교인 김일서방의 집에서 최초로 예배가 시작되었지만 양반들과 관리들이 박해를 가함으로 우산리교회는 폐쇄되고, 1899년에 삼도리와 구소리에서 다니던 교인들이 각각 자기 동네에 교회를 세웠다고 합니다.

박문택 씨가 우산리교회를 다녔는지는 확인되지 않지만 그의 전도활동은 활발했던 것으로 보입니다. 그가 협력했던 오웬 선교사가 남평, 나주, 영암, 장흥, 보성, 능주, 동복, 화순, 옥과, 낙안, 순천, 광양, 구례 등을 순회하면서 선교활동을 했으니 매서인이요 전도인인 박문택씨 또한 그 지방을 순회했을 것입니다. 동네 사랑방을 찾아가서 찬송을 부르고 사람들이 모이면 전도했습니다. 아내도 덕림 마을 사랑방을 찾아다니며 전도해서 덕림교회(1904년 설립, 나주) 개척에 함께 했답니다.

1905년 선교보고를 보면 오웬 선교사가 구소리교회에서 32명을 문답하여 5명을 세례교인으로, 18명은 학습교인으로 세웠다는 내용이 있는 것으로 보아 초창기에 교인이 많았던 것 같습니다. 가난한 농촌이었기 때문에 예배당도 없었지만 가까운 시일에 건축할 것으로 보고했으니 교회가 활발하게 성장하고 있었던 것입니다. 박문택 전도인은 오웬 선교사와의 이런 관계로 그의 아들 박병근을 숭일학교 고등과에 추천하였던 것입니다.

1899년에 설립된 구소리교회의 박문택 전도인, 박문택의 아들 박병근은 1924년에 전남노회 전도사로, 박병근의 아들 박환규(1955년 목포노회 안수)와 박남규는 목사가 되어 6·25 전후의 농촌교회와 광주지역에 교회를 개척했고, 박환규 목사 아들 박성기 선교사는 케냐로(1989년 안수), 박창기(중흥교회 부목사), 박은기(아름다운교회) 목사는 광주에서 목회 합니다. 4대째 이어지는 이 가문은 광주 선교의 역사의 한 줄기가 되었습니다. 제가 의료봉사팀과 케냐 마차코스(Machakos)에 갔을 때 박성기 선교사는 교회 개척만 아니라 신학교 사역으로 현지인 교역자를 기르고 있었습니다. 두 주간의 봉사를 마치고 나이로비공항 출국장을 나올 때 박 선교사의 다섯 살 난 아들 주원이가 울고 있었습니다. 동행했던 삼촌을 떠나보내면서 참았던 눈물이 터진 것입니다. 사모님도 돌아서며 눈물을 닦았습니다. 그 어린 주원이와 동생 주영이가 가있는 검은 대륙 아프리카. 그들이 보고 듣고 체험하는 선교현지 생활이 5대를 이을 차세대 복음 사역자로 키워지고 있는지 모르겠습니다. -계속

• 두려워 말라 내가 너와 함께 함이니라 놀라지 말라 나는 네 하나님이 됨이니라. • 이사야 41:10 •

항▪역▪춘▪목▪회▪칼▪럼 제366회 2003.

순교자 박병근 전도사(5)

4대째, 삼형제 목사 해외에서 광주에서

순교자 박병근 전도사의 아들 박환규 50년에 가까운 목회를 마감했습니다. 8·15 해방 전후와 6 25, 가난한 농촌 목회 그리고 교단 분열로 겪어야했던 아픈 상처와 개척교회를 세우던 일로 한평생 주님의 교회를 섬겼습니다. 어려웠던 시절을 오직 충성으로 통과해 온 역사의 증인입니다.

박환규 목사는 18세 소년시절에 첫 설교를 했습니다. 신사참배를 거부한 교역자들이 옥에 갇히고 예배를 인도할 사람이 없었습니다. 어쩔 수 없이 강단에 서서 설교집을 읽다시피 하였지만 그래도 은혜가 되었던 것은 성도들이 어려운 시절에 은혜를 갈급했기 때문이었다고 합니다.

광주고등성경학교를 나와 24세 때 관산교회(장흥군) 전도사로 목회자의 길에 들어섰습니다. 남산장로교신학교에서 공부를 시작하여 피란시절 부산진교회에서 그리고 대구로 옮긴 총회신학교에서 공부했습니다. 관산교회를 시작으로 원진교회(해남), 창평교회, 구례중앙교회, 대안교회(나주), 봉황교회를 섬기다가 교단분열로 사임했습니다. 평생 총회를 지켜온 그는 역사적인 총회를 떠나지 않기로 결단하고 정든 농촌 교회를 떠났습니다. 1979년 광주에서 개발지역인 운암동에 은석교회를 개척하여 예배당을 건축하고 69세 되던 1995년에 쓰러지기까지 곁눈질 없이 오직 사명의 길을 달려왔습니다. 은석교회를 개척할 때의 형편입니다. "가족이 살던 집을 팔았다. 자녀들 가운데 누구 하나 원망하지 않았다. 지금도 아이들에게 고마움을 느낀다. 그 때는 교인들의 수가 적었고 교회가 대지를 살 돈도 없어서 가족이 살던 집을 팔아 예배당 부지를 구했다. 가족 일부는 작은 방을 셋집으로 얻어 살고 나는 교회의 작은 방에서 지냈다. 그 때의 고생은 큰 것이었다. 지금 교인들은 모를 것이다…" 그렇습니다. 지금 성도들의 눈에 보이지 않는 지난날의 피눈물과 기도와 수고를 주님 외에 누가 알아주겠습니까? 목회자는 이 길을 걸어오고 또 이어가야 하는 것입니다.

부친의 순교 신앙을 따라가려는 마음은 변함이 없건만 몸은 언제까지나 따라주지 않았습니다. 농촌목회로 흘러간 세월만큼 늙고 한계에 이른 것입니다. 1995년 2월 첫 주일 밤예배를 마치고 예배당 지하에 딸린 사택에 들어가서 그대로 쓰러지고 말았습니다. 며칠 후에 깨어보니 병원이었습니다. 아내와 자녀들이 병원으로 옮겨 밤을 새워 수술을 했던 것입니다. 석 달 후에 퇴원했지만 오른편에 장애가 왔습니다. 말을 제대로 하지 못하니 설교도 쉬어야했습니다. 한 평생 십자가 사명의 길을 걸어왔던 목회를 마감하고 조금은 쉬라는 주님의 뜻으로 알고 강단에서 물러났습니다. 지금은 많이 회복되었지만 사모님의 내조로 생활하고 계십니다. 은퇴 목회자는 외롭습니다. 주님만이 아십니다.

박환규 목사님의 아들 박은기 목사(아름다운교회)는 금년에 광주에 교회를 개척하면서 이렇게 말합니다. "믿음의 대를 이어간다는 것은 축복 받은 일입니다… 저는 늘 순교하신 할아버님과 일관성 있게 한 길을 달려오신 아버님을 존경해 왔습니다. 그래서 힘이 들 때면 먼저 나 같은 죄인 위해 십자가에 달리신 예수님을 묵상하고, 다음으로 농촌목회와 개척목회를 하면서도 세상과 타협하지 않고 목회자의 길을 걸어오신 아버님의 얼굴을 떠올립니다. 그리고 마지막으로 아버님께서 언젠가 저희 형제들 앞에 말없이 내 놓으시던 총알구멍이 난 헌 베 조각, 그것을 떠올립니다. 그러고 나면 그것이 저의 자존감이 되어 이 어려움 앞에 무릎을 꿇을 수 없다는 생각이 들곤합니다… 앞으로도 그런 자세로 사역하겠습니다. 그리고 또한 우리 자녀들에게도 그런 믿음의 유산을 잘 남기는 목사가 되겠습니다. 그러면 하나님께서 기뻐하실 것이라고 확신합니다." 한 세기를 이어 해외에서(캐나-박성기), 국내에서(박창기, 박은기) 교회를 섬기는 그 충성이 아름답습니다. 믿음은 순교이며, 농촌과 개척교회를 섬기는 끝없는 십자가임을 체험하면서도 그 길을 이어갑니다. 할렐루야-

• 두려워 말라 내가 너와 함께 함이니라 놀라지 말라 나는 네 하나님이 됨이니라. • 이사야 41:10 •

부록 4. '장로교 신학교 설립'에 관한 기사

[이상규의 새롭게 읽는 한국교회사](72)

장로교계 신학교의 설립

교회쇄신론자들 새로운 신학교 설립에 합의

해방 후 장로교계의 신학교 설립은 교회 분열과 무관하지 않았다. 감리교의 경우 해방 이듬해인 1946년 9월 '교회 지도자 양성'이라는 목표로 평양에 성화(聖化)신학교를 설립했으나 공산정권 하에서 폐쇄됐다. 남한에서는 소위 재건파에 의해 46년 2월 서울에 '감리교신학교'를 개교했고, 부흥 측에서는 48년 3월 '조선감리회 서울신학원'을 설립했다. 두 학교는 대립하는 듯했으나 양측은 49년 4월 무조건 통합, 하나의 신학교로 단일화됐다. 따라서 교회 분열도 막을 수 있었다. 그러나 장로교의 경우는 사정이 달랐다.

해방 후 가장 먼저 설립된 신학교는 46년 9월 20일 부산 동구 좌천동에서 개교한 고려신학교였다. 신사참배 반대로 40년 7월 이래 투옥되어 있던 주남선(朱南善)과 한상동(韓尙東) 목사는 일제의 패망과 한국의 독립을 확신하고 새로운 신학교 설립을 구상했다. 이들은 한국교회 재건을 위해서는 '정통신학'에 기초한 신학교육이 긴요하다고 본 것이다. 해방 당시 장로교계 신학교는 40년에 설립된 조선신학교뿐이었다. 이 학교는 46년 6월 서울 승동교회당에서 회집한 '남부총회'에서 장로교 직영 신학교로 승인됐다. 그러나 한상동 목사는 조선신학교를 현실 타협적인 신학교로 간주해 이 신학교에 한국교회의 미래를 맡길 수 없다고 보았다. 그래서 그는 주남선 목사와 신학교 설립을 합의하고 박윤선의 협조를 받았다.

46년 7월 9일 진해읍교회당에서 개최된 경남노회 제47회 임시노회에서는 신학교 설립을 허락받았다. 그래서 박윤선 목사를 임시 교장으로 고려신학교를 개교하게 된 것이다. 첫 교수단은 박윤선 외에도 김진홍 한상동 한명동 등이었고, 곧 한부선(Bruce F Hunt) 함일돈(Floyd Hamilton) 마두원(馬斗元 · Dwight L Malsbary) 최의손(William H Chisholm) 등의 도움을 입었다. 고려신학교는 출발부터 순탄치 못했다. 교회쇄신운동을 반대하는 이들이 고려신학교를 반대했기 때문이다. 논란 가운데 46년 12월 3일 진주에서 모인 경남노회 제48회 정기노회는 고려신학교 인정 결의를 취소하고 학생 추천도 거절했다. 후일 고려신학교 문제는 총회 문제로까지 비화되면서 격한 논란에 휩싸이게 된다.

47년 10월 14일에는 박형룡 박사가 고려신학교 교장으로 취임했다. 이때 조선신학교에 재학하고 있던 학생 34명이 부산으로 내려와 고려신학교에 편입했다. 이들은 조선신학교의 신학교육에 반대했던 '신앙동지회' 출신들이었다. 박형룡의 교장 취임으로 고려신학교는 조선신학교와 대립되는 보수적인 신학교로 인식된 것이다. 그러나 6개월 후인 1948년 4월 박형룡은 교장직을 사임했다. 설립자인 한상동 목사와의 학교 운영에 대한 견해가 달랐기 때문이었다. 그가 교장직을 버리게 되자 고려신학교에 대한 비난은 더욱 거세졌다. 박형룡 박사도 수용하지 못하는 독선주의 집단으로 매도됐고, 48년 5월에 소집된 장로교 제34회 총회에서는 '고려신학교는 총회와 무관한 학교이고 노회는 학생을 천거할 필요가 없다'고 결의했다. 그해 9월 21일에 모인 경남노회는 다시 고려신학교 승인을 취소했다. 이런 상황에서 고려신학교를 지지하는 교회쇄신론자들과 이를 반대하는 친일 전력의 김길창 측의 대립이 심화된다.

고려신학교를 떠난 박형룡 박사는 48년 6월 20일 서울 창동교회에서 시작된 새로운 신학교에 가담해 임시교장에 취임했다. 박형룡이 고려신학교 교장으로 취임했을 때 따라왔던 34명의 학생 대부분이 다시 박형룡을 따라 이 학교로 옮겨 왔다. 이 학교가 장로회신학교였다. 이 학교 설립을 주도한 이들이 권연호 계일승 김선두 김현정 이운형 이인식 전인선 등이었으나 사실상 이 학교는 고려신학교에서 따라온 학생들을 첫 입학생으로 개교한 급조된 신학교였다. 이렇게 되자 장로교회에는 고려신학교 외에도 김재준이 이끄는 조선신학교와 박형룡이 중심이 된 장로회신학교가 존재하게 된 것이다. 그런데 장로회신학교도 49년 4월 제35회 총회에서 직영신학교로 가결됨으로써 신학적 입장을 달리하는 두 신학교가 총회직영 학교로 가결된 것이다. 장로회신학교와 조선신학교 간의 대립이 심화되자 51년 5월 총회는 양 신학교의 직영을 취소, 양 신학교를 합동하여 새로운 신학교를 설립하기로 결의했다. 이 결정에 따라 51년 9월 18일 대구에서 신학교를 개교했다. 이것이 총회신학교였다. 감부열(Edwin Campbell) 선교사를 초대 교장으로, 인돈(William Linton) 권세열(Francis Kinsler) 조하파(Joseph Hopper) 선교사와 김치선 계일승 명신홍 박형룡 한경직 목사가 초대 교수로 추대됐다. 이때 조선신학교 측은 학교 통합에 응하지 않고 독자적으로 신학교를 운영하다 53년 '기독교장로회'라는 이름으로 분립했다. 조선신학교는 이후 한신대학교로 발전했다.

대구에서 시작된 총회신학교는 53년 서울로 옮겨가 남산의 옛날 조선신궁 자리에서 수업했다. 이 자리가 적산(敵産)이었으므로 정부로부터 불하를 받아 교사 건축을 준비하는 과정에서 3000만 환을 사기당하는 사건이 발생했다. 이에 대한 책임을 묻는 과정에서 에큐메니컬운동을 지지하는 측과 이를 반대하는 측이 대립했다. 이 싸움은 결국 59년 대전에서 모인 제44차 총회에서 폭발했다.

총회가 두 파로 나뉘어 에큐메니컬 측이라고 불린 연동 측은 서울 광장동 353번지에 1만9000평의 대지를 구입, 교사를 지어 '장로회신학교'로 새출발했다. 에큐메니컬운동을 반대하는 NAE 측인 승동 측은 사당동에 교사를 짓고 옛 이름 그대로 '총회신학교'로 출발했다. 전자가 지금의 장신대로, 후자가 총신대로 발전하고 있다.

(이 글은 국민일보 2012년 7월 22일에 연재된 기사이다.)

[출처] 국민일보

[원본링크] http://news.kmib.co.kr/article/view.asp?arcid=0006268019&code=23111612

자료 쉽게 볼 수 있는 곳 :
https://tinyurl.com/2bpnpon7

부록 5. 박환규 목사가 기록한 「우리 가정의 신앙」

우리가정의 신앙.

할아버지 박문택씨가 광산군 대촌면 구소리교회(지금은 교회가 없어짐)에서 전라도의 초창기 교인이 되다. 당시 권서 전도인 으로 쪽 복음을 팔면서 사방가치에 단이며 전도를 하다. 큰아버지와 아버지 두형제가 계셨고 고모 두 분 이 계셨다. 큰집에는 형 시만(성만) 동생 성수 가 있었고 누나 금순 복순 이가 있었다. 큰집 신앙생활은 좀 약하였든 것 같았다. 아버지는 광주 숭일고등학교를 단녔고 졸업 하였다. 일본대지진때 일본을 다녀왔고 (몇년간 계셨는지 알수없다) 광산군 삼도교회 학교 교사로 보성지방 교회 학교 교사로 근무하였다. 1824년 전남노회에서 전도사로 임명받고 남양 장평교회에서 전도사로 (대치교회 겸무) 시무하다. 내가 거기서 태어나다. 누님 유순 은 제주에서 태어났고 동생 금규도 제주에서 태어난 것을 보면 제주에 두 번 들어간 것 같다. 어머니는 제주 대정면 영락리 가 고향 이다. 제주에서는 두모리 교회 시무하셨다.우리 가족은 누나 유순 동생 금규 남규 아버지 어머니 모두 6명이었다. 내가 안 것은 장흥으로 이사 간 때부터다. 비가 오든 날이 엿다. 호로형 버스를 타고 장흥 관산으로 가 부평가는 정자나무 밑에서 나렷다. 약5리 정도 걸어 가 개척을 시작한 것 같으나 잘 안된 것 같았다. 평상위에 앉아 놀든 일이 생각난다. 다시 부평리로 이사 가서 개척교회를 시작하다. 한약방하든 박씨가족이 예수를 믿고 그 외 여러 가정이 예수를 믿었다. 부평리 교회 예배당을 건축하고 교회는 부흥하였다. 나는 크리스마스 때면 연설을 하였고 늙어죽고 천당갔늘 이라는 욕을 하여 동리 사람들이 그 말을 들으려고 놀리곤 하였다. 동생 남규는 거기에서 태어났다. 부평에서 3년간 살고 장흥읍교회로 옮겨 6년간을 살았다. 예배당과 사택을 건축 하였다. 6년후 영암읍교회로 옮겨 시무하였다. 구림 지남 도장 영보 교회를 겸무하였다. 영암신흥교회를 개척하였고 장암교회를 개척하였다. 1941년 추석에 강진읍교회에서 장강영지방 연합사경회가 열려 아버지도 강사로 참석하였다. 그 곳에서 일본 경찰에게 잡혀 영암경찰서로 옮 겨 13개월을 옥 사리하였고 광주경찰서로 옮기 약 6개월을 계셨고 재판받아 광주형무소로 옮겨 형기를 치루셨다. 약 3년반을 감옥사리 하신 것 이다. 아버지가 감옥에 계시는동안 어머니는 신흥으로 이사하여 그때 과부되신 조업례씨 제수원씨와 함께 신흥에서 사셨다. 큰아버지는신흥에 오셔서 일년 동안 논일을 도우셨다. 그 때 하나님의 크신 도움으로 집주위와 담위에 박이 주렁 주렁 열려 어머나가 부자집에 다니시면서 박을 파셨는대 보리로 약 두가마니를 바꾸어 우리집 식량을 하였다. 그 때 어머니는 장사를 하셨는데 제주로 삼베 미영베 농을 가저다 파셨고 제주에서는 꿀등을 가저다 파셨다. 한번은 제가 장흥대덕 회진까지 누비이불을 심부름으로 가저간 일 이 있었다. 감옥에서 나온 아버지는 신흥 집에서 하나님께 감사예배를 드리셨다. 감옥에 있는 동안 하나님께서 집도 주시고 가족을 먹고 입히고 하셨나고 감사하셨다. 그 때 간척회사신흥주임 부인이 믿는이였다. 그래서 간척지6마지기를 그냥 주셨다 소작권 논밭은 신정사람이 빼앗아 갔고 대신 간척지9마지기 밭 5마지기를 주었는대 (일본인소작) 해방이되니 논 15마지기 밭5마지기 가 되였다. 해방후 국가에서 샀고 부자가 되였다. 현재 논은 다-팔았고 밭은 경지정리가 되어 254평인데 산소로 도로변에 있는 좋은 장소 이다. 일년 중 추석 때 면 동생과 함께 온 가족이 가서 순교신앙정신을 이어 받자고 다짐하면서 예배를 드린다. 우리는 현재 32평 아파트에 살고 있고 큰아들 중기가족은 전주에서 약업대리점을 하면서 살고 있고 둘째 성기는 아프리카 케나에서 선교사로 3째창기는 캄보디아에서 선교사로 4째농기는 운암수공 3단지에서 살면서 10단지에서 학원을 하고 있고 5째은기는 7단지에서 살면서 선가리에서 목사로 개척교회를 하고있다. 교회가 크게 부흥되기를 바란다. 막내 은희는 서울에서 걱정 없이 살고있다. 동생도 2남3녀를 두었는데 2남2녀는 결혼을 하였고 큰아들 용기는 전도사로 시무중이며 총회신학교를 단이고 있다 한다. 하나님 항상 우리집안을 축복하여주시고 영과을 받으소서.

2004년 12월 6일. 박환규작성.

부록 6. 박환규 목사가 기록한 「신앙 계보」와 「가훈」

신앙 계보. 가훈= 죽도록 충성 하라.

박씨계보= 1세= 박혁거세-시조. 45세= 박현-중시조. 60세=박건근-나주. 67세=박경택-. 박문택.
미국 남장로교 선교사가 전라남북도에 들어와 예수의 복음을 전하다.
전라남도 광산군 대촌면 구소리에 살든 박문택씨가 복음을 받아드려 처음으로 예수를 믿고 구소리교회가 세워지다. (1899년경) 오웬선교사에게 수세 (가능)

(신앙1세) 67세=박문택-권서전도인 처-김로동 68세=아들-자삼 (병환) 처-김 씨.
* 병근 (병행) 처-좌추선
(신앙2세)68세=박자삼-아들-성만. 딸-금순. 딸-복순. 아들-성수.
(신앙3세)69세=박성만-아들-순철. 아들-순기.

(신앙3세)69세=박성수-아들-종남. 종국. 종대. 종관.

(신앙2세)68세=박병근-딸-유순. 아들-환규. 금규. 남규. 박병근- 전도사로 장로로 시무함.
박병근의 내력좌추선-1889년10월8일생.(단기4222년) 1922년8월10일(단기4255년) 박병근과 결혼
광산군삼도면 삼도교회서 운영하는 보통학교의 선생으로 보성지방 교회에서 운영하는 보통학교의 선생으로 시무. 1924년 전남노회의 전도사로 창평교회 제주 두모리교회 부평교회 (개척함) 장흥읍교회 영암읍교회 전도사로 시무함. 영암읍교회시무중 일제에의하여 감옥사리함. 영암경찰서 유치장에서 13개월 광주경찰서 유치장에서 6개월 광주형무소에서 2년여를 옥 사리 함. 해방 후 무안 현경교회 라산교회시무. 라산교회 시부 중 함평 내무소 에 한달여 갇여 있다가. 1950년 음 8월17일경 함평 향교 뒷산에서 두 손을 합장하고 기도하는 중에 뒤에서 총을 쏘아 순교 당함.

(신앙3세)69세=박환규 1926년12월26인생 1948년12월27인 문례순과 결혼.
문례순-1930년1월6일생
아들- 중기. 성기. 창기. 동기. 은기. 딸- 은희.
박환규의 약력=1948년경 장흥관산교회 전도사로 시부 중 1950년 6월에 서울 남산 장로교 신학교 입학. 신학도중 6 25 전쟁이 일어나 부산 대구 로 신학교가 옮 기고 대구에서 졸업 15일을 압두고 소집장 받아 군에 입대함. 제주훈련소에서 6 25 전쟁이 휴전되고 군목으로 마산 육군병원 9사단 29연대 시무하고 제대. 1955년5월13일에 목사안수 해남워진교회 (11개월시무) 창평교회 (4년간시무) 구례중앙교회 (6년간시무) 나주대안교회 (15년간시무) 봉황교회 (1년시무) 은석교회 (1979년12월9일개척-1997년11월22일 은퇴함.
(신앙4세)70세=박중기-1951년10월14일생. 1979년12월18일 김분덕과 결혼.
김분덕-1954년2월21인생
박중기의 약력=온누리교회의 안수 집사로.
딸-희순-1981년11월1일생 딸-혜원-1983년4월13일생.
(신앙4세)70세=박성기-1956년1월12일생 1985년 8월15일 염혜숙과 결혼.
염혜숙-1955년11월2일생
아들-주원-1986년6월19일생 아들-주영-1989년9월19일생.
박성기의 약력=총신대학, 신학대학원 졸업
1989년 경기노회 목사안수, 1994년 케냐 선교사파송
(신앙4세)70세=박창기-1958년2월11일생. 장태임과 1988년 4월 5일 결혼.
장태임-1960년 7월 2일 생.
아들-주찬.1989년 9월 27일생. 아들-주신. 1993년9월18일생.
딸-사랑. 1998년6월5일생.
박창기의 약력=총신대학 신학대학원 졸업. 1996년10월8일 전남노회서 목사안수. 은석교회 부

목사. 1997년 11월22일 은석교회 목사로 위임. 2천년8월 은석교회 사면 . 중흥교회 부목사로 부임. 2천4년7월 캄보디아 선교사로 파송 받음.

(신앙4세)70세=박동기-1960년6월15일생. 김신희와 1993년9월11일 결혼.

김선희-1962년1월3일생.

딸-예인.1994년5월4일생. 예승-1997년7월19일생. 주성-2000년3월7일생.

박동기의 약력=성은교회 집사.

(

신앙4세)70세=박은기-1961년11월12일생. 정경신과 1991년3월1일 결혼.

정경신-1967년12월14일생.

딸-하영. 1991년7월4일생. 딸-하람. 1993년1월5일생. 딸-하은.1997년8월18일생.

박은기의 약력=목포대학졸업. 총신학원졸업. 고양신일교회부목사로 시무.

광주 아름다운교회개척. (2003년2월부터).

(신앙4세)70세=박은희-1964년8월24일생. 김희와 1989년10월3일 결혼.

김희-1962년4월2일생(음).

딸-은파. 1990년8월12일생. 아들-은호. 1992년1월26일생.

(신앙3세)69세=박금규-1229년10월16일생. 1950년 음8월21일 함평라산에서 순교함.

박금규의 약력=해방 후 숭일중학교(당시-중.고 가 통일됐음) 5학년재학중. 6.25당시 아버지를 장례하고 가다가 라산에서 순교 당함.

(신앙3세)69세=박남규. 1931년9월21일생. 김애희와 1959년1월8얀 견혼.

김애희.1937년10월6일생.

딸-신애.1960년6월23일생. 딸-순애. 1962년6월2일생.

아들-용기. 1964년10월2일생. 아들-봉기. 1967년6월6일생.

박남규의 약력.=군목으로 월남파송. 광송교회개척 원로목사로 추대됨.

(신앙4세)70세=박신애. 윤이현 1960년 9월7일생 1994년10월3일 결혼. 아들-윤혜성 1996년10월26일생.

(신앙4세)70세=박순애. 주숙일 1957년3월1일생 1990년3월31일 결혼.

딸-주수신1991년1월29일생. 딸-주대신 1992년2월13일생.

(신앙4세)70세=박용기. 신혜경과 1965년11월1일생. 1990년5월5일 결혼.

아들-문수 1992년6월16일생. 딸-지혜1996년3월8일생.

박용기의약력=총신학원에 재학 중.

(신앙4세)70세=박봉기. 주선희 1972년1월5일생 1998년4월18일 결혼.

박환규 목사님이 생전에 직접 작성해 남겨 놓으신 글을 사진으로 게재한다.

부록 7. 박남규 목사가 작성한 이력서(자기소개서)

박남규 원로목사 이력서

박남규 목사는 (고) 박병근 전도사의 4남매 중 막내로 출생하여 3대째 신앙 가정에서 자라온 것이 큰 은혜이고 자랑거리고 축복 중의 축복이었습니다. 1931년 7월 7일 장흥 부평교회에서 출생하고 영암읍교회로 이사 와서 영암 초등학교를 졸업하고 목포 고등성경학교를 졸업한 후 광주 숭일중학교를 졸업하고 광주신학교와 대구 대신대학교 서울총회신학교를 1961년도 제10회 졸업하고 1963년도 전남노회에서 목사안수를 받고 목회를 시작하게 되었습니다.

유년 시절 순교자의 유족이라는 것이 자랑스러웠습니다. 선친인 (고) 박병근 전도사는 일제강점기 때 목회하면서 신앙을 지키기 위해 신사찬배거부로 3년간 광주 교도소에서 옥고를 치르셨고 해방 후 함평나산교회 시무 중 1950년 6·25전쟁 중 신앙을 지키다가 순교하셨고 순교자의 신앙교육 아래 자라 난 것은 은혜이고 축복이고 명예인 것을 영원히 자랑할 수 있습니다.

(고) 모친좌추선 전도사는 제주도 대정면 영락리에서 자라면서 예수를 믿고 선교사를 따라 광주 이일 성경학교에서 공부한 후 순회전도사가 되어 서서평 선교사와 함께 광주 전남 일대를 순회하면서 전도하여 많은 교회를 세우고 전도하여 복음 사역에 큰 공을 세웠습니다. 지난 2021.5.23. 주일은 나주 공산교회가 좌추선 전도사가 교회를 개척하여 100주년 되어 100주년 기념행사를 하는데 3남 아들 박남규 원로목사를 초청하고 설교를 부탁하여 기념행사에 설교한 자가 되었습니다. 박병근 전도사와 결혼하여 4남매를 길러 훌륭한 목사 장로 권사 집사를 길러내어 아름다운 천국 일꾼을 양성 해주어서 보람 있고 값지게 양육해주셨습니다. 형님 박환규 목사님은 장남으로 태어나 서울 총회 신학을 졸업한 후 목회하면서 자기 집을 팔아 은석교회를 개척하고 하나님 부르시는 날까지 충성봉사 하시다가 소천하셨습니다.

장남 박중기 장로는 전주온누리교회서 봉사하고 있고 2남 박성기 목사는 케냐 선교사로서 20년 이상 봉사하고 있고 3남 박창기 목사는 캄보디아 선교사로 열심히 선교하고 있고 4남 박동기 집사는 광주성은교회에서 열심히 봉사하고 있고 5남 박은기 목사는 나주 양산교회에서 열심히 목회하고 있으며 6녀 박은희 사모는 남편 김희 목사를 도와 더블레싱교회에서 목회하고 있습니다. 중년 시대 대한민국 국민으로서 국가와 민족을 위해 충성봉사 헌신 선교하기를 결심하고 1963년 육군 군목 간부 후보생으로 지원하여 광주 상무대에서 군목육군 간부 후보생 15기를 훈련받고 육군 중위 군목으로 임관하여 논산훈련소 군인교회를 시무하고 31사단 군인교회를 시무하고 77 육군병원 군인교회를 시무하고 베트남에 파월되어 십자성부대 아리랑 교회를 시무하고 공병여단 군인교회를 시무하고 광주 31사단 삼일교회를 시무하고 31사단에서 육군 소령으로 11년간 군목 생활을 마치고 1974년도 10월 1일 전역과 동시에 광송교회를 개척하여 28년간 시무하고 광송교회(현 샘물교회) 원로목사로 추되 되었습니다.

한국에서 외국에서 국군장병과 함께 나라를 위해 충성봉사 하였기에 국가유공자로서 명예와 훈장을 받고 크게 공로를 자랑할 수 있습니다. 말년시대 군목육군 소령으로 1974.10.1. 전역과 동시에 광주시 서구 농성동 670-14 농성어린이집 가정집에서 광송교회를 개척하여 교회당을 건축하고 예배당 헌당 및 박남규 목사 위임 장로 권사 집사 위임하고 교회를 부흥시킨 후 28년간 시무하고 원로목사를 추대되어 은퇴하였습니다.
후임 2대 목사로 김판정 목사를 담임목사로 부임하여 광송교회를 이전과 동시에 샘물교회로 이름을 변경하여 광주광역시 서구 운천길 101번지에 샘물교회를 건축하여 입당 감사예배를 드리고 날로 부흥하고 있습니다. 목회 말년에 40년 목회하고 광송교회 현 샘물교회 원로목사로 인정받고 공로를 축하받게 된 것을 항상 하나님께 감사드리고 온교회 성도들과 함께 감사드리면서 나이 92세까지 건강 주심을 더욱 감사드리면서 이제는 오직 기도로 교회를 돕고 있습니다.

하나님이 주신 자녀를 소개합니다.
장녀 박신애 권사 사위 윤이현 집사 손자 윤혜성(광주제일교회)
차녀 박순애 권사 사위 주숙일 장로 손녀 수신, 대신(암미선교교회)
장남 박용기 목사 자부 신혜정 집사 손자 문수, 지혜(서울제일교회)
차남 박봉기 집사 자부 주선희 집사 손자 하은, 범수(광주샘물교회)
3녀 박정애 집사 (샘물교회)
처 김해희 사모 86세 저와 63년을 동거하면서 기쁨을 누리고 있습니다.

부록 8. 호적등본－1960년 7월 22일 광주시장 발행

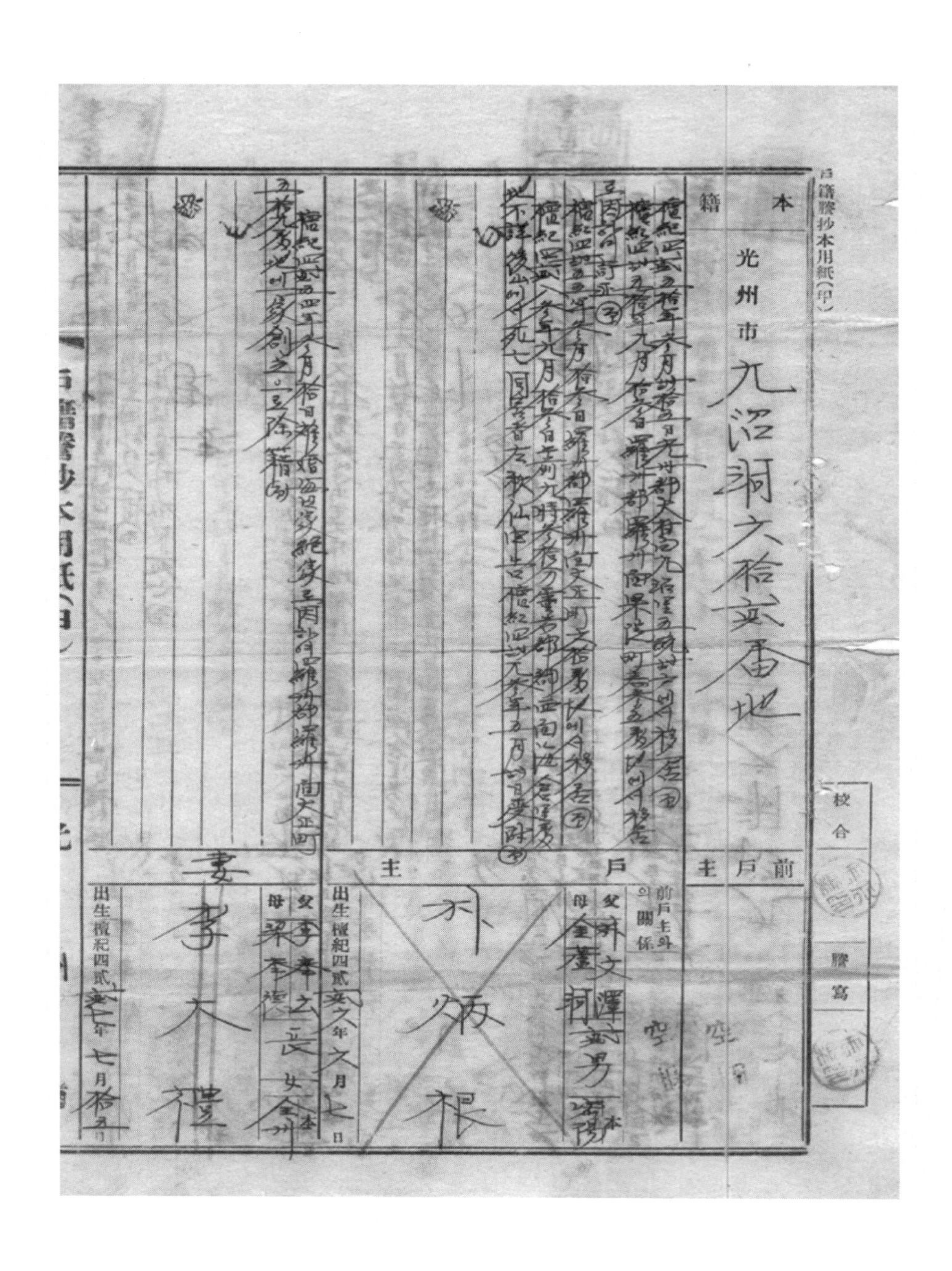

戶籍謄抄本用紙(甲)

本籍 光州市

前戶主

戶主

前戶主와의 關係

父

母

出生 檀紀四

妻

父

母

出生 檀紀四

校合

謄寫

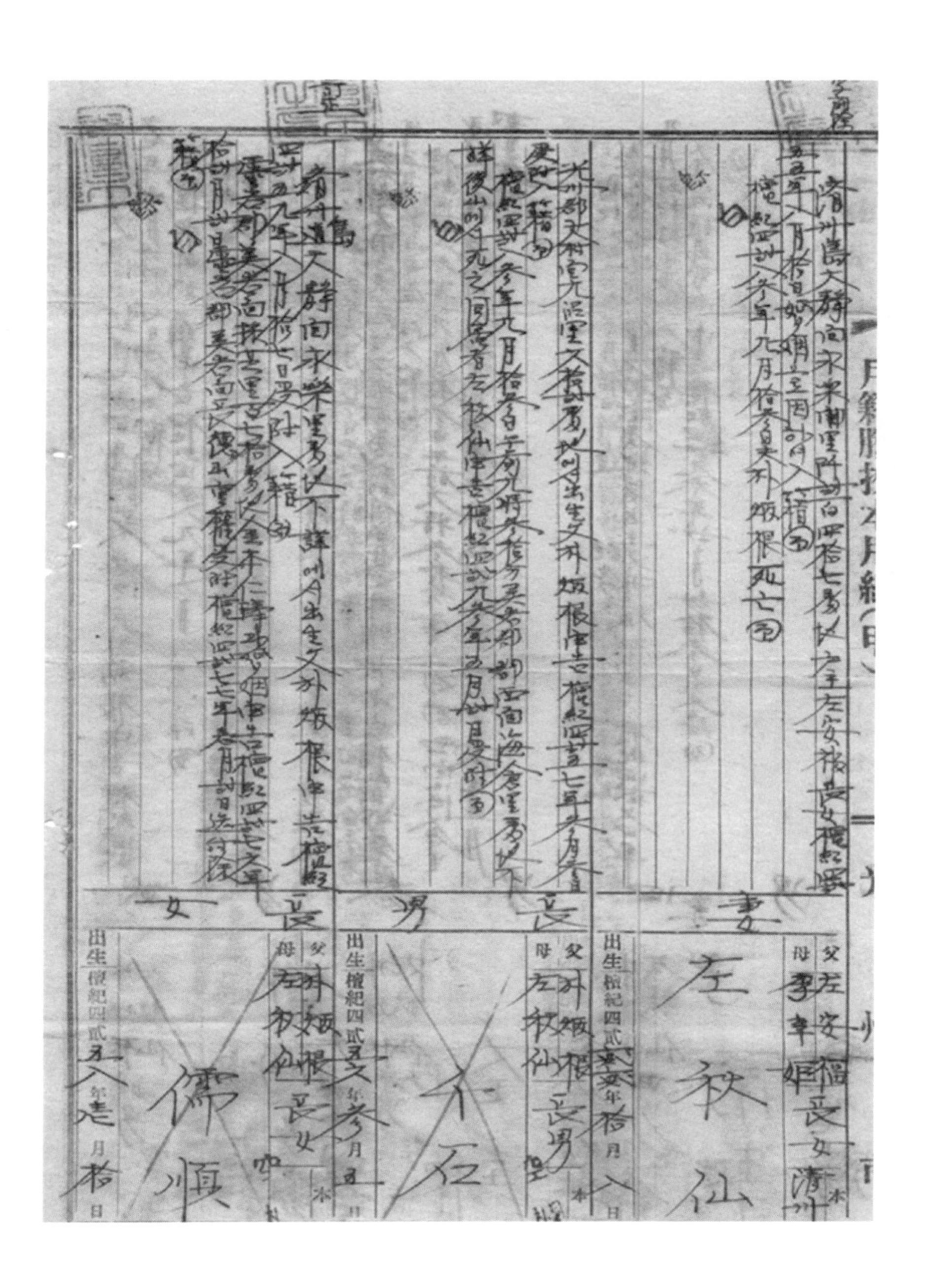

長女	長男	妻
父 朴姬根 母 左秋仙 長女	父 朴姬根 母 左秋仙 長男	父 左安福 母 李牟姬 長女 本 清州
儒順	仁石	左秋仙
出生 檀紀四貳[illegible]年[illegible]月拾日	出生 檀紀四貳[illegible]年參月五日	出生 檀紀四貳[illegible]年拾月八日

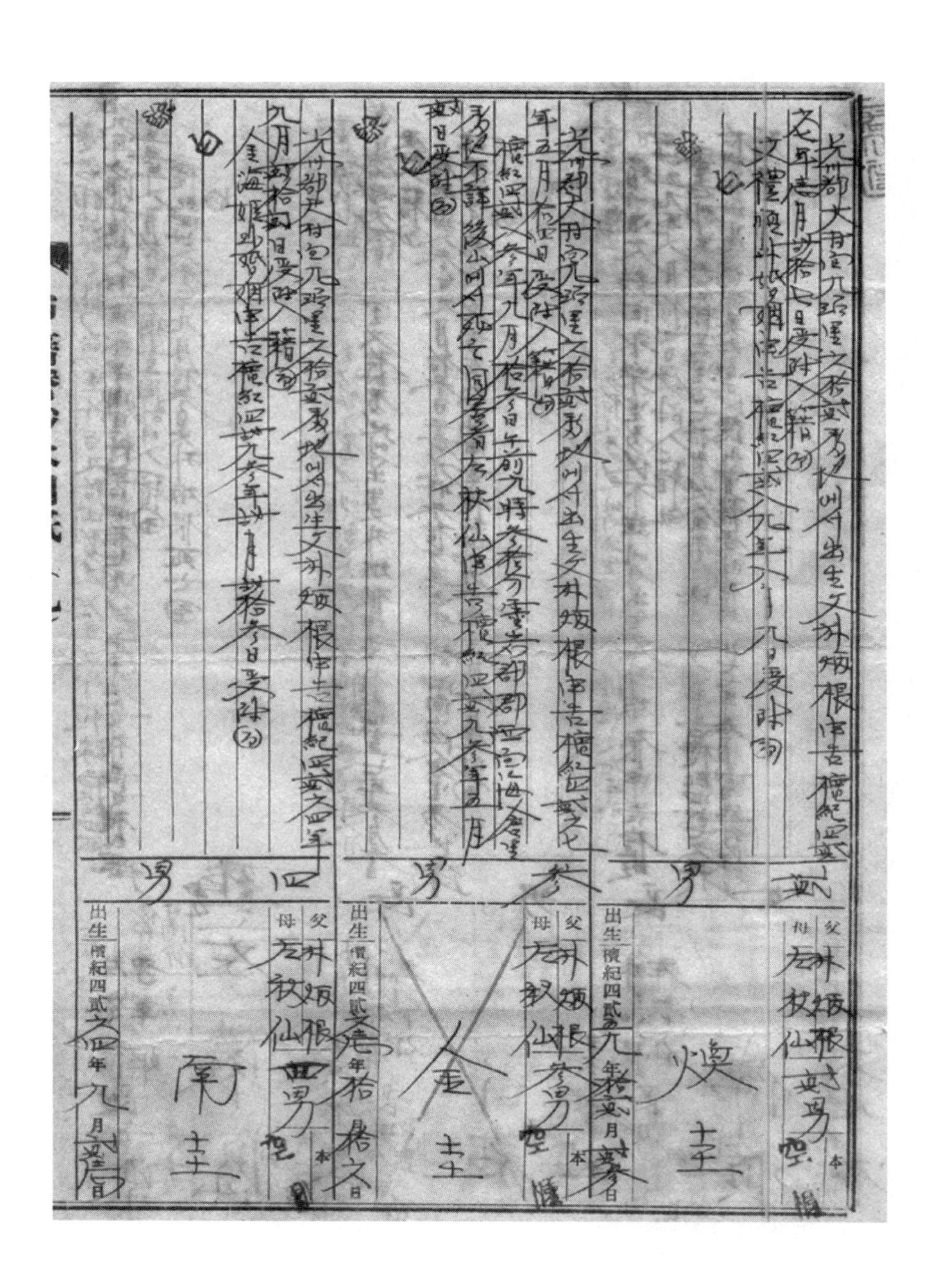

男 貳

父 朴炳根 / 母 [illegible]秋仙 / 本

貳男 煥圭

男 參

父 朴炳根 / 母 [illegible]秋仙 / 本

參男 奎圭

出生 檀紀四貳六九年 月 日

男 四

父 朴炳根 / 母 [illegible]秋仙 / 本

四男 南圭

出生 檀紀四貳七四年 九月 日

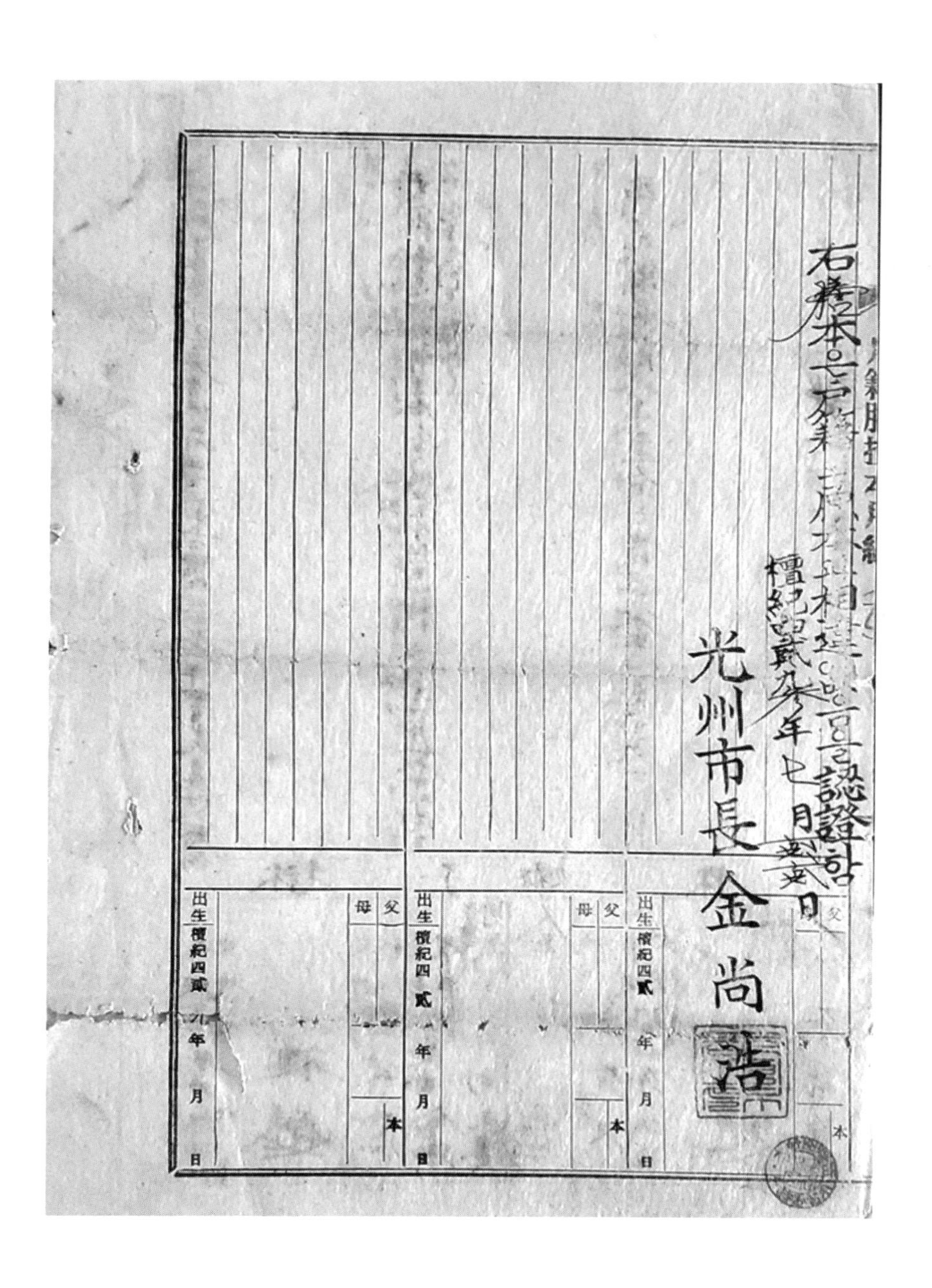
右謄本은 戶籍의 原本과 相違없음을 認證함

檀紀四貳九參年 七月 [illegible]日

光州市長 金尚浩

出生	檀紀四貳 年 月 日	父	母	本
出生	檀紀四貳 年 月 日	父	母	本
出生	檀紀四貳 年 月 日	父	母	本

| 후기 |

우리집 가훈(家訓)은 "죽도록 충성하라"입니다.

"사람이 만일 온 천하를 얻고도 제 목숨을 잃으면 무엇이 유익하리요 사람이 무엇을 주고 제 목숨과 바꾸겠느냐"(마태복음 16:26)는 말씀이 있습니다.

홍정길 목사님의 추천사를 받고, 신명기에 "기억하라"는 말이 몇 번이나 나오는가를 세어 보았습니다. 개역개정 신명기에서 '기억'을 검색해 보니 18건이 검색되었고, "기억하라"를 검색하니 10건이 나왔습니다. 영어 성경 NIV에서 'Remember'를 검색하니 16건, 'Forget'를 검색하니 9건이 나왔습니다. 이 성경의 구절들을 모두 찾아 나열하고, 비교해 보니 "기억하라(Remember)"의 뜻을 가진 성경 구절이 16, 17회 나왔고, "잊지 말라"는 뜻을 가진 "don't forget" 구절이 9번 나왔습니다.

일제시대에 창씨개명과 신사참배를 거부하다 투옥 생활을 하시고, 해방 후에는 반공운동과 교회와 신앙을 지키다 순교하신 할아버지의 삶의 흔적들과 기록을 찾아보았습니다. 처녀 적에 일찍이 제주에서 예수를 잘 믿어 미국인 선교사를 따라 광주로 와서 교육을 받고 전도부인 생활을 하다 가정을 이루신 할머니. 전도사인 할아버지와 결혼하고 사역을 함께 하시다, 남편의 감옥 생활로 3남 1녀의 자식을 데리고 길거리로 쫓겨나 보따리 장사와 맨몸으로 가정을 지키신 할머니. 6·25 한국전쟁 때, 남편과 아들, 그리고 딸과 사위까지 먼저 천국으로 보내고, 남은 어려운 삶 속에서도 굴하지 않고 두 아들을 목사로 세우신 할머니. 그리고 18세의 꽃다운 나이에 부잣집 후처의 자리로 시집갔다가, 첫아이 임신하자마자 남편의 상을 치르고 친정으로 돌아와 유복자인 딸을 낳은 후, 하나님의 은혜로 믿음 좋은 여자 전도사님에게 전도를 받아, 성경학교에서 교육을 받고 한평생을 전도부인으로 살았던 나의 외할머니와 부친과 작은 아버님의 신앙의 발자취를 기록으로 적어 보았습니다.

나는 이 글들이 우리 집안의 신명기가 되기를 기원합니다. 신명기(申命記)는 한자로 '거듭, 다시'라는 뜻을 가지고 있는 申, '명령, 계명, 구전'이라는 뜻의 命, '기록'이라는 뜻의 記입니다. 가족들과 자녀들, 그리고 우리의 후손들에게 할아버지와 할머니들이 목숨 바치고, 평생을 지킨 것이 무엇인가를 기억하고(remember) 잊지 말고(don't forget) 마음속에 깊이 간직하고 살기를 기도합니다.

끝으로, 부족한 나의 글을 읽어 주신 분들께 감사합니다.

2024년 3월 18일

전주에서 박중기 드림

밀알의 흔적

초판 발행일 2024년 3월 29일

지은이 박중기
펴낸이 임만호
펴낸곳 도서출판 크리스챤서적
등 록 제10-22호(1979. 9. 13)
주 소 서울 강남구 선릉로112길 36 창조빌딩 3F(우: 06097)
전 화 02)544-3468~9
F A X 02)511-3920
e-mail holybooks@naver.com

책임편집 김종욱
디자인 이선애
제 작 임성암
관 리 양영주

Printed in Korea
ISBN 978-89-478-0389-2 03230

정가 13,000원